1912-1922 Türk Savaşları
Belgeseli

●

BALKAN SAVAŞI

●

Başımıza Gelenlerin
Öyküsü

«1912 - 1922 Türk Savaşları Belgesel Savaş Dizisi» ve «İkinci Dünya Harbi Belgesel Savaş Dizisi» kitaplarımız, Genelkurmay Başkanlığınca yararlı görülerek tüm Silahlı Kuvvetlerimize tavsiye edildiği gibi, Milli Eğitim Gençlik ve Spor Bakanlığınca da Tebliğler Dergisi'nde yayınlanmıştır.

Yayınlayan ● KASTAŞ A.Ş.
Kapak resim ● Aykut Özbay
Dizgi ● Metin Dizimevi
Baskı ve cilt ● Zafer Matbaası

Birinci Baskı
Kasım 1988

İbrahim ARTUÇ

KASTAŞ A.Ş. YAYINLARI
Başmusahip Sokak Talashan 16-101
Cağaloğlu - İstanbul
Tel. : 520 59 70

ISBN 975 - 7639 - 04 - 4
«Milletlerarası Standart Kitap Numarası»

SUNUŞ

20. yüzyılın başlarında, yani 1910'larda Osmanlı İmparatorluğu sayısız zorluklar içindeydi. İmparatorluğu oluşturan değişik milletler, değişik dinlerden kurulu toplumlar bağımsızlık istiyorlar, devlete karşı silahlı ayaklanmalara girişiyorlardı

Bir ayağı Adriyatik Denizi'nde, bir ayağı Yemen'de, bir eli Girit'te, diğeri Basra Körfezi'nde olan üç kıtaya yayılmış imparatorluk ise hangi tarafa koşacağını, hangi derde çare bulacağını şaşırmıştı. Trablusgarp nedeniyle İtalyanlarla savaşırken Arnavutluk isyanı, o bitmeden Arabistan'da İmam Yahya ayaklanması, arkasından Makedonya olayları... Öyle değişik milletlerin, öyle değişik yerlerde, öyle değişik sorunları ki, çözümü olası değil. Hele böyle yorgun, hele böyle yüzyılların yıprattığı ihtiyar bir imparatorluk yönetiminin yapacağı iş hiç değil...

Aslında, sorunun büyüğü dışta değil içtedir. Çünkü Viyana'lara doğru coşku ile yürürken o sağlam ve gerçekçi yönetim, geriye dönüş sürecinde bozulmaya, gittikçe işlerliğini kaybetmeye başlamıştı. Bu gerileyiş ve çözülüşte devlet yönetimi bozuldukça imparatorluğun kılıç tutan kolu zayıflamakta, kol zayıfladıkça yönetim altındaki değişik ırkların başları doğrulmakta, çözülüş hızlanmaktaydı. 1910'larda devlet güçsüzdü, Meşrutiyet'in getirdiği iktidar ve muhalefet kendi arasında kanlı bir kavgaya tutuşmuştu, yolsuzluk ve rüşvet alabildiğine yaygındı.

Öbür yandan memlekette ne dişe dokunur bir sanayi, ne de tarım vardı. Pazar arayan kapitalizmin zorladığı bir ekonomik kölelik, imparatorluğu demir bir kıskaç

5

içine almış, onu Avrupalı zenginlerin sömürgesi haline getirmişti. Borçlu imparatorluk «Düyunu Umumiye» örgütü ile zengin Avrupalıların haczi altındaydı. Avrupalının taktığı iki isim tam yerine oturmuştu: Osmanlı İmparatorluğu bir «Hasta Adam»dı ve bu hastanın neden olduğu bir «Doğu Sorunu» vardı.

Balkan Savaşı denen o felaket, işte bu tükenmişliğin doğal bir sonucu olarak meydana geldi. Geldi ve göz açıp kapayacak kadar kısa bir sürede «Rumeli» denen Avrupa'daki son Osmanlı topraklarını, göz gözü görmez bir toz duman içinde süpürüp götürdü.

Olaya yüzeysel bakanlar, o devirde bile heybetli gözüken Osmanlı İmparatorluğunun dört küçük Balkanlı ülkenin önünde aldığı bu yenilgiyi hayretle karşılarlar; ama işin aslını yukarıda anlatılan şekilde görenler için bu sonuç —aşağı yukarı— doğaldır.

Öyle veya böyle şurası bir gerçek ki, Balkan Savaşı bir dağılış, bir çözülüş, bir yıkılıştır. Bu yıkılışta biz, gençken başarıdan başarıya koşmuş ama artık ihtiyarlamış bir yorgun savaşçının dizlerinin üzerine çökerken bile onurunu korumak için ümitsiz direnişini hüzünle seyrederiz.

Ve üzerinden ne kadar zaman geçmiş olursa olsun biz, bu çöküşte, bu yıkılışta, bugün de yararlanabileceğimiz birçok ibret dolu sahneler ve nice dersler buluruz...

İbrahim ARTUÇ
15 Kasım 1988

İÇİNDEKİLER

BİRİNCİ BÖLÜM

TARİHTE BALKANLAR

İKİNCİ BÖLÜM

BALKANLAR KAYNIYOR

ÜÇÜNCÜ BÖLÜM

SAVAŞ ÖNCESİ

DÖRDÜNCÜ BÖLÜM

TARAFLARIN DURUMU

BEŞİNCİ BÖLÜM

DOĞU ORDUSU VE BULGARLARLA SAVAŞ

ALTINCI BÖLÜM

BATI ORDUSU VE KARADAĞLILARLA SAVAŞ

YEDİNCİ BÖLÜM

BATI ORDUSU VE SIRPLARLA SAVAŞ

SEKİZİNCİ BÖLÜM

BATI ORDUSU VE YUNANLILARLA SAVAŞ

DOKUZUNCU BÖLÜM

ATEŞ KESİLMESİ VE TEKRAR SAVAŞ

ONUNCU BÖLÜM

BARIŞ VE İKİNCİ BALKAN SAVAŞI

BİRİNCİ BÖLÜM

TARİHTE BALKANLAR

KAYNAYAN RUMELİ

«Baskınlar, yangın çıkarmalar, dağa adam kaldırmalar, hükümet kasasından ödenen fidyeler, tren soygunları, tahripler ve hepsinin üstünde akıtılan kan dalgaları, bütün Makedonya'yı sarmıştır. Herkes tetikte, herkes ayaktadır. Madedonya topraklarına akşam inerken kapılarını kapayıp evlerine çekilen her dinden, her dilden Makedonya köylüleri, gözlerini sabaha selametle açıp açamayacaklarını bilmezler. İslâm köyleri, İslâm çiftlikleri, hatta kasabaları her dakika çetelerin baskınına uğramak tehlikesindedir. Hülasa Makedonya'da tam bir terör ve anarşi rejimi hakimdir. Hükümetten daha güçlü, daha doğrusu hükümet içinde hükümet olan çete örgütleri, artık asıl hesaplaşma günlerinin geldiğine inanırlar.

Osmanlı hükümeti de gerçi köyler basıyor, komiteci yataklarını meydana çıkarmaya çalışıyor, silahlar, bombalar ele geçiriyordu. Hele kiliselerle papaz evleri ve okullarla öğretmen evleri âdeta birer silah deposuydu. Yakalananlara cezalar, hapislik, sürgün hükümleri, hatta idam cezaları kesiliyordu. Fakat Rus konsoloslarının müdahaleleri, yani yardım ve şefaatleri hemen imdada yetişiyordu. Ben bile pek küçüklük yaşlarımda, ve galiba 1905 isyanları sırasında, Rus konsolosunun müdahalesi ile Edirne hapishanesinden alınan Rum, Bulgar komitecilerinin, arabalara bindirilerek davul zurnalarla köylerine götürüldüğü günleri hatırlarım. En öndeki arabada konsolosun kavası, tercümanı azametle otururlardı. Bu çalgılı çengili alaylar, sokaklardan geçirilirlerdi. Müslüman halk iki sıra olur, asık suratla bu olup bitenlere bakarlardı. Biz küçük çocuklar ayak altında ezilmemek için, şuraya buraya sığınırdık. Olup bitenleri seyrederdik. Zaten babamın, çiftliğinde ırgatlık ettiği Dertli Mustafa Bey'in çiftliği de bir gün Bulgar komiteleri tarafından basılmış, yetişkin bir bey olan oğlu kaçırılmış, öldürülmüştü. Habuki bu çiftlik binası, bir ordu karargâhı olan Edirne'de, askeri kışlaların biraz ilerisindeydi. Bu beyi kurtarmak için hemen bütün askerler harekete getirilmişti ama, onu ölümden kimse kurtaramadı.» (*)

Tarihçi Şevket Süreyya Aydemir'in küçük bir çocukken tanık olduğu gibi, Makedonya, Arnavutluk, Trakya, yani bir başka adıyle «Rumeli», 1900' lü yıllarda yalnız bir ucundan da değil, bir çok tarafından tutuşmuş yanıyordu.

Her yanda feryat ve figan vardı, her yanda bomba ve tüfek sesleri vardı, her yanda yıkım ve yangın vardı. İnsanlar huzursuz, insanlar geleceğinden endişeli, insanlar korku içinde, heyecan içindeydi. Kısacası «Rumeli» denen kocaman bir ülke, sanki kıyametten önceki son günlerini yaşıyordu: Dünyayı birbirine katan, altını üstüne getiren o korkunç çöküntü ha başladı, ha başlayacaktı. Köyler, kentler birbirine karışmış, kanun ve düzen diye bir şey kalmamıştı. Her sokağın başında veya kırlarda her ağacın arkasında her an atışa hazır bir silah var gibiydi. Devlet otoritesi, jan-

_____

(*) Şevket Süreyya Aydemir: Makedonya'dan Orta Asya'ya Enver Paşa 1. cilt.

darma, asker, sanki bu hay huy arasında gözden yitip gitmişti. Gerçekten de Yanya'sı ile, İşkodra'sı ile, Selanik veya Manastır'ı ile ve buralarda oturan Bulgarı, Sırbı, Yunanı, Arnavutu, Türkü ile kan ve ateş deryası ortasında birbirlerinin gırtlağına sarılmışlar, boğuşup duruyorlardı. Ve doğrusu dünyada hiç kimse 20. yüzyılın bu ilk günlerinde, Balkanların bu taraflarında olmak istemezdi.

İyi ama bu olanlar neydi, böyle insanların, kavimlerin ve milletlerin kanlı bıçaklı hale gelmeleri neyin nesiydi? Kuşkusuz, bu hemen bir günde olup bitmiş şey değildi.

Evet; neden, niye, niçin?..

Bütün bunları anlamak için bir hayli gerilere gitmek lâzım, yüzyıllar ötesine gidip tarihin derinliklerini karıştırmak lâzım. Herhalde ancak o zaman, bu toz dumandan gözgözü görmeyen karanlıklar içinde kendimize bir yol bulup aydınlığa çıkabiliriz.

Bir defa, Makedonya, Arnavutluk, Trakya, yani «Rumeli»yi de kapsayan «Balkanlar» dediğimiz yöre neresi, bunu yanıtlamalı.

Balkanlar, koskocaman bir bölge, büyük bir coğrafi parça. Bugünkü durumu ile Romanya'nın güneyi, Yugoslavya, Bulgaristan, Arnavutluk, Yunanistan ve Türk Trakyası'nı kavrayan bir alan. Yani, kuzeyde Tuna'dan güneyde Akdeniz'e, Batıda Adriyatik Denizi'nden doğuda Karadeniz ve Marmara'ya kadar uzanıyor. Aşağı yukarı 620.000 kilometre karelik bir büyüklükte. Bu haliyle Balkanlar, Orta Avrupa ile Asya arasında köprü vazifesi görür. Doğu Akdeniz'e egemendir.

Şimdi haritalarda görünmeyen 1900'ların «Rumeli»si, o zamanlar Balkan yarımadasının ortalarına düşerdi.

Aslı aranırsa «Rumeli», daha eskilerde çok daha geniş bir bölgenin adıydı. Örneğin, Roma İmparatorluğu devrinde tüm Balkanlar'ın eski Türkerdeki adı «Rumeli» idi.

Rum   : Romalı (Roma imparatorluğu halkı),

BALKANLAR VE RUMELİ
(1910)

Rumeli : Romalıların ülkesi demekti. Yalnız Türkler de değil, Araplar ve İranlılar da, Roma imparatorluğu ülkesi için «Rumeli» adını kullanırlardı.

«Rumeli»nin Rum, yani Yunanlı ile hiç bir ilgisi yoktur.

İlk zamanlar «Rumeli» adı, yalnız Batı Roma için değil, Doğu Roma yani Bizans ülkesi için de geçerliydi. Bu sebeple de Selçuklular devrinde Bizans ülkesi olarak Anadolu da bir «Rumeli» idi. Ama 1071'de Malazgirt Savaşı ile Selçuklular Anadolu'ya yayıldıktan ve hele 230 yıl sonra Söğüt yörelerinde Osmanlıların bir beylik olarak ortaya çıkmalarından sonra buraları Türkleşince, o zamana kadar «Rumeli» olarak anılan bu topraklar ad değiştirmiş ve artık «Anadolu» olarak anılmaya başlanmıştı. Bizanslıların «Anatolia» (Doğu) dedikleri topraklar, artık Türklerin «Anadolu»su idi.

1300'lerde «Rumeli», artık sadece Balkanların adıydı. Yüzyıllar sonra Osmanlılar, bütün Balkanlara egemen olduklarında da, aynı adı kullanmaya devam ettiler. Ama ne zaman ki gerilemeye başladılar, o zaman «Rumeli» adı yalnızca elde kalan Osmanlı toprakları için söylenir oldu. İşte 1900'larda «Rumeli», Balkanların orta yerlerindeki Osmanlı toprakları Arnavutluk, Makedonya ve Batı, Doğu Trakya'ları kapsayan küçük bir yerdi.

TÜRKLERİN RUMELİ'YE GEÇİŞLERİ

Osman'ın kurduğu ,oğlu Orhan'ın Bursa ve Balıkesir yörelerini de alarak genişlettiği Osmanlı Beyliği Marmara güney sahillerine ulaşmış, İstanbul ve Çanakkale Boğazlarına dayanmıştı. O sıralarda bu ele avuca sığmaz genç devletin genç askerlerini, bu suların gerisinde durdurabilecek bir kuvvet de ortada görünmüyordu: Doğu Roma, yani Bizans, yıkıldı yıkılacaktı, ayakta zor duruyordu. Balkanlardaki Bulgarlar, Sırplar, henüz bir güç olmaktan yoksundular.

Sonunda beklenen oldu: Orhan Bey'in büyük oğlu Süleyman Paşa, 1354 yılında iki sala doldurduğu bir avuç akıncısıyla Çanakkale Boğazı'nı bir hamlede atlayarak Bolayır kuzeyinde «Rumeli»ye, yani Balkanlara ayak basıverdi. Binlerce kilometre uzaktan, Asya'nın ortalarından gelip Küçük Asya'yı da aştıktan sonra Türkler, şimdi de Balkanlar yoluyla Avrupa'ya atlayıvermişlerdi. Üç gün sonra yetişen takviyelerle Süleyman Paşa'nın asker sayısı üç bini bulmuş, Gelibolu yarımadası kısa zamanda Türklerin eline geçmişti. Şimdi Balkanlar, Romalılar ülkesi, yahut o zamanki deyimle «Rumeli» denen bereketli topraklar, Türk atlılarının önünde serilmiş yatmaktaydı. Ve Türkler, o durdurulmaz bir güce erişen Osmanlı Beyliği'nin askerleri, dipten beslenen bir kaynağın dalgaları gibi yüzyıllar sürecek bir yayılma alanına kavuşmuştu.

1300'lerde Söğüt topraklarında küçük bir beylik olarak ortaya çıkan Osmanlıların, Rumeli'ye, yani Balkanlara geçişi için 50 yıl kâfi gelmişti.

Türkler fırsatı iyi değerlendiriyorlardı. Nitekim, Süleyman Paşa'nın avda atıyla beraber düşüp öldüğü 1359 yılına kadar geçen beş yıllık sürede bütün Gelibolu yarımadası, Malkara, Keşan, Çorlu ve Tekirdağ'a kadar Marmara sahilleri ele geçirilmişti bile. Şimdi Bizans'ın Avrupa ile olan bağlantısı da tehlikeye girmiş, İstanbul Türklerin kuşatması altına düşmüştü. Dört yıl sonra 1363' de Edirne de Türklerin eline geçti. Edirne'nin fethinden bir kaç ay önce Orhan Bey ölmüş, 1. Murat tahta çıkmıştı. Lala Şahin Paşa emrindeki Türk orduları aynı yıl Filibe ve Zağra üzerine yürümekte, Türkler hızla ve güvenli adımlarla yeni topraklar kazanmaktaydılar. 1. Murat 1364'de başkenti Edirne'ye taşımış, işgal edilen yerlere Anadolu'dan getirilen Türk boyları yerleştirilmeye başlanmıştı. Görünüşe göre Osmanlı Türkleri

14

bu yemyeşil, bereketli toprakları kendilerine kalıcı yurt ediniyorlardı, öyle hemen bırakıp gitmeye de hiç niyetli değildiler.

Ama diğer yandan Bizans'dan başka Rumeli' deki bütün milletler de ayağa kalkmıştı: Hıristiyanlık, Müslüman tehdidi altındaydı. Bu korkunç istila durdurulmalı, Avrupa ve Bizans kurtarılmalıydı. Papa 5. Urbanus girişimi ele aldı, Macar Kralı Layoş komutasında Macar, Sırp, Bulgar, Eflak, Bosna orduları Türkler üzerine yürüdüler. Bu, Türklere karşı düzenlenen ilk **«Haçlı Seferi»** idi. Fakat Edirne yöresindeki Sırp Sındığı'nda, 1364'de Hacı İlbey'in on bin kişilik öncü birliği, asıl ordusunun yetişmesine vakit bırakmadan bir baskınla yüz binlik Haçlı ordusunu kılıçtan geçirdi. Sonraki üç yılda Bulgarlar Türk egemenliğine boyun eğmiş, Sırp Sındığı'ndan yedi yıl sonra 1371'de Sırp Kralı Vukaşn'ın düzenlediği 2. Haçlı ordusu da, yine Edirne yöresinde (Çirmen'de) 1. Murat tarafından ağır bir yenilgiye uğratılmış, Türkler Adriyatik Denizi'ne ulaşmışlardı. İşte bu hızla Sofya, 1382'de Türklerin eline geçti.

Sonunda **«Rumeli»**nin kaderini belirleyen Kosova Savaşı'na sıra geldi. 1389'da, yani Türklerin Rumeli topraklarına çıktıkları 1354 yılından 35 yıl sonra 3. Haçlı Ordusu, Kosova'da, kendisinden daha az kuvvetteki 1. Murat ordusuna yenildi. Murat, savaş alanını gezerken yaralı bir Sırp askeri tarafından öldürülecekti ama, artık Rumeli'de 500 yıl sürecek Türk egemenliğinin temeli de atılmıştı.

Az sonra Türkler Tuna'ya ulaştılar. Babası Kosova şehidi 1. Murat yerine tahta geçen Yıldırım Bayezit Tuna'yı da 1391'de kuzeye atlayıp Eflak (Romanya) topraklarına girdi.

Artık Türkler çok oluyorlardı. Papa 4. Bonifacius'un girişimi ile İngiliz, Fransız, Almanlar başta olmak üzere hemen hemen bütün Avrupa gönüllülerinin katıldığı, Macar Kralı Sigismund komutasındaki büyük bir Haçlı Ordusu yeniden

Osmanlıların üzerine yürüdü. Fakat bu 4. Haçlı Ordusu da 1386 yılı 25 Eylülünde Niğbolu'da Yıldırım ordusu karşısında imhadan kurtulamadı.

Yıldırım'ın Ankara Savaşı'nda Timur'a yenilmesiyle bir ara Rumeli'de duraklayan Türk ilerlemesi, Sultan 1. Mehmet'in yönetimi ele geçirmesiyle yeniden hız kazanacaktı. Şimdi artık Türk akıncıları Macaristan ovalarına ulaşmışlardı.

Bu sıralarda 5. Haçlı Seferi gerçekleşti. Fakat diğerleri gibi yine büyük bir yenilgi ile son buldu. Sultan 2. Murat, Macar Kralı Yanos komutasındaki Haçlıları, 1444'de Varna'da kılıçtan geçirmişti. Dört yıl sonra Yanos komutasındaki 6. Haçlı Ordusu da aynı felakete uğradı. 2. Murat, atası 1. Murat gibi yine Kosova'da, 59 yıl sonra 1448' de büyük bir zafer daha kazanmıştı. Beş yıl sonra 1453'de Fatih Sultan Mehmet'in İstanbul'u ele geçirmesiyle «Rumeli»nin fethi tamamlanmış olmaktaydı. 1364'de Sırp Sındığı ile başlayan ve 1451'de 2. Kosova ile biten altı Haçlı Seferi sonunda elde ettikleri zaferlerle Türkler, Balkanları ellerine geçirmişlerdi. Yani 1354'de Bolayır'a ayak basan Türkler için bir yüz yıllık süre yetmiş ve 1453'de İstanbul'un fethiyle bu büyük zafer noktalanmış oluyordu. (*)

Türk yayılması bundan sonra da devam etti. 1460'da Mora ve yine bu yıllarda Bosna ve Hersek de Osmanlı topraklarına katıldı. 15 yıl sonra Arnavutluk ve Balkanlar ötesinde Boğdan ve Kırım Hanlığı da Fatih Sultan Mehmet'e boyun eğdi. Belgrad, Kanuni Sultan Süleyman tarafından 1521' de ele geçirildi. Şimdi artık Avrupa'nın fethi başlamıştı. 5 yıl sonra 1526'da Kanuni'nin orduları, Mohaç'da Macar ordularını imha etti. Budapeşte

---

(*) Bu Haçlı Seferleri ile, Avrupalı Hıristiyanların Kutsal Kudüs şehrini Müslümanların elinden almak için 1096-1270 yılları arasında yaptıkları 8 Haçlı Seferi birbirinden ayrıdır.

şimdi teslim olmuş, Orta Avrupa kapıları açılmıştı. Avrupalılar artık kendi canlarının derdine düşmüşlerdi. Şimdi gayeleri, Türkleri Balkanlardan atmak değil, Roma ve Viyana'yı ve diğer memleketleri savunabilmekti.

DURUŞ VE GERİYE DÖNÜŞ

16. Yüzyıl Türk Osmanlı İmparatorluğunun en geniş topraklara sahip olduğu ve Avrupa-Asya-Afrika gibi üç kıtaya kol atarak en görkemli devirlerini yaşadığı zamandır. Ama diğer yandan da imparatorluk, yorulmuş ve durulmuştur. Zaman değişmektedir. Amerika'nın keşfi Avrupa'yı zengin etmiş, reform ve ronesans Avrupalıların düşünce ufkunu genişletmiş, gelişen ilim ve teknik güçlü kraliyet ordularının kurulmasına yol açmıştı. Üstelik sahnede şimdi bir de Rusya belirmişti. Büyük (Deli) Petro, cesur hamlelerle Rusya'yı dünyanın büyük devletleri arasına sokmaya çalışıyor, Karadeniz, Balkanlar ve hatta Boğazlar üzerinde gözü olduğunu saklamıyordu.

Osmanlılara gelince, artık eski enerjilerini yitirmişler, ilim ve tekniği kovalayamamışlardı. Devlet düzeni de gittikçe bozuluyordu.

Ve, sezilmekte olan olay fazla gecikmedi. 1683' de İkinci Viyana Kuşatması da başarısızlıkla sonuçlanınca, Türkler için dönüş başladı. Korkudan bir araya gelmiş olan Avrupa şimdi sevinçle ayağa kalkmıştı. «Mukaddes İttifak»ı oluşturan Avusturya, Venedik, Lehistan, Fransa, İspanya, Malta ve Rusya saldırıyor, Osmanlı Türkü savunuyordu. 16 yıl süren savaş, Osmanlıların yenilgisi ile son buldu. 1699'da imzalanan Karlofca Antlaşması ile Türkler, o güne kadar ilk defa toprak kayıplarına uğradılar.

Yeni başlayan 18. yüzyıl, genelde Türklerin savunması, Avusturya'nın ve Rusya'nın Balkan-

OSMANLI İMPARATORLUĞU
(16. Yüzyıl)

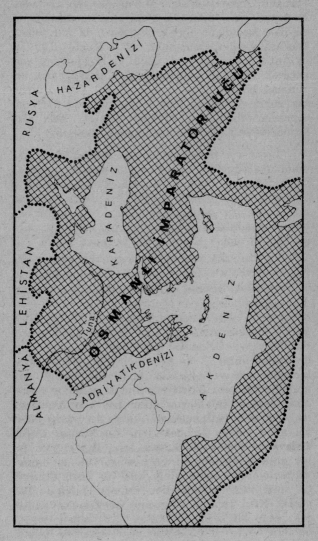

ları ele geçirmek için saldırmaları ile geçti. 1711 Prut zaferine rağmen, bu genel çizgi değişmedi. Osmanlı İmparatorluğu Almanlara yenilerek daha sonra imzaladığı 1718 Pasarofca Antlaşması ile de bazı kayıplara uğradı. Bununla da kalınmadı, Ruslara yenilen Osmanlılar, 1774 Küçük Kaynarca Antlaşması ile Kırım, Eflak ve Boğdan'dan vazgeçecek ve kendi yönetimindeki Ortodoksların korunması hakkını Rusya'ya verecekti. Yani o tarihten sonra Ortodoks Rusya, Balkanlarda Osmanlı topraklarındaki Sırp, Bulgar, Hırvat, Rum tüm Ortodoksların kurtarıcısı rolüne yükselmişti.

Rusya ve Avusturya'nın birlikte 1788'de Osmanlılara taarruzu, bu devletlere pek bir şey sağlamamıştı ama, artık rollerin değiştiği, Türklerin taarruzu değil ellerindekileri korumaya çalıştığı bir sürece girilmişti. Gelecek günler, başta bitmeyen bir iştahla sıcak denizlere ulaşmaya çalışan Rusya olmak üzere, artık Avrupalılarındı.

Bu sıralarda önemli bir şey daha oldu: 1789 Fransız ihtilali.

Bu sosyal devrim, insanların hakları konusunda yepyeni bazı şeyler söylüyor, millet ve milliyet duygularını gün yüzüne çıkarıyordu. Yani, Sırp, Hırvat, Bulgar, Arnavut, Rum ve Karadağlı, yalnız Katolik veya Ortodoks değil, aynı zamanda bir de millet idiler... Ve her millet kendi devletini kurmalı, hür ve bağımsız olmalıydı. Şimdi esir milletler bu yeni fikirlere, bu tatlı yankılar uyandıran seslere kulaklarını dikmişler, yeni heyecanlar duymaya başlamışlardı. Ve yavaş yavaş Rusya, artık yalnız Ortodoksların koruyucusu değil, «Islav» ırkının, yani Bulgar, Sırp, Hırvat gibi Islav milletlerinin de koruyucusu rolünü üstlenmeye başlıyordu. Anlaşılacağı gibi bir sürü dinleri, bir sürü milletleri yönetimi altında toplamış, Tuna'dan Kızıl Deniz'e, İran'dan Fas-Tunus'a kadar çok geniş bir alana yayılmış koca imparatorluk, bundan böyle yalnız dıştan değil, içten de tehdit altına girmekteydi. Bir dinler ve milletler aşuresine benzeyen ihtiyar devlet, şimdi sadece ayrı dinlerle değil, ayrı milletlerle de uğraşacaktı. Hatta, aynı dinden olsa bile, Arabı, Arnavudu, Boşnağı, Kürdü, Pomağı ile...

Görünüş oydu ki, bu toplumların milliyet bilincine ulaşmaları oranında o da, milliyet sorunlarıyla karşı karşıya kalacaktı. Avrupa'nın bir parçası olması, düşünce ve kültür alanında daha ileride bulunması nedeniyle bu tehlikenin, Asya ve Afrika'dan önce, kendini Balkanlarda göstereceği de belliydi. Koca Osmanlı, dış düşmanları önünde yenilip geriledikçe, bir sürü milletin toplaştığı Balkanlarda da içten içe tehlikeli bir kaynaşma başlamıştı.

Kısaca, bakmasını bilen gözler, Balkanlardaki tehlike dolu kara bulutların yoğunlaştığını görüyor, hassas kulaklar ayaklanmak için fırsat kollayan Balkanlı milliyetçilerin ayak seslerini duyuyordu. Yeni gelen 19. yüzyılın Osmanlılar için hiç de içaçıcı olaylar saklamadığı belliydi.

SIRPLAR AYAKLANIYOR

19. yüzyılın daha başında, 1801'de Sırplar ayaklandılar. Her ne kadar sebep olarak, toprak sahibi Sipahilerin zulmü öne sürülmekteyse de, bunun bir bağımsızlık hareketi olduğu belliydi. Aslında, Karlofça Antlaşmasına kadar, Sırpların pek baş kaldırması görülmemişti. Ama Osmanlı kudretinin yavaş yavaş sönmeye yüz tutması nedeniyle, Avusturya-Osmanlı savaşlarında, bu iki devletin ortak sınırları içinde bulunan Sırplar etkilenmekte gecikmemişlerdi.

Güney Islavlarından olan Sırplar, evvelce Bizans yönetimi altında uzun yıllar geçirmiş, fakat 12. yüzyılın başlarında bağımsızlığa kavuşmuşlardı. 14. yüzyılın ortalarında ise, Sırp Çarı Duşan, bütün Sırpların hayalini kurdukları **«Büyük Sırbistan»**ı yaratmayı başarmıştı. Osmanlıların Balkanlara ayak basmalarından az önce, 1346'da Sırbistan, Bizans'ı da tehdit eden koskoca bir Balkan ülkesiydi. Fakat, Çar Duşan'ın ölümü ile imparatorluk dağılmaya yüz tutmuş, arkasından Doğu' dan bir çığ halinde gelen Osmanlılar bu yıkılışı tamamlamışlardı.

Ama işte şimdi, 400 yıl sonra işler tersine dönmüştü. Bir yandan Avusturyalılar, diğer yandan bütün Ortodoks Islavların koruyucusu olduğunu iddia eden Ruslar, Sırpları bağımsızlığı için dövüşmeye kışkırtıyorlardı. Kara Yorgi'nin liderliğindeki 1801 isyanı, bunun ilk kıvılcımı idi.

Osmanlılara baş kaldıran Kara Yorgi 1808'de Belgrad'ı ele geçirdi. İhtilal ateşi yayılıyordu. Sonunda 1812 Bükreş Antlaşması ile, Osmanlı devleti Sırbistan'a özerklik vermek zorunda kaldı. Ama Sırplar bunu da az görüyorlardı, yeniden çarpışmalar başladı. Bu sefer Osmanlı ordusu asileri yenerek Belgrad'ı geri aldı, fakat Avusturya ve Rusya araya girdiler ve 1829'da Sırpların özerkliği kesinlik kazandı.

Bu hareketler, **«Ayaklanma devri»**ni başlatmış, diğer esir Balkan milletlerine ümit vermişti. Bundan böyle Osmanlı İmparatorluğu, bir de bağımsızlık için ayaklananlarla başa çıkmak, yani kendi iç kavgalarında kan dökmek, ödün vermek, toprak vermek gibi zor bir uğraş dönemine girmişti. İşi zordu. O güçten düştükçe, kılıç tutan kolu gevşedikçe, yönetimi altındaki esir milletler başlarını doğrultmaktaydılar. İşte Sırplar da bu işin yapılabilirliğini kanıtlamış değil miydiler?

Rumlar, kalp çarpıntıları içinde, bekledikleri günün geldiğine inandılar. Ve, 1821 yılının 12 Şubatında Mora'da silahlarını ateşlediler.

RUM AYAKLANMASI

Rumlar Islav ırkından değildiler ama, Balkanlılarla aynı Ortodoks dinine sahiptiler. Bu yüzdendir ki, İstanbul'u alan Fatih Sultan Mehmet'ten beri Fener Rum Patriği, bütün Ortodoksların, yani Sırp, Bulgar, Hırvat, Sloven tüm milletlerin dini reisliğini yürütmekteydi. Kuşkusuz bu, Rumlara diğer Ortodoks milletler üzerinde küçümsenmeyen bir üstünlük sağlıyordu.

Rumlar, diğer milletler gibi yalnız Balkanlarda değil, İstanbul ve Anadolu'nun bir çok yörelerinde de yaşamakta ve Osmanlı yönetiminde büyük bir ekonomik gücü ellerinde bulundurmaktaydılar. Gerek ticari yolla ve gerekse özellikle denizcilikleriyle, Avrupa ile yakın ilişki içinde idiler. Üstelik kendilerini Bizans İmparatorluğu'nun da varisi olarak görmekte ve için için kurtuluş gününe hazırlanmaktaydılar.

Aslında Rumlar, Sırp isyanından 30 yıl önce ilk ayaklanma provasını yapmışlardı. 1770'de Rus donanmasının Mora açıklarında görünmesi üzerine ayağa kalkmışlar, fakat bir sonuç alamamışlardı. Ama artık durum her gün biraz daha olgunlaşmakta, Avusturya ve Rusya'dan başka diğer Avrupa devletleri de kendilerini desteklemekte ve yüreklendirmekteydiler.

1814'de Rusya'da üç Yunanlı tüccar tarafından kurulan **«Etniki Eterya»** adlı gizli bir ihtilal örgütü, Yunan bağımsızlığı için çalışmaya başlamış ve beklenmeyen bir hızla Yunanistan ve Anadolu'da yayılmaya koyulmuştu. Din adamları ve zenginler, örgütün başını çekmekteydiler. Sonunda, 1821 Şubatının 12'sinde Mora'da silahlar patladı: Yunan ayaklanması başlamıştı.

Etniki Eterya üyesi olan ve başından beri Yunan ayaklanmasının planlayıcılığını yapan Fener Rum Patriği Gregorios, bir Rumun ihbarı ile yakalanmış, arkadaşlarıyla birlikte 22 Nisan 1821'de Patrikhanenin kapısında asılmışlardı. Bu olay, tüm

Hıristiyan dünyasının bir kere daha ayağa kalkmasına neden olmuştu.

Yeniçeriliği ortadan kaldırmak isteyen, fakat yeni orduyu da henüz kuramayan 2. Mahmut, ayaklanmayı bastırmakta güçlük çekiyordu. Yardım istediği Mısır Valisi Mehmet Ali Paşa'nın, oğlu İbrahim Paşa komutasında Yunanistan'a yolladığı ordu, 4 yıl sonra 1825'de asileri temizledi. Atina da 1827'de geri alındı. Fakat İngiliz, Fransız, Rus gemilerinden kurulu müttefik donanması aynı yıl, 1827'nin 20 Ekiminde, bir baskınla Mora'nın Navarin limanında Türk-Mısır donanmasını yakınca işler tersine döndü. Ve sonunda Rumlar 1829'da, yani Sırpların özerkliklerini kazandıkları yıl, Mora'da bağımsızlığa kavuştular.

Balkanlar kaynamaya başlamıştı. Yalnız Sırplar ve Rumlar değil, Karadağ'da, Bosna-Hersek'de, Bulgaristan'da da dinmez bir huzursuzluk ve zaman zaman silahlı ayaklanmalar görülüyor, Osmanlı ordusu bir yerden bir yere koşuşturup duruyordu.

Üstelik bu ayaklanma ve çalkalanmalar bir türlü duracağa da benzemiyordu. 1839'da ilan edilen «Tanzimat Fermanı» ve 17 yıl sonra 1856 «Islahat Fermanı», din ve ırk farkı gözetmeksizin bütün vatandaşlar arasında eşitlik sağlamak ve bu yolda düzenlemeler yapmak yönünde alınmış kararlardı. Ama bunlar da daha çok kâğıt üzerinde kaldığından, azınlık toplumlarında olumlu bir etki yapmadı. İşin başında uyanan ümitler hızla yerini umutsuzluğa terketmiş, Balkan milletlerinin bağımsızlık hırsları büsbütün bilenmişti. «Doğu Sorunu» (Şark meselesi), her gün biraz daha içinden çıkılmaz bir hâl almaktaydı.

«Doğu Sorunu», çökmeye başlayan Osmanlı İmparatorluğunun neden olduğu karışıklıklara, Avrupalıların verdikleri addı. Çünkü bu yağmadan pay kapmak, başta Avrupa'nın büyük ülkeleri Rusya, Avusturya, İngiltere, Fransa, Almanya olmak üzere bir çok ülkeyi karşı karşıya getirmekte ve aralarındaki bir savaş güçlükle önlenmekteydi. Özellikle **«Şarka doğru»** politikası güden Germenlerle, **«Sıcak denizlere doğru»** politikasına sarılmış Islavların yolları Balkanlarda birbirleriyle çatışıyordu. İşte bu nedenledir ki, Avusturya ile Rusya sürekli karşı karşıya gelmekteydiler. Zaten nicedir Avusturya ve Rusya, ince diplomatik oyunlar ve karşılıklı ödünlerle aralarındaki bir savaştan kıl payı kurtulmaktaydılar. Ama, şu **«Doğu sorunu»**nun er veya geç, miras bölücüleri arasında bir kazaya yol açacağı da kuvvetli bir olasılıktı.

Nitekim Rus Çarı 1. Nikola'nın Osmanlı topraklarının paylaşımı ile ilgili önerisinin İngiliz hükümetince kabul edilmemesi üzerine, kendi başına Osmanlı İmparatorluğuna harp ilanı, Avrupalılar arası bir savaşı başlattı. 1854-1856 Kırım Savaşı adı ile tarihe geçen bu savaşta Ruslar, İngiliz, Fransız, Osmanlı ordularına yenik düştüler.

Rus Çarı Nikola, savaştan önce İngiliz elçisine şöyle demişti :

«Bakınız, kollarımızın arasında hasta, ağır hasta bir adam var. Bu hasta adam, kollarımızın arasında birdenbire ölebilir. Böyle bir durumda şaşkınlığa düşmemek ve bir sürtüşmeye meydan vermemek için şimdiden önlem almakta ve anlaşmakta fayda var; geliniz anlaşalım.» İşte, **«Doğu sorunu»** gibi bir de **«Hasta adam»** deyimi bu konuşma ile tarihe geçti ve o günden 70 yıl sonra 1920'lerde Türk Kurtuluş Savaşı ile ve artık bir daha dirilmemek koşuluyla tarihe gömüldü.

Fakat o yıllarda gerçekten bir Doğu Sorunu ve bu sorunun nedeni olan bir hasta adam vardı. Gerek 1828-1829 Türk-Rus savaşı ve 1854-1856 Kırım savaşı ve gerekse iç isyanlar, takatten düşmüş imparatorluğu her gün biraz daha sarsmakta, geriletmekte ve Tuna'dan uzaklara doğru iteleyip durmaktaydı.

Kırım savaşından 20 yıl sonra da asıl büyük yıkım geldi, hem de korkunç bir gürültü ve korkunç bir hızla.

1877 - 1878 SAVAŞI (93 HARBİ)
AYASTAFANOS VE BERLİN

Rusya Kırım savaşının kötü etkilerinden kurtulmak ve değişmez gayesine ulaşmak için 1877 yılında Osmanlılara yeniden harp ilan etti. Yüzeysel neden, Balkanlardaki esir Islav halkını kurtarmak ve Müslüman zulmü altında inleyen Ortodoks Hıristiyanlara hürriyet vermekti. Rus çarı, Avrupa'da ortamı uygun bulmuş, Osmanlı yönetimindeki Bosna-Hersek'i peşkeş çekerek Avusturya'nın tarafsızlığını da sağlamıştı.

Savaş, 24 Nisan 1877'de, Rus ve Romen ordularının Tuna'yı güneye aşmaları ile başladı ve hızla gelişti. Sırbistan ve Karadağ da, Osmanlılara karşı Rusya'dan yana savaşıyorlardı. Gazi Osman Paşa'nın bütün dünyada yankılar uyandıran ve hiç bir yardım almadan 6 ay sürdürdüğü Plevne savunma savaşına rağmen Osmanlı ordusu, yenilgiden kurtulamadı. Ruslar, Sofya ve Edirne'yi işgal ettiler ve 11 ay içinde Ayastafanos'a (Yeşilköy) indiler. Şimdi İstanbul, fethinden 425 yıl sonra, ilk defa böyle yakın bir tehdit altına girmişti.

Ruslar Doğu'da da, Ahmet Muhtar Paşa'nın başarılı savaşlarına rağmen, Kars ve Ardahan'ı almış, Erzurum'a dayanmışlardı.

3 Mart 1878'de İstanbul'un burnu dibinde imzalanan Ayastafanos Barış Antlaşması, bu büyük yıkımı bütün korkunçluğu ile gözler önüne seren bir belgeydi. Buna göre, Romanya, Sırbistan, Karadağ tam bağımsız oluyorlardı. Ayrıca Karadeniz'den Egedenizi'ne kadar inen koskoca bir Bulgaristan kuruluyordu. Osmanılara sözde Bosna-Hersek ve Arnavutluk bırakılıyordu ama, bunlarla bir ka-

25

AYASTAFANOS ANTLAŞMASINA GÖRE
BALKANLAR (3 Mart 1878)

Savaştan önceki hudutlar
Karadağ'a bırakılan yerler
Sırbistan'a bırakılan yerler
Romanya'ya bırakılan yerler
Ayastefanos'a göre hudutlar

Avusturya

Bosna

Hersek

Karadağ

Sırbistan

BELGRAD

Romanya

BÜKREŞ

NIŞ

ÜSKÜP

SOFYA

Bulgaristan

FİLİBE

EDİRNE

Arnavutluk

Makedonya

Trakya

İSTANBUL

MANASTIR

SELANİK

Yunanistan

İZMİR

ATİNA

Girit

BERLİN ANTLAŞMASINA GÖRE
BALKANLAR (13 Temmuz 1878)

Eski hudutlar
Özerk bölgeler

Avusturya

Romanya

Bosna
Hersek

BELGRAD

BÜKREŞ

Sırbistan

Romanya'ya

Kara
dağ

Sırbistan'a

Bulgaristan

SOFYA

DOĞU RUMELİ

ÜSKÜP

FİLİBE

EDİRNE

MANASTIR

SELANİK

YANYA

Yunanistan'a

Yunanistan

ATİNA

Girit

ra bağlantısı bile yoktu. Yani Avrupa Türkiyesi ikiye bölünmüş, Bulgaristan'ın Ege'ye inmesiyle bir kısmı batıda bir kısmı doğuda kalmış, tuhaf bir coğrafi durum ortaya çıkmıştı. Buna göre batıda kalan toprakların, kısa bir zamanda elden çıkması kaçınılmazdı. Kısacası Osmanlılar, Balkanlardan hemen hemen atılıyordu. Bundan başka Rusya, bir kısım savaş tazminatından vaz geçmesine karşılık doğuda Kars, Batum, Ardahan'ı da almaktaydı.

Bu haliyle, 1699 Karlofça yenilgisinden sonra küçük küçük kayıplar pahasına iyi kötü toprak bütünlüğünü bu güne kadar 179 yıl koruyabilen imparatorluk, Ayastafanos ile korkunç bir kayba uğruyordu.

Halbuki bir yıl önce ilk defa meşrutiyetin ilan edilmesi (23 Aralık 1876) ve iki ay kadar önce de ilk meclisin çalışmaya başlaması, toplumlarda ne güzel ümitler uyandırmıştı.

Evet, Sultan Abdülhamit Osmanlısının yenilgisi müthiş, Rusların zaferi kesindi ama, Avrupa' nın diğer büyükleri de ayağa kalkmıştı: Hasta Adam'ın mirasına yalnız Rusya mı konacaktı?. Doğu Sorunu'nun çözümü böyle mi olmalıydı?.

Hayır, böyle şey olmazdı. İngiltere ve hatta Fransa, Akdeniz'e inen bir Rusya istemezlerdi. Avusturya da telaşlanmıştı. O da Rus çarına savaş açması için evet derken, doğrusu bu kadarını tahmin etmemişti. Şaka değil, tüm Balkanlar Islavların kontrolu altına giriyordu. Artık, Akdeniz'e (Ege'ye) çıkmaya çalışan kendi gayesiyle, Osmanlı topraklarına göz diken Rus emellerinin çatışması kaçınılmaz bir hal almaktaydı. Üstelik, Bosna-Hersek de kendisine bırakılmamıştı.

Şimdi ufukta yeni bir Kırım Savaşı tehlikesi belirmişti. Avrupalı büyükler, Osmanlıdan yana idiler. Başı çeken İngiltere, kolu kanadı kırılmış imparatorluğu yakından koruyabilmek için Kıbrıs'ı istemekteydi. Abdülhamit buna razı oldu ve bir olup bitti halinde Kıbrıs, İngiliz himayesine terkedildi.

Avrupalı diğer devletlerin baskısına dayanamayan Rusya, sonunda Ayastafanos Antlaşmasının Berlin'de yeniden görüşülmesine razı oldu. Alman Başbakanı Bismark'ın başkanlığında bir ay süren toplantılar sonunda, 13 Temmuz 1878'de imzalanan Berlin Antlaşması ile Ayastafanos, Osmanlıların yararına bir hayli değişikliğe uğramıştı. Gerçi Romanya, Sırbistan, Karadağ gene bağımsız oluyorlar ve bazı yerler alarak biraz büyüyorlardı ama, Bulgaristan küçük bir prensliğe iniyor, küçülüyordu. «Doğu Rumeli» adı ile bağımsız bir yönetim, Bulgaristan ile Osmanlılar arasında ortaya çıkıyordu. Şeklen Osmanlı egemenliğinde görünmekle beraber, Bosna-Hersek de Avusturya'ya devredilmekteydi. Ne savaşta, ne barış görüşmelerinde ve ne de Ayastafanos Barış Antlaşmasında olmamasına karşılık Yunanistan'a da bazı topraklar veriliyor, Girit adası Osmanlılara bırakılmakla birlikte, reform yapmak zorunluğu getiriliyordu. Bu reform, yalnız Giritlilerle de kalmamaktaydı. Balkanlar başta olmak üzere tüm Osmanlı ülkesinde ve Ermenilerin de yararlanacakları bazı düzenlemeler söz konusuydu.

Kafkaslarda Batum, Kars, Ardahan yine Ruslara veriliyordu. Ayrıca Ruslara yüklü bir savaş tazminatı ödenecekti. Kıbrıs, bazı koşullar sayılmazsa, İngiltere'ye bırakılıyordu.

Ve, ilk defa bu antlaşmayla tarihe bir de Ermeni sorunu çıkıyordu : Osmanlı hükümeti, doğu Ermenilerine bazı haklar tanıyacak, bazı iyileştirici düzenlemeler yapmakla yükümlü olacaktı. Yani kısacası, Osmanlı yönetiminde yaşayan gayri Müslimlerden koruyucusu olmayan tek azınlık olarak Yahudiler kalmıştı. Onun dışında herkesin artık bir koruyucusu vardı.

Bu antlaşma Osmanlılar için yıkımdı ama, Ayastafanos'a göre yinede bazı teselli tarafları vardı. Hiç olmazsa Balkanlarda kendisine yine de hatırı sayılır bir toprak bırakılmıştı. Ve önemli olarak Balkanlardaki acaip durum ortadan kaldırılmış, ikiye bölünen Osmanlı toprakları birleştirilmişti.

Ama bu neyi değiştirirdi ki? Gelecek günlerin, yorgun ve çökmüş imparatorluk için bir ümit taşımadığı belliydi. Neresinden bakılırsa bakılsın şu son savaş Osmanlılar için ağır bir darbe olmuş, büyük bir toprak, nüfus ve prestij kaybedilmişti. İmparatorluk, bu çöküntüden sonra ayakta zor durur gibiydi. Berlin Antlaşması sonunda Osmanlı İmparatorluğu, Balkanlarda toprağının ve nüfusunun beşte ikisini kaybetmişti. Ayrıca doğuda Ruslara bırakılan Kars, Ardahan ve Batum'la, İngiltere'ye terkedilen Kıbrıs'ı da buna eklemek lâzımdı.

Diğer yandan, Ayastafanos'a karşılık Berlin Antlaşması, Ruslar ve özellikle zahmetsizce «Büyük Bulgaristan»ı kuruveren Bulgarlar için büyük hayal kırıklığı yaratmıştı. Ayrıca, diğer Balkan milletleri de pek memnun değildiler. Herkes kendisine daha fazla toprak istemekte, herkes hakkının yenildiğini düşünmekteydi. Büyük savaştan sonra gelen barışın, artık sorunlara bir çözüm ve bölgeye bir huzur getirmesi gerekirken, inadına bu barış, yeni anlaşmazlıkların tohumunu yeşertmekteydi. Üstelik, Osmanlı mirasının paylaşılmasına sonradan katılan bu küçük Balkanlılar, şimdi kendi aralarında gittikçe gün yüzüne çıkan sürtüşmelere başlamışlardı. Yani, büyük Avrupalılar gibi şimdi yeniden tarih sahnesine çıkan küçükler de, Hasta Adam'ın şu veya bu parçasını bölüşürlerken kendi aralarında döğüşeceğe benziyorlardı.

Özetle, Balkanlar, için için kaynayan bir yanardağ gibiydi; burada yaşayan milletler de bu yanardağın üstünde oturan huzursuz, sinirli toplumlar...

Bu durum, 1878 Berlin Antlaşmasından sonra 1912 Balkan savaşına kadar 35 yıl daha şöyle veya böyle sürecek ve sonra Osmanlı İmparatorluğunun Avrupa'daki bu son topraklarının yağması ile bitecekti.

Gerçekten bitecek miydi?..

Bunu daha ileride göreceğiz...

BERLİN ANTLAŞMASINDAN SONRA

Evet Balkanlar, şimdi gün yüzüne çıkan bazı bağımsız ülkelerin de katılmasıyla kaynaşıp durmaktaydı. Berlin Antlaşması sanki bir barış belgesi değil, savaş çağrısıydı. İhanete uğradığını söyleyip duran Rusların homurtuları arasında küçük küçük Balkan milletleri silahlarını bileyip duruyorlardı. Şimdilik bir savaşın olmadığı, bir ayaklanmanın görülmediği Balkanlardaki sessizliğin ardında, cadı kazanları kaynamaktaydı.

Berlin Antlaşmasından sonra ortada değişen bir şeyler vardı. Çünkü «Doğu Sorunu» artık ilk planda Avusturya ve Rusya'nın, geri planda diğer Avrupalı büyüklerin Avrupa Türkiyesini paylaşmak sorunu olmaktan çıkmış, araya bir sürü Balkan devleti karışmıştı. Şimdi, ister istemez bunlar da söz sahibiydiler. Üstelik bunlar yeni bağımsızlıklarını kazandıklarından coşkulu ve ataktılar. Yeni topraklar alarak büyümek, Osmanlı yönetiminde kalan diğer soydaşlarını kurtarmak, bunların hırs ve azimlerini büsbütün kamçılayıp durmaktaydı.

Bir taraftan Avusturya diğer yandan Rusya bu küçük, fakat gelecek vadeden devletleri kendi yanlarına çekmeye çalışırken, diğer taraftan bunlar da gözlerini açtıkları yeni âlemde kendilerine sağlam bir yer edinme telaşındaydılar. Ama her birinin genişlemesi, Osmanlı İmparatorluğunun aleyhine olduğu kadar diğerlerinin de aleyhine olacaktı. Öyleyse işler daha da zorlaşıyordu. Şimdi küçükler arasında da çekişmeler başlamıştı.

Balkanlar, gerilimli, kuşkulu ve ne getireceği

31

belli olmayan yeni olaylara gebe bir ortam için-
deydi.

Zaten Berlin Antlaşmasından hemen sonra Ro-
manya Prensi Karol, 1881'de krallığını ilan etti.
Sırbistan Prensi Milan da bir yıl sonra aynı şekil-
de kendisinin kral olduğunu bildirdi. Bir zaman-
ların Osmanlı egemenliğindeki topraklarda iki
krallık gün yüzüne çıkıvermişti.

Bulgar Prensi Aleksandr da kendi krallığına
hazırlanıyordu. Bunun için de ilkin, Güney Bul-
garistan olarak tanımladığı «Doğu Rumeli» ile bü-
tünleşmesi gerekliydi. Berlin Antlaşması gereğin-
ce bir Hıristiyan vali yönetiminde Osmanlı İmpa-
ratorluğuna bağlı Doğu Rumeli, zaten ne zaman-
dır Bulgar komitecilerinin cirit attıkları bir bölge
görünümündeydi. Bir kaç yıl sonra artık vakit gel-
miş ve 18 Eylül 1885'de Doğu Rumeli ayaklanmış-
tı. Filibe'de kansız bir darbe ile yönetimi ele alan
ve yabancı valiyi kovan Bulgarlar, ülkenin Bulga-
ristan Prensliğine bağlandığını ilan ediverdiler.
Abdülhamit bir iki protestonun ötesinde bir ha-
rekette bulunmaktan çekinmişti ama, bu olup bit-
ti, durgun gibi duran suları bulandırmaya yet-
mişti. Diğer Balkan ülkeleri, dengenin Bulgaris-
tan yararına bozulduğunu ileri sürerek huzursuz-
luklarını belirtiyorlardı.

İş bununla da kalmadı. Sırp Kralı Milan, Bul-
garların topraklarına kattıkları Doğu Rumeli'de
bazı yerlerin Sırbistan'a ait olması gerektiğini ile-
ri sürerek 14 Kasım 1885'de Bulgaristan'a savaş
açtı. Balkanlar yeniden ayağa kalkmıştı. Sırp Kra-
lı Milan, Bulgarlara yenilip 4 ay sonra Bükreş
Antlaşmasıyla durumu kabullenecekti ama, çal-
kantı yine de sürecekti. Artık nicedir beklenen şey
ortaya çıkmış, şimdi küçük Balkanlılar, Osmanlı-
ları bir yana bırakıp kendi aralarında toprak kav-
galarına başlamışlardı.

Küçük Yunanistan da ayaktaydı. Bir taraftan
seferberlik yaparken, diğer yandan bozulan den-
genin sağlanabilmesi için Berlin görüşmeleri sıra-

sında kendisine verilmeyen Yanya'nın şimdi mutlaka verilmesini istiyordu. Bir evvelki Bulgar olup bittisini sineye çeken Abdülhamit, bu sefer kesin tavır almış ve Ahmet Eyüp Paşa komutasında Türk ordusu Yunan hududuna yanaşmaya başlamıştı.

Yeni bir savaş mı çıkacaktı? Bu sefer Avrupalılar Osmanlılardan yana bir tavır aldılar. Küçük Yunanistan isteklerini geri alıp, sesini kesti.

Bu arada Osmanlı ülkesinde ilk millet meclisini dağıtan ve dizginleri bütünüyle ele alan Sultan Abdülhamit, jurnalciliğe dayanan terör yönetimini kurmuş, memleketi dilediğince idareye başlamıştı. Ama Yıldız sarayının uzaklarında imparatorluğun çöküntüsü devam ediyordu ve bozgun şimdi Balkanların uzağında kendini gösteriyordu. Fransızlar, Berlin Antlaşmasından 3 yıl sonra 1881'de, bir Osmanlı eyaleti olan Tunus'u işgal ediverdiler. Bundan 1 yıl sonra 1882'de İngilizler, yine bir olup bitti ile Mısır'a çıktılar. Kıbrıs daha önce zaten elden çıkmıştı, şimdi de Libya dışında Afrika'da da Osmanlı egemenliği tarihe karışıyordu. Yani yıkım, yalnız Balkanlara özgü değildi, geniş ülke her tarafından çözülüp dağılıyordu.

Her gün biraz daha kuvvetten düşen Osmanlı İmparatorluğunun parçalanması, bununla da biteceğe benzemiyordu. Girit, bağımsızlığına kavuşmak, daha doğrusu Yunanistanla birleşebilmek için ikide bir baş kaldırıp duruyordu. Balkanlarda Osmanlı yönetimindeki azınlıklar isyan için fırsat kolluyorlar, yeni ortaya çıkan Sırp, Yunan, Bulgar, Karadağ devletçikleri başka kavgalara hazırlanıyorlardı. Rusya ile Avusturya ise tetikte beklemekteydi.

İşte bu gidiş, çok geçmeden bir Osmanlı-Yunan savaşına neden oldu.

Girit, 19. yüzyıl biterken, 1896'da yeniden ayaklanmıştı. Osmanlılar bunu bastırmaya çalışırken Yunanlılar da Girit'e asker çıkarıyorlar ve

bir taraftan da Girit'in bağımsızlığını ilan edi-
yorlardı. Bir Osmanlı-Yunan savaşını önlemek için
araya giren Avrupalı büyükler, baskı yaparak Gi-
rit'in özerkliğini sağladılar.

Ama bu, Avrupalıların yakın desteğini arka-
sında gören Yunanlıları hiç de memnun etmemiş-
ti. O, Girit için özerklik değil, bağımsızlık istiyor-
du. Osmanlının da artık sabrı taşmıştı. 1897 Ni-
sanında Yunan ordusunun Osmanlı hududuna te-
cavüzü ile savaş başladı. Ethem Paşa komutasın-
daki ordu, Teselya; Ahmet Hıfzı Paşa ordusu da
Epir'deki Yunan kuvvetlerini ezerek Atina'ya doğ-
ru yürümeye başladılar. Avrupalılar, yine aceley-
le araya girdiler ve ateş kesildi. Savaş ancak bir
ay sürmüş ve 20 Mayıs 1897'de bitmişti. Bu, Os-
manlı İmparatorluğunun kazandığı son savaş ola-
caktı. Ama ne çare ki, barış görüşmelerinde ka-
zandığı savaştan dolayı pek bir şey elde edeme-
yecekti. Yunanistan küçük bir savaş ödentisi ve-
recekti ama, herhangi bir toprak kaybına uğrama-
dığı gibi, Girit'de de daha geniş haklar elde edecek-
ti. Hatta, Yunanlıların savaş ödentisi Osmanlı Hü-
kümetinin eline de geçmemişti. Çünkü bu, Osman-
lıların Ruslara vermekte olduğu savaş ödentisine
karşılık tutulmuş ve Osmanlı borcundan düşül-
müştü.

İKİNCİ BÖLÜM

BALKANLAR KAYNIYOR

MAKEDONYA

Bir zamanlar, yani çok değil 200 yıl kadar önce, Viyana kapılarına kadar bütün Balkanlara hükmeden, Avrupa içlerine kadar uzanmış koca Osmanlı İmparatorluğunun şimdi elinde bir avuç toprak kalmıştı: Batı Rumeli. Ama o topraklar da ona çok görülmekteydi.

Batı Rumeli, 3 bölge ve 6 vilayetten oluşmaktaydı:

Arnavutluk Bölgesi: İşkodra ve Yanya vilayetlerinden,

Trakya (Batı ve Doğu) **Bölgesi :** Edirne vilayetinden,

Makedonya Bölgesi : Selanik, Manastır, Kosova vilayetinden...

Arnavutluk'da daha çok Arnavutlar, Trakya' da da daha çok Türkler yaşamaktaydı ama, Makedonya âdeta bir «Babil Kulesi» gibiydi. Çünkü burada Türkler ve Arnavutlardan başka, Rum, Bulgar, Sırp, Karadağ, Ulah (Romen) gibi değişik ırklar ve değişik dinler halkı içiçeydi. Ve bütün bu milletler, bu bölgenin, yani Makedonya'nın kendisine ati olduğunu ileri sürmekteydi.

BATI RUMELİ
VİLAYETLERİ

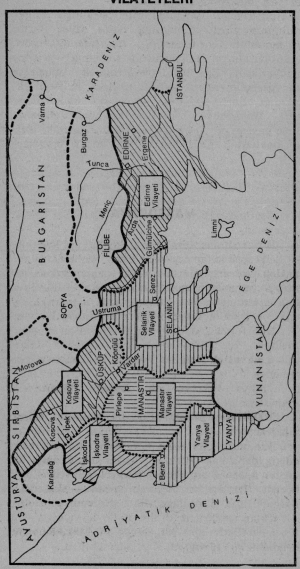

Yunanlılara göre, Büyük İskender ve Bizanstan beri Makedonya Rumdu.

Bulgarlar, 9. yüzyılda bile buraların Bulgar krallığının yurdu olduğunu, hatta şayet Berlin Antlaşmasıyla bozulmasaydı, Ayastefanos'a göre bütün buraların Bulgaristan'a verilmiş olacağını söylüyorlardı. Ege sahillerine inmek, Bulgarlar için vazgeçilmez bir hedefti. Bulgar Kilisesi yayınladığı bildiride «Bizim geleceğimiz Makedonya' dadır. Makedonya'sız Bulgar devleti, Balkanlar içinde gayesiz ve önemsiz kalacaktır. Selanik, Bulgar Devletinin giriş kapısı olmalıdır.» diyorlardı. (*)

Sırplar 14. yüzyılda Kral Duşan zamanında buralara sahip bulunduklarını ileri sürerek, Makedonya'yı kendi mülkleri olarak ilan etmekteydiler. Selanik, yani Ege Sırplar için de bir hedef, bir gaye idi.

Ulahlar (Romenler) de bu kavganın içindeydiler. Romanya'da yerleşen ve Islav olmayan Ulahlar, Ortodoks dinindendiler. Bir kolları Roma İmparatorluğu zamanında Romanya'dan Makedonya'ya inmiş ve oraya yerleşmişlerdi. Romanya'nın yakın desteğinde Ulahlar da Makedonya'da yeni topraklar istiyorlardı.

Özetle, bir Makedonya vardı ama, bir Makedonyalı yoktu. Bütün Balkanlılar Makedonyalıydı ve hepsi de Makedonya'nın peşindeydiler. Daha Berlin Barış Antlaşmasının hemen arkasından kollar sıvanmıştı.

1890'da Berlin Antlaşmasından iki yıl sonra Bulgarlar Sofya'da bir «Makedonya Komitesi» kurmakla girişimlerine hız verdiler. Üç yıl geçmeden 1893'de Osmanlı topraklarında Selânik'de gizli bir başka Bulgar «Makedonya Komitesi» boy gösterdi. Her iki komite kısa zamanda Makedonya'nın bir çok il ve ilçesinde örgütlendiler, silah-

---

(*) Süleyman Kocabaş: Avrupa Türkiyesi'nin kaybı ve Balkanlarda Panislavizm.

lı çeteler oluşturdular. Bulgarların bu faaliyetleri, özellikle Sırp ve Rumları harekete geçirdi. Yani Makedonya Bulgarlara mı aitti? Onlar da hızla örgütlenmeye ve silahlanmaya başladılar. Arnavutlar da ayaklanmıştı, onların da bu topraklarda hakları vardı. Buraların sahibi Türk ise, ortada kalmış gibiydi. Çatışmalar gittikçe büyümekte, anarşi ve terör gittikçe yayılma tehlikesi göstermekteydi. Çeteler,Türk veya diğer milletleri ayırmadan, kendisi dışındaki halkı yıldırıp, kaçırmaya, kendi toplumlarının nüfus yoğunluklarını arttırmaya çalışıyorlardı. Bunun için de vuruyor, kırıyor, yakıyor, öldürüyor ve bir kan deryası içinde kendi ırklarının egemenliğini sağlamak savaşı veriyorlardı. Girişim üstünlüğünün Bulgarlarda olduğu görülüyordu.

Bulgarlar 10 yıl kadar önce, 1870'de kendi bağımsız kiliselerini kurmakla bu yönde büyük bir adım atmışlardı. O tarihe kadar Müslümanlar dışındaki tüm Hıristiyanlar, din yönünden İstanbul Fener'deki Rus Ortodoks Patrikliğine bağlıydı. Çünkü Fatih Sultan Mehmet zamanından beri Türklere göre, Müslümanların dışındaki herkes Rum (Romalı) idi ve Rumların dini merkezi de Rum Patrikliği idi. Halbuki her gün biraz daha genişleyen Osmanlı ülkesinde Ortodokslardan başka Katolik, Protestan, Musevi, değişik dinler ve değişik mezhepler vardı.

Zaman, yavaş yavaş bu din ve mezhep ayrılıklarını meydana çıkarmış ve özellikle milliyetçilik duygularının kuvvet kazanmasından sonra milletler, din ve mezhebi aynı da olsa, her millet kendine ait bağımsız bir kiliseye sahip olmak arzusuna kapılmıştı. Bu da gün geçtikçe Sırp, Bulgar, Hırvat ve başka Ortodokslarla Rum Ortodoksları arasında bir kilise çekişmesine dönüşmüştü.

Balkanlarda Rum isyanı ve 1829'da bağımsız Yunanistan'ın kurulması, Osmanlı yönetimini Rumlara karşı bazı önlemler almaya zorladı. İlk akla gelen de Fener Patrikhanesinin etkisini azaltmak oldu. Ne zamandır bağımsız kilisesini kurmak için büyük bir uğraş veren Bulgarlara bu hakkı vermek en kestirme yoldu. Bu, hem Rumların diğer milletler üzerindeki din gibi zamanın en güçlü silahını elinden alacak, hem de bir Bulgar-Rum çekişmesi Balkanlarda sıkışan Osmanlı yönetimine biraz nefes almak fırsatı verecekti. Merkezi İstanbul'da olan bağımsız Bulgar kilisesi (Ekzarhlığı) 1870'de böylece resmen kuruldu. Şimdi «Megalo İdea» ile «Büyük Bulgaristan» karşı karşıya idi. Bir diğer deyimle, «Helenizm» ile «Panislavizm» şimdi karşılıklı siperlere girmişlerdi.

Çok geçmeden bu savaşa Sırplar da katıldı. Sırp Kralı Aleksandr 1894'de İstanbul'u ziyaretinde Abdülhamit'den, Makedonya'nın Üsküp vilayetinde bir Sırp Piskoposluğu açma iznini aldı. Şimdi Makedonya'da müftülüklerin yanında üç de kilise vardı.

Babıâli, kiliseler savaşını başlatmıştı.

Aslında o tarihlerde uyanmakta olan Balkan milletlerinde dinden başka dil, ırk, kültür, mezhep kavgaları ile birlikte bir «Varolma Savaşı» çoktan başlamıştı ve gittikçe hızlanarak sürmekteydi.

Bu savaşta her millet özellikle şu üç elemandan yararlanmaktaydı: Papazlar, öğretmenler, çeteler... Sırplar da bu arada Rum Metropolitlerini kovarak bağımsız kiliselerini kurmuşlardı. Şimdi özellikle Bulgarlar, Sırplar ve Rumlar Makedonya'da okul, kilise ve çete savaşı ile kendilerini kanıtlamaya, bu toprakların asıl sahibi olduklarını diğerlerine kabul ettirmeye çalışıyorlardı.

Bu kördöğüşünde Türkler, sanki toz ve duman arasında yitip gitmiş gibiydiler. Osmanlı yönetimi jandarması ve ordusuyla bu kavgayı önlemeye çalışıyor, düzeni ve hudutları korumak için didinip duruyordu. Köylü ve kentli Türk halkı, kendi askerine ve jandarmasına sığınmıştı.

20. yüzyıl başladığında «Doğu Sorunu» yine baş ağırtmakta ve Balkanlar, Avrupalıların bütün dikkatini üzerinde toplamaktaydı. Terör, yağma, öldürme olayları gittikçe tehlikeli bir hal alıyordu. İngiltere ve Rusya, Babıâliyi yeni reformlar için sıkıştırmaktaydı.

Abdülhamit ise Berlin Antlaşmasıyle kabullendiği reformları olabildiğince geciktirmeyé çalışmaktaydı ve bu arada Rumu, Bulgarı, Sırbı birbirine kırdırmak suretiyle Makedonya'yı koruma politikası güdüyordu.

Abdülhamit anılarında «Balkan hayduduna vurmak üzere her elimizi kaldırdığımızda, Rusyayı, yahut İngiltereyi karşımızda bulduk. Zaten İngiltere ile Rusya, evimizi harap eden iki fareye benziyorlar. Eskiden Fransa, bu iki iğrenç kemiriciye karşı istediğimiz zaman çıkarabileceğimiz güvenli bir savunucumuzdu. Fakat Fransa her gün biraz daha fazla bizden ayrılmaktadır. Allaha şükür bunu gidermek için Almanya ile dostluk kurmuş bulunuyoruz. Bu namuslu müttefikimiz, herkesi hizada tutmasını bilecektir.» demekteydi. (*)

Abdülhamit'in, disiplinli ve yeteneği ile tanınmış Hüseyin Hilmi Paşa'yı, olağanüstü yetkilerle Makedonya'ya genel müfettiş olarak ataması da bir çözüm getirmemişti. Bulgar ihtilal örgütlerinin 1903 yılında Selânik'de Osmanlı Bankasını bombalanması ve her gün dozu artan terörü, sinirleri büsbütün geriyordu. Osmanlı Bankasının havaya uçurulduğu gün, Bulgar teröristler ayrıca Selanik limanındaki bir Fransız gemisini yakıyorlar, Vardar köprüsünü tahrip ediyorlar, şehrin Frenk Mahallesi'nde bombalar patlatıyorlardı. Yalnız 1903 yılının üç ayında Makedonya'daki bu terör sonunda 5328 Türk, 6000 Makedonyalı ölmüş, 198 ilçe yakılıp yıkılmış, 71000 kişi evsiz kalmış,

_____

(*) Süleyman Kocabaş: Avrupa Türkiyesi'nin kaybı ve Balkanlarda Panislavizm.

30.000 kişi Bulgaristan'a göç etmişti (*).

Çeteler Avrupa'nın dikkatini çekmek için yabancılara da saldırıyorlardı. Bulgar çeteleri bir gün Serez'de bir Fransız maden mühendisini, bir başka gün Miss Sten adlı bir İngiliz rahibesini dağa kaldırarak yüklü fidyeler karşılığı salıveriyorlardı. Ve tuhaftır bu parayı, kendi askerini beslemekte zorluk çeken, subayının maaşını aylarca ödeyemeyen Osmanlı hükümeti ödemekteydi. Bu arada çeteler trenleri soyuyorlar, posta arabalarını soyuyorlar, bankaları soyuyorlardı.

Gün gün tırmanan terör olayları karşısında Avrupalı büyükler yeniden işe karıştılar. Babıâli baskılara boyun eğdi. Buna göre Avusturya ile Rusya, Hüseyin Hilmi Paşa'ya birer yardımcı verdiler. Jandarma komutanlığına bir İtalyan generali getirildi ve emrine 25 yabancı subay verildi. Avusturya Üsküp, İtalya Manastır, Rusya Selanik, Fransa Serez, İngiltere Drama illerinin güvenliğinin sorumluluğunu üstlendiler. Böylece 1905 yılında Makedonya, âdeta milletlerarası bir memleket görünümü kazandı. Karmakarışık, değişik menfaatlerin çarpıştığı, değişik dil, din, milletin içiçe bulunduğu acaip bir topluluk, tuhaf bir ülke.

Kuşkusuz bu önlemler de bir çözüm getirmemişti. İlk ve kısa süren bir ümit devresinden sonra kanlı kargaşa, eskisinden de beter, yeniden başladı. Sırp Bulgarı öldürüyor, Bulgar Yunanı, Yunan Ulahı, Arnavut Sırbı... Ve hepsi fırsat buldukça Türkü katlediyor, Türkü buradan kaçırmaya çalışıyordu. Türk askeri ve jandarması ise bu kavgayı ayırmaya çalışır, düzeni sağlamaya uğraşırken, boyuna kan kaybediyordu. 1908 yılına gelindiğinde Makedonya tam bir ana-baba gününü yaşamakta, toz dumandan kimse kimseyi görememekteydi. Bu kitabın ilk sayfalarında anlatılan Makedonya'yı da kapsayan Rumeli, işte bu

(*) Genelkurmay Harp Tarihi Başkanlığı: Balkan Harbi 1. cilt.

Rumeli'ydi: Kan, ateş ve bombalar içinde Rumeli... Bir yabancı yazarın, daha 17 yıl önceden, yani Berlin Antlaşması ertesinde, olacakları sezen aşağıdaki satırlarına hak vermemek mümkün değildi :

«Berlin Antlaşması karanlık ve karışık bir gelecek vadediyordu. Fakat böyle karanlık ve karışık bir gelecek, çıkar birliği yapan devletlerin Doğu'da giriştiği avcılık için en uygun ortam değil miydi? Osmanlı İmparatorluğunu yağmalamak fikri hepsini büyülüyordu. Yağmalamaya niyetlenenler içinse, karanlık ve bulanık bir ortamdan daha yararlı ne olabilirdi?» (*)

Abdülhamit, meşrutiyete son vermek ve meclisi kapatmakla bir şey çözümleyemediğinin bilincindeydi. Jurnalciliğe dayalı bir polis devleti ile koca ülkeye hakim olunamazdı. Yabancıların «Jön Türkler» dedikleri Türk aydınları, memleket dışına kaçarak mücadelelerini yine sürdürmekteydiler. Memlekette Abdülhamit'in dikta yönetimine karşı muhalefet, gün geçtikçe artmaktaydı.

Kavga döğüş, yalnız Makedonya'da da değildi.

Girit, hiç iyileşmeyen bir yara gibi kanayıp duruyor, Doğu'da, Güneydoğu'da, hatta İstanbul' da Ermeni ayaklanmaları yönetimin başına yeni sıkıntılar açıyordu. Sanki olanlar azmış gibi, Berlin Antlaşmasından sonra ortaya bir de Ermeni sorunu çıkmıştı.

Yalnız onlar da değil, aynı dinden olan Müslümanlar da huzursuzdular. Doğu'da Kürtler zaten kendi başlarına buyruk gibiydiler. Bununla beraber gene de zaman zaman Kürt Beyleri'nin aşiretlerini peşlerine takarak ayaklandıkları oluyordu. Yemen, ayrı bir âlemdi: Araplar şeyhleri emrinde bağımsızlık savaşını sürdürüyorlardı. Suriye'de de Havran ve Dürzi isyanları bir başka sıkıntı sebebiydi. Velhasıl 20. yüzyılın ilk onun-

(*) Aram Andonyan: Balkan Harbi Tarihi.

cu yılı dolarken yorgun ve tükenmiş Osmanlı İmparatorluk yönetimi, şaşkın ve çaresizdi. Eskimiş devlet yapısı sallanıp durmakta, ayakta kalabilmek için zorlanmaktaydı. Memleketin yönetimi, yönetim olmaktan çoktan çıkmıştı. Rüşvet, kayırma, zorbalık, eşkiyalık almış yürümüştü. Fakir halk çoğunluğu, ağa ve eşrafın zulmü altında eziliyordu. Saray ve çevresi bolluk içinde yüzerken, devlet, memuruna doğru dürüst maaş bile verememekteydi.

Mithat Paşa memleketin o günlerdeki halini şöyle anlatıyordu :

«Askerin aylığı 15-20 ve diğer memurların aylığı 8-10 ay gecikmelerle veriliyordu. Askerler bazı yerlerde beden ölçülerine göre elbise bulamayıp, kışta kar yağarken beyaz don, pantalonla nöbet yerinde donmakta ve çok kere aç ve çıplak kalmakta olduklarından, içlerinden gizli gizli, avuç açıp dilenenler, hırsızlık edenler, yol kesenler bulunuyordu.

Çoluk çocuk sahibi devlet memurları için maaşsız geçinmek mümkün olmadığından, nice namus sahibi insanlar, kendilerine yakışmayacak hareketlere girişmek zorunda kalıyorlardı.

Orduda ve savaşta bulunan subayların, İstanbul'daki ailelerine gönderdikleri beşer onar kuruşluk parayı alabilmek için, maliye hazinesi avlulusunda her gün bir kaç bin kadın ve çocuk ve fukara toplanarak bağırıp çağırışıyorlardı. Maliye Nazırının yüzüne karşı, ağızlarına gelen küfürleri söylerlerdi. Kalabalıktan kol kırılır, göz çıkar ve kadınlar çocuklarını düşürürlerdi. Maliye Nazırı, daima kontrol altında bulundurulan odasının gizli merdivenlerinden kaçıp gidebilirdi.» (*)

Üstelik İmparatorluk, bir yarı sömürgeydi. Sanayi zaten yoktu. El tezgahçılığı da, kapitülasyonlar etkisiyle memleketi istila eden Avrupa it-

_____
(*) Şevket Süreyya Aydemir: Makedonya'dan Orta Asya'ya Enver Paşa 2. cilt.

hal malları karşısında hemen hemen yok olup gitmişti. İthalat ve ihracat zaten Osmanlı ülkesinde yaşayan Rum, Ermeni, Yahudi gibi Müslüman olmayanların elinde toplanmıştı. Küçük bir vergi karşılığı askere de gitmeyen bu azınlıklar, memleketin ekonomi ve ticaretini ellerinde tutuyorlardı. Askere alınan ve cepheden cepheye koşan Türk için, askerlikten başka bir de çiftçilik mesleği kalıyordu.

Halk küskün, Türk halkı içine kapanıktı, halk okutulmamış, her türlü çağdaş fikirden habersiz kalmıştı. Yani, insanları ile yarı sömürge halindeki memleket, ne yanından bakılırsa bakılsın tam bir batak içinde, halsiz ve ümitsiz bir görünümdeydi. Osmanlı yönetimi hem özgür, hem de bağımsız olmaktan çoktan çıkmıştı. 19. yüzyılda sanayileşmesini tamamlayan ve kapitalizmin doğal bir sonucu olarak yeni pazarlar bulmak zorunluğunda kalan Avrupa, dünyayı paylaşmaya başlamıştı. Afrika, Asya ve Güney Amerika, sömürgeler olarak zengin Avrupa devletlerince bölüşülmüştü. Sanayileşmeyen sözde bağımsız devletler arasında bulunan Osmanlı İmparatorluğu ise yarı sömürge haline gelmişti. Zengin Avrupalılar, kapitülasyon ayrıcalıkları ve ucuz sanayi ürünleriyle gümrüklere kadar tüm ekonomiyi ellerinde tutuyorlardı. Sultan Abdülmecit zamanında, 1850' lerde başlayan Osmanlı borçlarını geriye almak bahanesiyle kurdukları «Düyunu umumiye» yönetimiyle memleket yönetimini ellerine geçirmişlerdi. Makedonya'da sivil ve asker görevlileriyle yönetime hakimdiler. Politik bakımdan devlet, Avrupalıların etkisi altında bağımsız hareket edemez, karar veremez bir haldeydi.

Özetle, 20. yüzyılın başında ihtiyar imparatorluk bir yıkıntı halindeydi ve gerçekten de «Hasta bir adam»dı. Hem de ölmek üzere olan ağır hasta bir adam... Jön Türkler gibi sivil aydınlardan başka, askerler de bu kötü gidişe bir çare arıyorlardı. Çünkü bu yıkım şayet bir yerde durdu-

44

rulamazsa, memleketten başka, milletin tüm ev-
latları da yıkıntılar arasında kaybolup gidecek-
lerdi.

İTTİAT TERAKKİ VE
İKİNCİ MEŞRUTİYET

Memleketin bu durumundan, herkes gibi, or-
du da tedirgindi. Abdülaziz'in büyük masrafla
meydana getirdiği güçlü donanma, Abdülhamit'in
emriyle Haliç'e çekilmiş ve çürümeye terkedilmiş-
ti. Kara ordusu ise hududtan hududa koşmaktan
ve biri bitmeden diğeri başlayan isyanlarla uğ-
raşmaktan halsiz düşmüştü. Ordu yenilikleri ta-
kip edememiş, her bakımdan geri kalmıştı. Dev-
letin yönetimi ve özellikle Sultan Abdülhamit'
in keyfi idaresi, gelecek için bir ümit de va-
detmiyordu. Memeleket elden gitmekteydi. Kur-
tuluş, meşrutiyetin yeniden kurulmasındaydı.

Her ne kadar Abdülmecit zamanında, 1839'da
başlayan ve 1856'da tekrarlanan «Islahat» reform
hareketleri beklenen sonuçları getirmemişse de,
Mithat Paşa'nın önayak olduğu 1876 1. Meşruti-
yeti büyük ümitler yaratmıştı. Öyleya, topluma
bazı haklar veriliyor, millet meclisi kuruluyor,
keyfi gidişe bir oranda set çekiliyordu.

Ama bir yıl sonraki 1877-1878 Osmanlı-Rus
savaşını ve yenilgisini bahane eden Abdülhamit,
1878'de meclisi kapatarak memleketi yine koyu
bir dikta ile ve keyfince yönetmeye başlamıştı.
Durum her gün biraz daha kötüye gidiyordu. Baş-
ta Balkan milletleri olmak üzere diğer milletler
uyanmış, hep birden Türkün üzerine çullanmış-
lardı.

Halbuki Türk, henüz Türklüğünün bilincine
bile tam olarak varamamıştı. Okumamış, okutul-
mamış, kapalı bir dünyada, çağının kültüründen
habersiz büyük çoğunluk, henüz millet değil «Üm-

met»di. Yani Müslüman'dı, yani Hazreti Muhammet'in ümmetiydi. Hangi millettensin diye daha fazla sıkıştırırsanız, çok çok Osmanlıyım derdi. Osmanlı milleti olamayacağının farkında bile değildi.

Aydınlar, durumu acılı gözlerle seyreden memleketin okumuş insanları, bu çöküşü durduramamanın sancıları içinde bir çıkış yolu arıyorlardı.

İşte bu sıkıntılı günlerde, Berlin antlaşmasından 11 yıl sonra, 1889'da 5-6 askeri tıbbiyeli, okulda kendi aralarında bir gizli ihtilal örgütü kurdular. Sonradan **«İttihat ve Terakki Cemiyeti»** adını alan bu örgüt, asker-sivil aydınlar arasında içten içe, fakat hızla yayıldı. Her gün ölümle burun buruna olan Rumeli'deki subaylar, bu ihtilalci kuruluşun lokomotifliğini yapmaya başladılar. Bu, sebepsiz de değildi. Çünkü Rumeli'deki asker, diğerlerinden daha çok işin içinde ve ateşin orta yerindeydi. Hergün biraz daha memleketin parçalandığını görüyor, Bulgar, Sırp, Rum, Arnavut, Karadağ, bütün toplumların milliyet bilinciyle örgütlenip güçlenmelerini, buna karşılık Osmanlı yönetiminin aczini, kılıçla buraları alan ve 500 yıldır buraların efendisi ve sahibi olan Türkün ayaklar altında kalışını bir iç burukluğu ile seyrediyorlardı. Üstelik şimdi Balkanlardaki Osmanlı ülkesinin yönetimi, neredeyse Osmanlılardan başka, herkesin elindeydi: Genel Vali Hüseyin Hilmi Paşa'nın yardımcıları Rus ve Avusturyalıydı, jandarma genel komutanı bir İtalyan generaliydi, maliye denetleyicilerinden güvenlik subaylarına kadar her işin başında yabancılar vardı. Evet, bu onur kırıcı durum daha ne kadar sürecek, memleket bu yabancılardan ve kargaşadan ne zaman kurtulacaktı.

Yalnız Rumeli de değil, İstanbul bile yabancı buyruğunda gibiydi. **«Düyunu Umumiye»** (Genel Borçlar) örgütü başkente çöreklenmiş, vergi toplama memurlarıyla tüm yurda yayılmıştı. Yani devletin bütçesi, alacaklı yabancıların haczi altındaydı. Yabancı şirketler, kapitülasyon memurları, ortalıkta cirit atıyorlardı. Kara ordusunun düzenlenmesi işi, Alman Generali Von Der Goltz (Golç) ve diğer Alman subaylarının eline teslim edilmişti. Deniz kuvvetlerinin örgütlenmesi ise, İngiliz Amirali Felix Woods'un yönetimindeydi. Özetle, bir zamanlar herkesi titreten koca Osmanlı İmparatorluğu, şimdi Avrupalıların elinde son nefesini vermek üzereydi.

Evet, vatanı ve milleti kurtarmak lâzımdı. İşte bu heyecanladır ki, 1889'da genç birkaç tıp öğrencisinin kurduğu İttihat ve Terakki gizli ihtilal örgütü, 19 yıl sonra 1908'lerde, özellikle elinde silah tutan subaylar öncülüğünde bir hayli güçlenmişti. Binbaşı Enver (Paşa), Resneli Kolağası (Kıdemli yüzbaşı) Niyazi, Binbaşı Fethi (Okyar), Yarbay Cemal (Paşa) ve başka subaylar Selanik' de ve Manastır'da birer merkez etrafında toplanmışlardı. Selanik'deki Talat Bey (Paşa) ve Paris merkezindeki diğer sivil Jön Türklerle de işbirliği içindeydiler.

Hedefleri dikta yönetimine son vermek, meşrutiyeti yeniden kurmaktı. Çünkü şimdiki bu kan ve gözyaşının yegane sebebi Abdülhamit'in, yani diğer adıyla «Kızıl Sultan»ın dikta yönetimiydi. Yalnız Makedonya halkı da değil, imparatorluğun diğer taraflarındaki Arap, Kürt, Çerkez, Ermeni, Yahudi, herkes ve en başta da Türkler bu kötü idareden şikâyetçiydiler. Halbuki meşrutiyet yönetiminin kurulmasıyla bütün sıkıntılar son bulacak, bu isyanlar bitecekti. İnsanlar hiçbir ırk, din, dil, mezhep farkı gözetmeksizin eşit olacaklar ve kardeş kardeş geçinmek olanağına kavuşacaklardı. Eski barış günleri geri gelecek ve Osmanlı ülkesinde Müslüman ve Hıristiyan bir ve beraber olacaktı.

Gizli ihtilal örgütü, Abdülhamit'in gizli polisiyle boğuşarak, kimilerinin sürülmesi ve hapsedilmeleri pahasına 1908 yılına ulaştığında, meşhur «Reval mülakatı» ayaklanmanın kıvılcımını oluşturdu. Dünya basınından İstanbul basınına yansıyan haberlere göre 9 Haziran 1908'de Reval'de (Estonya) buluşan İngiliz Kralı Edvard ile Rus Çarı 2. Nikola, Osmanlı İmparatorluğunu bölüşmek için anlaşmaya varmışlardı. Yani, bundan 55 yıl önce 1853'de Rus Çarı 1. Nikola'nın İngiliz elçisine, her an ölmesi beklenen «Hasta Adam»ın bölüşülmesi konusundaki önerisi uygulamaya konuyordu.

Gerçekten de, bunun için inandırıcı bir sürü sebep vardı: Rusya 3 yıl önce 1905'de Japonlara yenilmişti. Gittikçe kuvvetlenmekte olan Japonya, Rusya için olduğu kadar İngiltere için de bir tehdit oluşturmaktaydı. Avrupa'da her gün güçlenen bir Almanya, keza her ikisi için de tehlikeliydi. Almanya Osmanlılardan Bağdat Demiryolunu yapmak iznini almakla, tehlikeyi büsbütün arttırmıştı. Avusturya'nın Almanya ile birlikte hareketi de, bir Rus-İngiliz yakınlaşmasını zorunlu kılmaktaydı. Fransa, yanıbaşındaki Almanya'dan korkması nedeniyle, İngiltere ve Rusya'ya yanaşacaktı. Yani, dünya politikası, hem İngilizleri, hem de Rusları bir anlaşma için zorlamaktaydı.

Bundan başka, iki imparatorluk arasındaki sorunlar da bu arada çözümlenmişti: Bir yıl önce 1907'de, bir Afgan tampon devleti kurularak, Hindistan yolu üzerindeki iki tarafın çatışması önlenmiş, yine aynı yıl İran'ın kuzeyi Ruslara, Güneyi İngilizlere ait olmak üzere bu ülke de paylaşılmış ve iki taraf arasında İran nedeniyle olası bir savaş tehlikesi ortadan kaldırılmıştı. İşte şimdi iki devlet başkanının bu toplantısı, ortadaki şu «Hasta Adam»ın durumunu görüşmek, onu bölüşmek ve tüm milletleri tedirgin eden şu «Doğu Sorunu»nu mutlaka bir sonuca vardırmak içindi.

Bu arada, kan ve ateş içinde bulunan, her gün insanların öldüğü, cinayetlerin işlendiği, köylerin ve kentlerin yangın yerine döndüğü Makedonya'nın da Balkanlılar arasında paylaşılacağına kuşku yoktu. Abdülhamit ise, Reval kararlarına karşı koyacak cesaretten yoksundu. Öyleyse iş, İttihat ve Terakki örgütüne düşüyordu.

Reval buluşmasının 3. günü 12 Haziran 1908' de Binbaşı Enver Bey, ihtilali başlatmak üzere Selanik'i terkederek dağlara çekildi, Kolağası Niyazi Bey ise üç gün sonra 15 Haziranda 150 kişilik taraftarı ile onu Manastır'dan takip etti. İttihat Terakki'nin Rumeli'de başlayan bu ayaklanması yayılma eğilimi gösteriyordu. Sultan Abdülhamit tarafından ihtilali bastırmak üzere olağanüstü yetkilerle görevlendirilen Arnavut Şemsi Paşa ise 24 Haziranda Selanik'de postane önünde Teğmen Atıf tarafından, herkesin gözü önünde tabanca ile öldürülmüştü. (*)

Az sonra, Manastır'da Ordu Komutanı Müşir (Mareşal) Osman Paşa da, yine İttihatçılar tarafından dağa kaldırılacaktı. Abdülhamit, gittikçe büyüyen ve önlenemeyen bu silahlı ayaklanma karşısında 40 gün kadar dayanır. Fakat sonunda 24 Temmuz 1908'de meşrutiyeti kabulden başka çare bulamaz.

İkinci Meşrutiyet, her yerden daha çok Makedonya'da coşku ile karşılanır. Çünkü halk, kimin kimi öldürdüğü belirsiz bu sonu gelmeyen kanlı kavgadan bıkmış, usanmıştır. Şimdi Selanik, Manastır, Üsküp, her yerde, kentte ve köyde Bulgar, Sırp, Rum, Arnavut, Türk her cins ve her milletten insanlar birbirleriyle kucaklaşıyor; Sırp, Bulgar, Rum çeteleri hürriyet marşlarıyla dağlardan iniyorlardı. «Meşrutiyet», daha dün birbirini boğazlayan insanları, bir inanılmaz tılsımmış gibi kaynaştırıvermişti. O günlerde bir de genel af yasası çıkarılmış, eski yapılmışların üzerine bir sünger çekilmişti. «Adalet, müsavat (eşitlik), uhuvvet (kardeşlik)» türkü gibi herkesin dilindeydi. Hocalarla papazlar, hahamlar kolkola resimler çektiriyorlardı.

_____

(*) İttihatçı fedai Teğmen Atıf, kalabalık muhafızlara rağmen hafif yaralı olarak kaçmayı başaracaktı.

Bu coşku, bu sevinç yalnız Balkanlarda değil, İstanbul başta ülkenin her tarafındaydı. **«Bütün cemaatlerin kutsal bildikleri Kudüs şehrinde şeyhlerden, rahiplerden oluşan garip bir toplulukta eski rejimi yeren konuşmalar yapılıyordu. Müslümanlar, Yahudiler, Samaritler, Türkler ve Ermeniler kardeşçe bir araya gelerek bir alay meydana getirmişlerdi. Önlerinde de hürriyet amblemleri taşıyan bayraklar vardı. Türklere ve Hıristiyanlara, herkese hürriyet. Artık Türk, Arap, Rum, Bulgar hepimiz hür Osmanlı Devletinin yurttaşlarıyız.»** (*) gösterileri Şam'da, Beyrut'da heryerde görülmekteydi.

Kendisine dokunulmayan Abdülhamit yine iktidardaydı ve şimdi herkesten daha fazla **«Meşrutiyetçi»** görünüyordu. Anayasa yeniden yürürlüğe girmiş, yeniden milletvekili seçimlerine başlanmıştı. Şimdi Müslüman veya değil, her din ve ırktan kimseye, milletvekili seçilme yolu açılmış bulunuyordu. Meşrutiyetten beş ay sonra 17 Aralık 1908'de İstanbul'da açılan mecliste seçimle gelen 260 milletvekilinin dağılımı şöyleydi: 60 Arap, 25 Arnavut, 23 Rum, 12 Ermeni, 5 Yahudi, 4 Bulgar, 3 Sırp, 1 Ulah toplam 133 kişi. 127 de Türk milletvekili. (**)

Evet, Osmanlı yurttaşlarını oluşturan her milletten milletvekili seçilmiş ve memleketin yönetimini ellerine almışlardı ama işin garip yönü, Türkler mecliste 133'e karşı 127 ile azınlıktaydılar.

Memleketteki azınlıklar gibi Avrupalılar da meşrutiyeti olumlu karşılamışlar ve bu havaya uygun olarak Makedonya'daki sivil ve asker görevlilerini çekmeye başlamışlardı.

Ülkede yeni bir ümit, yeni bir heyecan rüzgârı esmekteydi. Herhalde artık ne İngiltere ve Rusya, ne diğer Avrupalı büyükler, ne de Balkan-

---

(*) Feroz Ahmad: İttihatçılıktan Kemalizme.

(**) Şevket Süreyya Aydemir: Makedonya'dan Orta Asya'ya Enver Paşa 2. cilt.

lı küçükler memleketi bölmeye cesaret edemeye
ceklerdi. Ayrıca, nicedir bağımsızlık sevdasıyla tu-
tuşan azınlıklar, artık kavga döğüşü bırakacaklar,
kardeş olacaklardı. En başta da Rumeli'de artık
kan ve ateş son bulacaktı.

Evet, ümitler bu yönde, dualar bu doğrultu-
daydı...

İKİNCİ MEŞRUTİYETİN SONRASI

Ama gelin görün ki, 32 yıl sonra aniden ge-
len yeni hürriyetin sevincini daha doyunca tada-
madan, dış ve iç sorunlar birbiri peşisıra sökün-
etmeye başladılar.

Meşrutiyetten iki ay sonra 5 ekim 1908'de
Avusturya, Berlin Antlaşması ile zaten işgali al-
tında bulunan Bosna-Hersek'i kendi topraklarına
katıverdi. Abdülhamit yönetimi bir savaşı göze
alabilecek halde değildi ve zaten bu yerleri çok-
tan elden çıkmış sayıyordu, bir protesto ile ye-
tinildi.

Fakat garipliğe bakın ki, buna asıl tepkiyi
Sırplar gösterdiler. Çünkü buralar halkının Sırp
olduğunu, şimdi 2 milyon Sirplının, Avusturya İm-
paratorluğunun işgali altında kaldığını söylüyor-
lardı. Karadağlılar da aynı sebeple tepki gösteri-
yor ve haklarının yendiğini ileri sürüyorlardı. Bu
konuda İngiltere ve Fransa'nın itirazları da bir so-
nuç vermeyecek, Avusturya oralı bile olmayacak-
tı. Rusya ise, Avusturya ile yaptığı gizli anlaşma
gereği Boğazlar üzerindeki emellerine bir adım
daha yaklaştığı için, bu olup bittiyi susarak kar-
şılıyordu.

Sanki birbirlerini bekliyorlarmış gibi aynı
gün, yani 5 Ekim 1908'de, Bulgaristan Prensliği de
bağımsız bir krallık olduğunu ilan ediverdi. Prens
Ferdinand, başına süslü bir taç giyerek, «Sezar»
anlamına gelen «Çar»lığa yükseldi. Babıâli'nin bu

değişikliğe karşı yapabileceği bir şey yoktu, gene bir protesto ile iş geçiştirildi.

Olaylar bununla da bitmedi. Bir gün sonra özerk Girit, Yunanistan'a katıldığını bildirdi. Büyük devletler Girit'teki askerlerini çektilerse de, Yunanlılar Osmanlılarla bir savaştan çekindiği için, adaya asker çıkarmaktan kaçındılar. Osmanlı yönetimi böyle bir birleşmeyi tanımadığını ilan etti, ama sorun çözümsüz kaldı.

Meşrutiyet yönetiminin işleri yalnız dışarıda değil, içeride de iyi gitmiyordu.

Daha ilk günden itibaren İttihat ve Terakki'ye karşı bir muhalefet oluşmaya başlamış ve 1908 Eylülünde İstanbul'da «Ahrar» adında ilk muhalefet partisi kurulmuştu. Zaten ortalıkta tuhaf bir durum vardı: İttihat Terakki Cemiyeti ve özellikle Makedonya'daki genç subaylar ihtilali gerçekleştirmişlerdi ama, eskileri devirerek yönetimi ele almamışlardı. Meclisteki çoğunluğu ellerinde tutuyorlarsa da Padişah Abdülhamit ve onun seçtiği hükümetler yine iktidardaydı. Yani memleket yönetiminde bir iktidar boşluğu, bir lider ve kadro boşluğu vardı. Şimdi Meclisteki muhalefet ve muhalif bir basın, özellikle Derviş Vahdeti, Saidi Kürdi gibi bazı yazarlar, İttihat Terakki'ye karşı yıkıcı bir muhalefete başlamışlardı. Onlara göre şu İttihatçılar memleketi batıracaklardı ve daha önemlisi din elden gidiyordu.

Sonunda, karşı devrimci etki altında kalan İstanbul'da, İttihat ve Terakki yönetimine, daha doğrusu bir gavur icadı olan meşrutiyet rejimine(!) karşı silahlı bir ayaklanma başladı. Avcı taburlarının erleri, 13 Nisan 1909'da (eski tarihle 31 Martta) ayaklandılar. Şeriat istiyorlardı.

O gün şehre asiler hakim oldu, hükümet düşürüldü, yeni hükümet kuruldu. Meşrutiyetin ilanı üzerinden daha ancak 8 ay gibi kısa bir süre geçmişti.

Bunun üzerine İttihat ve Terakki ayağa kalktı. O derece zorlukla elde edilen meşrutiyet yönetimi bir defa daha elden gidiyordu. Acele ile Selanik'den yola çıkarılan, içlerinde Binbaşı Enver, Kolağası Mustafa Kemal, Yüzbaşı İsmet Bey' in de bulunduğu «Hareket Ordusu» adı altında bir tümen gücündeki kuvvet, Mahmut Şevket Paşa komutasında İstanbul üzerine yürüdü. 10 gün sonra 24 Nisan 1909'da ayaklanma bastırılmış, Mahmut Şevket Paşa duruma hakim olmuştu. Çok az padişaha nasip olan 33 yıl gibi uzun bir süre yönetimde kalan Sultan Abdülhamit, 27 Nisan 1909'da azledilerek yerine 60 yaşındaki kardeşi Mehmet Reşat getirildi. Abdülhamit, Selanik'e sürgün edildi.

Aynı günlerde Adana ve çevresinde Ermeniler ayaklandılar. Maksat, özerk bir Ermeni devleti kurmak konusunda Avrupalıların dikkatini çekmekti. Bu da kısa sürede bastırıldı. Ama bu, 17 bin Ermeni ve 1850 Müslümanın hayatına mal olmuştu. (*)

Ayaklanmaların biri bitmeden diğeri çıkıyordu. Suriye'de Dürziler yine baş kaldırmışlardı. Yemen'de İmam Yahya ayaklanması durup durup alevleniyordu. Asir'de Seyit İdris çoktandır Osmanlılara isyan halindeydi. Halbuki Yemen halkından olsun, Asir kabilelerinden olsun hem vergi hem de asker alınmıyor ve onlara bazı ayrıcalıklar tanınıyordu.

SIRA ARNAVUTLARDA

Ve en sonunda, o güne kadar Osmanlı Devletinin Balkanlardaki tek dostu Müslüman Arnavutlar da isyan ettiler.

Arnavutlar, Makedonya ile Adriyatik Denizi arasında dağlık bölgede, daha çok kabileler halin-

(*) Şevket Süreyya Aydemir: Makedonya'dan Orta Asya'ya Enver Paşa 2. cilt.

de yaşarlardı. Osmanlılar yönetimine girdikten sonra çoğu Müslümanlığı kabul etmişti. 2. Meşrutiyet günlerinde iki milyonluk bir toplum olan Arnavutların yüzde 70'ni Müslümanlar, yüzde 20'sini Ortodokslar, yüzde 10'unu Katolikler oluşturuyordu. Rumlar gibi Arnavutlar da Islav ırkından değildiler.

Müslüman Arnavutlar, Osmanlı yönetimindeki diğer toplumlara göre ayrıcalıklıydılar. Osmanlı yönetiminde onlardan büyük devlet adamları yetiştiği gibi, orduya da değerli komutanlar vermişlerdi. Sözlerine sadık, sağlam yapılı ve savaşçı insanlardı. Herşeyden ve herkesten kuşkulanan Abdülhamit bile muhafız alayını Arnavutlardan kurmuş, hatta Niyazilerin ve Enverlerin başlattığı 2. Meşrutiyet ayaklanmasını bastırmak üzere büyük yetkilerle Makedonya'ya, Arnavut asıllı Şemsi Paşa'yı göndermişti. Bu nedenlerle Balkanlarda her milletin bağımsızlık için kazan kaldırdığı günlerde Arnavutlar İmparatorluğa sadık kalmış ve onun tarafında yer almıştı. Arnavutların bu tutumu, diğer Sırp, Karadağ, Rum, Bulgar toplumları üzerinde etkili olmuş, bu milletlerin ayaklanmaları Arnavutların yardımıyla daha kolaylıkla bastırılabilmişti.

Bir yabancı yazarın aşağıdaki sözleri hiç de abartma değildi:

«Arnavutlar genellikle Kürtlere benzetilirdi. Bu iki halk, imparatorluğun Avrupa ve Asya ülkelerinde aynı rolü oynamaktaydılar. Sultan Abdülhamit, Kürtleri Asya'daki Hıristiyanlara, Arnavutları da Avrupa'daki Hıristiyanlara bekçi tayin etmişti. İkisi de hemen aynı ayrıcalıklardan yararlanıyorlardı. Vergi ödemezler, askerlik yapmazlardı.» (*)

Ama Fransız devriminin yaydığı «Milliyetçilik» fikrinin Arnavutları da etkilemesi kaçınılmazdı. Nitekim Müslüman olmayan Arnavutların ba-

---

(*) Aram Andonyan: Balkan Harbi Tarihi.

şı çektiği bir milliyetçilik akımı ve bağımsız bir Arnavutluk düşüncesi yavaş yavaş kendini belli etmeye başladı. Fakat bu uyanış henüz bir ayaklanma şekline dönüşmemişti. Bunda, Abdülhamit'in Arnavutları hoş tutmak için gerekli herşeyi yapmasının etkisi büyüktü. Arnavutlar, yabancı yazarın da belirttiği gibi, bazı ayrıcalıklara sahiptiler. Bazı vergiler alınmaz, gönüllüler dışındakiler askere gitmezlerdi, silah taşımaları da serbestti.

Fakat, 2. Meşrutiyetten sonra İttihat ve Terakki yönetimi, yeni anayasayı eşit şekilde Arnavutlara da uygulamaya kalkınca işler bozuldu. Buna göre Arnavutlar da diğerleri gibi bütün vergileri vermeye ve asker olmaya zorlanıyordu. O güne kadar Osmanlı Türkü gibi Bulgar'a, Sırp'a, Karadağ'lıya, Rum'a karşı elde silah dövüşen Arnavutlar, 1909'da ayaklandılar. Kuşkusuz bunda bağımsızlık isteği, asıl sebebi oluşturuyordu. Balkanlarda Arnavutların da ayaklanmasıyla artık Türke silah çekmeyen kalmamış oluyordu. Yani, 1910'ların Balkanında Türkten başka bütün milletler, bağımsızlık için elde silah sokaklara dökülmüşlerdi.

İttihat ve Terakki'nin Arnavutlara karşı tepkisi sert oldu. İsyancılar üzerine yürüyen ordu asileri dağıttı. Ama, Osmanlı İmparatorluğu şimdi Balkanlardaki en büyük desteğini kaybetmişti. Yüz yıllardır süren kutsal ittifak yıkılmış, Arnavut korkusu ile çekingen duran Balkan milletleri rahat bir nefes almışlardı.

Arnavut ayaklanması yine de bütünüyle bastırılamamıştı. O sırada Osmanlı ordusunda çok sayıda Arnavut subay ve eri bulunuyordu. Ayaklanmayı bastırmakla görevli birliklerdeki bir kısım subay ve er isyancılara katılmış, bir kısmı da dağlara kaçarak Arnavutlara karşı silah kullanmak istememişlerdi. Bütün bu güçlüklere rağmen, Arnavut ayaklanması yine de bastırıldı. Ama artık araya kan girmişti ve eski günler bir daha geri gelmeyecekti. Sultan Mehmet Reşat'ın 5 Haziran 1910'da Makedonya ve Arnavutluk'a yaptığı dostluk gezisi bile, Arnavutların gönlünü almaya yetmemişti.

Arnavutlar 1912 Temmuzunda yine, hem de daha büyük çapta ayaklandılar. Vadedilen ve henüz tümü gerçekleşmeyen isteklerinin yerine getirilmesini istiyorlardı. 60 bin Arnavut Kosova'da Sultan Murat'ın mezarı başında toplanmış, İstanbul'a çekilen telgraflarla Babıâli Hükümetini tehdide başlamışlardı. Üsküp üzerine yürüyen bir başka silahlı grup, şehri ele geçirmişti.

Ağustos da aynı karışıklıklar arasında geçti. Nihayet 4 Eylül 1912'de Osmanlı yönetiminin bir çok ödün vermesi sonunda, Balkan Savaşı'ndan kısa bir süre önce, iş tatlıya bağlanabildi. Fakat artık Balkan Savaşı da, kapının hemen önündeydi... Ve, vakit artık çok geç idi...

TRABLUSGARP SAVAŞI

İkinci Meşrutiyet yönetimi, hani hürriyetle birlikte her şeyin, sihirli bir değnek değmişçesine düzelivereceğini ümit eden İttihat ve Terakki, şaşkın ve çaresizdi. Sorunların biri bitmeden öbürü çıkıp geliyor, gelen gideni aratıyordu. Avusturya'nın Bosna-Hersek'i alışı, Bulgaristan'ın krallığını ilan edişi, Balkanlardan başka Yemen, Suriye, Çukurova (Ermeni) ayaklanmaları ve hepsinden de önemlisi Arnavutların baş kaldırışı. İçeride başlayan muhalefet ve 31 Mart olayı...

Evet, meşrutiyetin ve İttihat Terakki'nin başı bir türlü dertten kurtulamıyordu...

Ve sanki bütün bunlar yetmiyormuş gibi yeni yönetim, bir gün kendisini İtalya ile savaş halinde buluverdi. İtalyanlar, uzun zamandır Avrupalı büyüklerle yaptıkları gizli görüşmeleri tamamlamış, Trablusgarp'ı topraklarına katma iznini almış, hazırlıklarını yapmıştı. Ama Osmanlı Hükümeti bütün olanlardan habersiz, sağır ve kördü. İşte bu nedenle de İtalyan savaşı Osmanlılar için bir baskın, acı bir sürpriz halinde gelivermişti.

İtalyan Hükümeti 28 Eylül 1912'de, yani meşrutiyetin üçüncü yılında Babıâli'ye bir ültimatom vererek Trablusgarp'ın kendisine verilmesini istedi ve ertesi gün de büyük bir donanma desteğinde 30 bin İtalyan askeri Trablusgarp'in (Libya'nın) kıyılarına çıkmaya başladı.

İtalya bu emelinde nihayet başarılı olmuştu. Çünkü diğer büyük Avrupa devletleri dünyayı sömürgeliştirirken kendisi eli kolu bağlı oturamazdı. Nicedir göz diktiği İtalyan çizmesinin hemen güney ucundaki Tunus'u, kendisinin davranmasına vakit bırakmadan Fransızlar 1881'de Osmanlılardan kapıvermişlerdi. Bu arada İngilizler de 1882'de Mısır'ı, az sonra 1887'de Kıbrıs'ı alıvermişlerdi. Akdeniz'in Afrika yakasındaki Osmanlı toprakları neredeyse tümüyle elden gidiyordu. İtalyanların Balkanlarda, en azından, Arnavutluk'da gözü vardı ama, ona da pek fırsat bulamıyordu. E, peki, bu «Hasta Adam»ın mirasından kendisine hiç pay düşmeyecek miydi? İşte o da Trablusgarp'ı gözüne kestirmişti ve şimdi bunu uyguluyordu.

Tam da sırasıydı. Çünkü Babıâli Hükümeti İtalya'nın istila niyetini bilen Trablusgarp Genel Valisi İbrahim Paşa'nın bütün uyarılarına rağmen Trablusgarp'daki kuvvetlerini çekmiş, ayaklanmayı bastırmak üzere vapur vapur askeri Yemen'e göndermişti. Trablusgarp'da bırakılan askerin toplamı 1700 kişiydi. Evet, sadece 1700 asker...

Bu durumda Osmanlı devleti çaresizdi. Trablusgarp'la ne deniz, ne de kara bağlantısı vardı. Çünkü Akdeniz'i İtalyan donanması kontrol ediyor, İngilizler de Mısır'dan batıya kimseyi geçirmiyordu. Ne asker, ne silah gönderilemeyen Trablusgarp, kendi kaderine terkedildi.

Bereket, yerli Sunusi'ler memleketlerini silahla korumaya çalışıyorlardı. Ayrıca fedakâr Türk subayları, gönüllü olarak Trablusgarp'a koştular. Binbaşı Enver (Paşa), Binbaşı Ali Fethi (Okyar), Kolağası Mustafa Kemal (Atatürk) bunların önde gelenleriydi.

Bu direniş İtalyanları kıyıya mıhlamaya yetti. İtalyanlar kıyılardan içerilere ilerleyemiyorlardı. Bunun üzerine İtalyanlar savaşı Ege ve Boğazlara kaydırdılar. Savaşın altıncı ayında 18 Nisan 1912'de İtalyan donanması Çanakkale Boğazı'nı topa tuttu ve Boğazı kapadı. Sonra Güneye inerek «Oniki Ada»yı asker çıkarmak suretiyle işgal etti. Ama bu da Osmanlıları barışa zorlamaya yetmedi.

Fakat Balkanlar, gün geçtikçe tehlikeli olmaya başlamıştı. İçten içe kaynamalar devam ediyor, Balkan devletlerinin Osmanlı Devleti aleyhine bir ittifak arayışı içinde oldukları anlaşılıyordu. Osmanlı Hükümetinin bu gayesiz savaşı daha fazla uzatmasının bir manası kalmamıştı. İtalyanlarla görüşmelere hemen başlandı ve 15 Ekim 1912 günü Uşi (Ouchy) Barış Antlaşması ile savaşa son verildi. Çöküntü halindeki imparatorluğun Tunus, Cezayir ve Mısır'dan sonra Afrika'daki son toprağı da artık kaybedilmişti. Uşi Antlaşmasına göre, Osmanlı Devleti Trablusgarp'ı İtalyanlara terkedecek İtalyanlar da Oniki Ada'yı Osmanlılara geri verecekti. (*)

Uşi Antlaşmasıyla, 1911 yılının Eylülünde başlayan ve 1912 yılının Ekimine kadar 13 av süren Trablusgarp Savaşı son bulmuştu. Ama neylersiniz ki İmparatorluğun dinlenmek için —her zamanki gibi— gene pek vakti olmayacaktı.

Çünkü, bir gün sonra Balkan Savaşı başlıyordu.

_____

(*) Az sonra çıkan Balkan Savaşı'ndan yararlanan İtalyanlar Oniki Ada'yı işgale devam edecekler, fakat 33 yıl sonra İkinci Dünya Savaşı bitiminde bu adaları Yunanistan'a bırakacaklardı.

MAKEDONYA TEKRAR ALEVLER İÇİNDE

Trablusgarp Savaşı sürerken Balkanlar gene —hem de eskisinden daha beter şekilde— bir savaş alanı gibi çalkalanıp durmaktaydı. İkinci Meşrutiyetin ilanıyla durulur gibi olan terör yeniden hızlanmış, kan ve ateş içinde ortalığı bir yangın yerine çevirmişti.

Nasıl çevirmesin ki?

İttihatçıların yeni hürriyet havası içinde «Osmanlı yönetiminde kardeş milletler» hayali kısa zamanda başını gerçeğin taş duvarlarına vurmuş, bunun tatlı bir düşten başka bir şey olmadığı anlaşılmıştı. Daha düne kadar birbirinin gırtlağına sarılan karmakarışık toplumların «Adalet, uhuvvet, müsavat» gibi nutuklarla bir arada tutulamayacağı belli olmuştu. Üsküplü, Selanikli, İşkodralı, Şamlı, Mekkeli yoktur; yani Bulgar, Sırp, Rum, Arap, Kürt ayrı değildir, bütün ırklar kardeştir. Ayrı din ve mezheplerin kardeş oldukları gibi. Ve hepsi Sultana ve anayasaya sadık, Sultanın ve anayasanın karşısında eşit Osmanlılar vardır umutları da uçup gitmişti. Evet, bunların hepsi doğru olmasına doğruydu ama, bu doğrular sadece kâğıt üzerinde kalmaya mahkûm güzel temennilerden ibaretti.

İttihatçılar gibi imparatorluk topraklarındaki azınlıklar da, bu düşüncelerin uygulamadan uzak olduğunu anlamışlardı. Yani azınlık halkı da, bütün toplumların Türklerle bir ve eşit olduğunun, federal bir yönetim kurmanın mümkün olmadığının bilincine kısa zamanda varmışlardı. Gerçi seçimler yapılmış, kendilerinden milletvekilleri de seçilmişti ama, hepsi o kadar. Herkesin gördüğü gibi bu milletvekillerinin büyük çoğunluğu Osmanlı İmparatorluğu için değil, kendi toplumlarının yararı için çalışmaktaydılar ama, boşuna. Örneğin 1908 millet meclisinde Osmanlı vatandaşı olan Rum Millet Vekili Boşo (Boussios) Efendi, meclis genel kurulunda herkesin gözünün içine baka baka «**Ben, Osmanlı Bankası ne kadar Osmanlıysa, o kadar Osmanlıyım**» diyebilmekteydi. (Osmanlı Bankası, yabancı bir bankadır) (*) Zaten iş de, meclisteki bir iki nutukla halledilebilecek gibi değildi.

İşte böylece, ilanı üzerinden daha bir yıl bile geçmeden meşrutiyetin o bütün toplumları kaynaştıran coşkusu küllenmeye, yerini umutsuzluğa terketmeye başlamıştı. Eski kinlerin, eski yaraların acıları yeniden uyanıyordu. Balkan milletleri de, şimdi Osmanlının İttihat ve Terakki yönetiminde daha fazla kuvvetlenmesine fırsat vermeden işlerini bitirmek telaşına kapılmışlardı. Özellikle şu Arnavutluk ayaklanması, arkasından Trablusgarp Savaşı artık bu zamanın geldiği havasını yaratmaktaydı.

Makedonya'daki Bulgar gizli ihtilal komitesi nin bugünlerde yayınladığı bildiri, İttihatçıları şiddetle kınıyor, söz verilen reformların yapılmadığından, hürriyet ve müsavat ilkelerinin uygulanmadığından, Türkleştirme politikası güdüldüğünden, İttihatçıların 2. Abdülhamit'ten kalır yerleri olmadığından bahsediyordu.

Bütün bunların sonucu olarak, meşrutiyetin ilanından iki yıl sonra 1910'larda Makedonya yine eski günlerine dönmüştü. Yine her köşede bir bomba patlıyor, yine insafsız bir terör ve anarşi, ortalığı kan ve ateş içinde bırakıyordu.

Bunlara karşılık Osmanlı yönetimi, Abdülhamit döneminde olduğu gibi şimdi de, tam bir perişanlık içindeydi. Memleket sanki sahipsizdi. 31 Mart 1909 ayaklanmasından beri iktidar ortalıkta yoktu, ne İttihat ve Terakki dizginleri tam manasıyla eline alabiliyor, ne muhalifler yönetime sahip çıkabiliyorlardı. 1908'de kurulan meclis ise bir başka âlemdi. Her kafadan ayrı bir ses çıkıyor, Hıristiyan olsun, Arnavut, Arap, Kürt Müslüman milletvekilleri olsun, ayrı bir gaye peşinde koşu-

---

(*) Feroz Ahmad: İttihatçılıktan Kemalizme.

yorlardı. ...İşte bu sebeple de hükümetin biri gidip biri geliyordu.

Halk şaşkın ve umutsuzdu. Pahalılık almış yürümüş, devamlı ayaklanmalar, bir de İtalyanlarla şu son Trablusgarp savaşı, zaten ayakta güçlükle duran ekonomiyi, büsbütün bitirip tüketmişti.

1911 yılına gelindiğinde, değişik muhalefet grupları «Hürriyet ve İtilaf Partisi»nin çatısı altında birleşmişti. Ve o günden sonra «İttihat ve Terakki» ile «Hürriyet ve İtilaf», sanki iki düşman topluluk gibi veya uzlaşmaz iki farklı dinin militanları gibi amansız bir boğazlaşmaya dalmışlardı. İki parti arasında normal bir siyasi çekişmeden başka her şeye benzeyen bu çirkin boğuşma, sonraları da ta 1923'lere kadar Balkan, Birinci Dünya ve Kurtuluş Savaşı boyunca 14 yıl sürüp gidecekti. Mustafa Kemal Paşa yönetimi bile, o binbir güçlük içinde Anadolu'da Kurtuluş mücadelesini sürdürürken «İttihatçı» diye horlanacak, İtilafçılar saltanat yanlısı olarak Kemalistlerin karşısına dikilip iç ayaklanmalarla onu yıkmak için —sanki bir Bulgar, sanki bir Sırp'mış gibi— düşmanca bir mücadele vereceklerdi.

Evet, 1911 ve 1912'lerde, yani Babıâli Hükümetlerinin binbir dış ve iç sorunlarla uğraşmaktan bitap düştüğü ve Balkanlarda bir yeni savaşın korkunç homurtularının duyulduğu o karanlık günlerde İstanbul, sanki dünyayı unutmuş, kötü bir particilik kavgasına dalmıştı.

İşin kötüsü, bu politik kör döğüşte askerler de vardı. Çünkü İttihat ve Terakki, askerlerin silahlı ayaklanmasıyle İkinci Meşrutiyette gün yüzüne çıkmıştı. Yani, İttihat ve Terakki'nin Talat, Doktor Nazım, Hüseyin Cahit gibi sivil liderleri, Abdülhamit'e baş kaldıran Enver, Niyazi gibi askerlerden güç almaktaydılar. Hele 31 Mart ayaklanması, İttihatçı subayların oluşturduğu «Hareket Ordusu» ile bastırıldığından beri İttihat ve Terakki tamamen ordu ile içiçeydi.

Fakat bu, ordunun politikaya karışması gibi

kötü, kötü olduğu kadar da acı sonuçlar doğuran hareket, kendi karşıtını da beraberinde getirmiş, bir kısım karşı düşünceli subay muhalif partide toplanmıştı. Nitekim 1911'lerde İstanbul'da «Halaskâr Subaylar Derneği» adlı bir dernek ilkin gizliden gizliye, sonra açıktan açığa İttihatçıların karşısındaki yerini almıştı.

İttihatçılar bu meclisle iş göremeyecekleri kanısına varınca, Sait Paşa Hükümetini zorlayarak, meclisi Ocak 1912'de feshettirdiler ve yeni seçime gittiler. Seçim, İttihatçıların polis ve jandarmayı da kullanarak, büyük baskısı altında kavgalı gürültülü geçti. Seçimi İttihatçılar kazanmıştı ama, muhalifler de ayaklanmışlardı. İtilafçılar buna «Sopalı Seçim» diyorlar ve seçim sonuçlarını tanımıyorlardı. Yani seçim bir çözüm değil, kavganın daha artmasının, çalkantının daha da yayılmasının nedeni olmuştu.

Halaskâr Subaylar'ın baskısı ile Sait Paşa Hükümeti 18 Temmuz 1912'de çekilmek zorunda kaldı. Onun yerine, daha önce başbakanlık yapmış kişilerin de bakan olarak yer aldığı «Büyük Kabine» kuruldu. Gazi Ahmet Muhtar Paşa'nın başkanlığındaki bu yeni hükümet işe başladığında parti çekişmeleri bütün hızı ile devam etmekte, yine politikacısı, politikaya karışmış askeri, basını ve gizli-açık dernekleriyle İstanbul, bir kör dövüşü içinde birbirine yumruk sallamaktaydı. Zamanın ileri gelenleri demokrasiyi böyle anlamakta, hürriyeti böyle yorumlamaktaydı. Her iki taraf için de «Memleket elden gitmekteydi» ve memleket, ancak kendi düşüncelerinin uygulanmasıyle kurtulabilirdi(!)

Memleketin kendi düşüncelerinin uygulanmasıyle kurtulacağı şüpheliydi ama, memeleketin elden gittiği aşağı yukarı doğruydu. Balkanlar olsun, Suriye Arabistan olsun isyanlarla allak bullaktı. İtalyanlarla Trablusgarp Savaşı sürüyordu. Rumeli ve özellikle Makedonya yöreleri kaynayıp duruyordu. Memlekette ne huzur ne de güven kalmıştı. Müthiş bir ekonomik sıkıntı, dayanılmaz bir geçim darlığı altındaki halk ne yapacağını bilmiyordu. Aslı aranırsa halk, meşrutiyet denen bu yeni yönetimin de ne olduğunu anlamış değildi. Ne hürriyetin, ne seçimin farkına ve zevkine varabilmişti. İstanbul'da iki parti, milletin yabancısı olduğu bir politika oyununu kendi başlarına oynar gibiydiler. Ama neşe ile değil, saçsaça, başbaşa bir kavga içinde...

İstanbul, 450 yıl önceki Fatih'in kapılarını zorladığı köhne Bizans'ın son günlerini hatırlatıyordu. İsmet İnönü'nün dediği gibi **«Meşrutiyet ileri gelenlerinin iç siyaset yönetimindeki tecrübesizlikleri ,eski devlet adamlarının ehliyetsizlikleriyle birleşince iç politikada huzur kurulamamış»**dı. (*)

Velhasıl 1910'ların başında Avrupa'nın **«Hasta Adam»** dediği yaşlı Osmanlı İmparatorluğu, gerçekten de hastaydı, hem de ağır hasta. Bir sürü milletin bir araya geldiği bir renkli mozaik görünümündeki memleket, bu mozaik parçaları teker teker koptukça çözülüyor, sallanıyor, dağılıyordu. Bu değişik milletler, bu değişik din ve ırk topluluğu arasında imparatorluğun gerçek sahibi Türkler, bir çare, bir kurtuluş yolu ararken şimdi birbirlerine girmişlerdi. Ve bütün bu dış ve iç baskılar karşısında memleket çökmekte, göz göre göre bir uçuruma doğru sürüklenip durmaktaydı.

Avrupa çoktandır ikiye ayrılmış, sömürge paylaşımı yüzünden artık kaçınılmaz görünen bir savaşa hazırlanmaktaydı. İngiltere, Fransa, Rusya bir yanda, Almanya, Avusturya ve de İtalya diğer yanda silahlarını bileyip durmaktaydı. Balkanlarda küçük ülkelerin Osmanlılar aleyhine bazı tertipler peşinde oldukları da belliydi.

Belliydi ama, bütün bu kaynaşmalar içinde Osmanlı yönetimi başını kuma sokmuş, kendi iç kavgasına dalmıştı.

(*) Sabahattin Selek: İsmet İnönü hatıralar 1. kitap.

ÜÇÜNCÜ BÖLÜM

SAVAŞ ÖNCESİ

BALKANLILAR BİRLEŞİYOR

Yüzyıllar süren Osmanlı egemenliğinden daha ancak dün kurtulup ayrı devletlerini kuran küçük Balkan milletleri, yalnız başlarına, yani tek tek Osmanlı Devleti ile başa çıkamayacaklarının bilincindeydiler. Her ne kadar imparatorluk, eski gücünü çoktan yitirmiş, dişleri dökülmüş hastalıklı ihtiyar bir aslana dönmüşse de ve her ne kadar kolu kanadı kırılmış çöküntü halinde ve perişansa da, yine de bu küçükler önünde bir dev görünümündeydi. Onları destekleyecek Rusya ise şimdi uzaklarda kalmıştı. Araya Romanya ve Bulgaristan'ın girmesi yüzünden, Balkanlarda Rus-Osmanlı kara bağlantısı çoktan kesilmişti. Yani, Rus ordularının direkt işe karışıp Balkanlılara yardımı söz konusu değildi. Öyleyse Osmanlıları Avrupa'dan atmak ve son Balkan topraklarını kapışmak için yapılacak şey, küçüklerin birleşip bir güç oluşturmasıydı. Evet, bundan başka bir çözüm yolu da yoktu. Üstelik şu günler, bu iş için en uygun zamandı...

Bir defa, şu Osmanlı en düşkün günlerini yaşıyordu. İtalya ile Trablusgarp yüzünden savaş halindeydi. Bundan da önemlisi, Balkanlardaki büyük desteği Arnavutlarla arası açılmıştı. Şimdi bu iki eski dost, Arnavut dağlarında çarpışmaktaydılar. Osmanlı yönetimi, işgali altındaki Makedonya'da otoritesini çoktan kaybetmişti. Meşrutiyetin ilanında durulur gibi olan terör ve anarşi, yeniden ve daha büyük şiddetle başlamıştı. Türk Ordusu hangisiyle uğraşacağını şaşırmış, dağdan dağa eşkiya takibine çıkmıştı. Yani Osmanlıların Avrupa'daki Arnavutluğu, Makedonyası ile Rumeli denen bu son toprakları da bir yangın yerine dönmüş, daha şimdiden bir savaş ortamına girmişti. Rumeli'den başka Anadolu ve Arabistan' daki azınlıklar da huzursuzdu. Araplar kutsal topraklarda olsun, Lübnan ve Suriye'de olsun bağımsızlık kavgasını başlatmışlardı. Buna zaman zaman Ermeni ve Kürt ayaklanmaları da karışmaktaydı.

Bütün olanlara karşı Osmanlı yönetimi bunların üstesinden gelebilecek bir görünümde değildi. Birbiri peşine gelen hükümetler, daha bir işe başlamadan devrilip gidiyor; bütün azınlık milletvekillerinin doluştuğu aşureye benzer millet meclisi kavga ve entrika ile işleri büsbütün karıştırmaktan başka bir şeye yaramıyordu. Yani 1910' ların Osmanlı ülkesi, ne adı var kendisi yok ihtiyar padişahı Mehmet Reşat'ıyla, ne âciz hükümetleriyle, ne İttihat Terakki'si veya Hürriyet İtilaf partileriyle, ne her kafadan bir ses çıkan millet meclisiyle bu yıkımı durduracak güce sahip değildi. Ve hepsinden kötüsü, memleketin ordusu da bu iğrenç particilik kavgasına dalmış, o da ikiye bölünmüştü.

Evet hiç kuşku yok, «Hasta Adam» son günlerini yaşıyordu. Bunu yıkmak ve topraklarını bölüşmek için son bir darbe yeter de artardı bile...

Öyleyse?!.

Öyleyse ne yapıp edip, eski kavgaları bir yana bırakarak birleşmek lâzımdı. Böylece Hıristiyan dünyası Müslümanlığa karşı bir cephe oluşturacak, «Salip», «Hilal»i Avrupa'dan söküp atacaktı. Islavlar Rum'u yanlarına alarak hem ırklarının hem de dinlerinin zaferini sağlayacaklardı.

Aslı aranırsa, bu birleşme düşüncesi yeni de değildi. 60-70 yıl evvelinden ilkin fikir alanında oluşmuş, sonra görüşmelerle uygulanmasına çalışılmıştı. Değişik zamanlarda Sırplarla Yunanlılar, Bulgarlarla Sırplar Karadağ Prensi'nin önayak olmasıyle Romanya'nın da katıldığı tüm Balkanlılar arasında yapılan birleşme girişimleri bir sonuç vermemişti. Konuşma ve görüşmeler gelip hep aynı noktada tıkanıyordu: Makedonya'nın paylaşılması!. Evet, şu meşhur Makedonya... Herkes en büyük payı kendisine ayırmak istiyor, herkes Manastır'ın veya Kosova'nın yahut Selanik'in eski tarihlerden beri kendi öz yurdu olduğunu ileri sürüp duruyordu.

Bu paylaşma kavgası, geçmişte aralarındaki savaşların, katliamların kabuk bağlamış yaralarını da kanatıyor, anlaşma bir türlü sağlanamıyordu. Rus Çarı 2. Nikola'nın 1908 meşrutiyetinden sonra Balkanlıları barıştırma ve Osmanlılar aleyhine kendi korumacılığında bir cephe oluşturma girişimleri de aynı sebeple başarıya ulaşamamıştı.

Gerçekten de bu milletler, Osmanlılar kadar ve hatta ondan da fazla birbirlerine düşmandılar. Nitekim şimdi bile Makedonya'daki çeteler Türklerden çok birbirleriyle döğüşüyorlar, birbirlerini öldürüyorlardı. Aynı ırktan olan Islav Bulgar, Islav Sırp, Islav Karadağ bile kanlı bıçaklıydılar.

Bulgarlar kendilerini Balkanların en soylu ve eski toplumu olarak kabul ediyorlar, şu son 1878 Ayastafanos Antlaşmasının bile neredeyse bütün Makedonya'yı kendisine verdiğini, Selanik kıyılarında Ege'ye inen koca bir devlet haline gelişini bir türlü unutamıyordu. Daha 2-3 yıl önce Doğu Rumeli'yi de topraklarına katmış, kralı prenslikten çarlığa yükselmiş değil miydi? Çar sezar demekti ve yakında hem Ayastafanos Antlaşmasının belirlediği topraklar, hem de Çargrad (İstanbul) Bulgar çarlığının olacaktı. **«Çargrad bizimdir»** marşı, tüm Bulgarların kanını kaynatan nağmeler halinde dillerde idi.

Yunanlılar ise tam aksi görüşteydiler. Onlar Büyük İskender'lerin, **«Bizans»**ın varisiydiler!. Ne demekti Bulgarlara Selanik ve kıyılarında Ege'ye çıkış toprakları vermek, Edirne ve Constantinople (İstanbul) bile hiç kuşkusuz kendi tarihi ülkeleriydi. Osmanlılar bütün buraları Bizans'dan almış değil miydiler?. Hatta yalnız o kadar da değil: Tüm Küçük Asya (Anadolu) bugün orada yaşayan ırkdaşlarıyla birlikte onların özyurdu idi!. Kızdığı bir kimseye hakaret için **«Bulgar»** deyimini kullanan Yunanlının, Bulgara toprak kaptırmaya hiç de niyeti yoktu.

Sırplarla Bulgarların da anlaşmaları çok zordu. Her ikisi de Makedonya'nın çoğunun kendisine ait olduğunu söylüyordu. 25 yıl önce 1885'deki Sırp-Bulgar savaşının nedeni de bu değil miydi? Sırplarla Yunanlılar arasında da Makedonya'nın bölüşülmesi nedeniyle sorunlar vardı.

Küçük Karadağ Prensliği de bu toprak kavgasının içindeydi. O da aynı ırktan olan Sırplarla, ayrı ırktan Yunanlılarla, ayrıca Müslüman Arnavutlarla kavgalıydı. Sırplarla Karadağlıların, Bosna Hersek'i topraklarına kattığı için, Avusturyalılarla da anlaşmazlıkları vardı.

Evet, Osmanlının Avrupa toprakları, yani Arnavutluk, Makedonya ve Trakyası ile tüm Rumeli yağlı bir lokma olarak ortada duruyor, bunun en büyük parçasını kapmak için etraftaki bir sürü kedi birbirlerini tırmalamaktan fırsat bulup da lokmanın asıl sahibine saldıramıyorlardı.

Büyük Islavlar, yani Ruslar, 1908 girişiminin başarısızlığından yılmış değildiler. Almanya'nın desteğinde Avusturya'nın (Germenlerin) Selanik'e inmesi ve kendisine Boğazları kapaması olasılığı, Çar 2. Nikola'nın uykularını kaçırmaktaydı. Almanların Osmanlılardan İstanbul - Bağdat demiryolu yapım iznini almış olmaları, tehlikenin büyüklüğünü göstermekteydi. Bundan başka, Von Der Goltz (Golç) Paşa başkanlığındaki bir Alman askeri heyeti Osmanlı ordusuna modern bir düzen verebilmek için ne zamandır uğraşıp durmakta değil miydi?

Öyleyse hiç de duracak zaman değildir. Büyük Petro zamanından beri tüm Rusların rüyalarını süsleyen İstanbul ve Çanakkale Boğazlarından Germen tehlikesini uzaklaştırmak, kendi kudretli kanatları altında kendine bağlı bir Balkan ittifakı oluşturmak ve Boğazları ilk fırsatta alabilecek şekilde el altında bulundurmak lâzımdı. Hele Avrupa'nın ikiye bölündüğü ve büyük bir savaşın başlıyacağının belli olduğu şu sıralarda hiç geç kalmaya gelmezdi.

Sırp başkenti Belgrad'daki Rus Elçisi Hartwing ve Bulgar başkenti Sofya'daki Rus Elçisi Nakliudof, hükümetten aldıkları talimata göre, Sırplarla Bulgarları bir ittifak etrafında birleştirmek için 1910 yılı yazında faaliyetlerini arttırdılar.

Ve bu çalışmalar nihayet bir buçuk yıl sonra 13 Mart 1912'de mutlu bir sonuca ulaştı: Bulgarlar ve Sırplar anlaşmaya vardılar. Buna göre Osmanlılarla bir savaş halinde (tabii bu savaşı başlatacak olan da kendileriydi) iki devlet birlikte hareket edecekti. Makedonya'nın paylaşılması şimdilik ayrıntılarıyla saptanmamış, genel olarak Kuzey Makedonya'nın Sırbistana, Güney Makedonya'nın ise Bulgaristana verileceğini belirtmekle yetinilmişti. Paylaşmada bir anlaşmazlık çıkması halinde Rus Çarının hakemliğine başvurulmasını, iki taraf da şimdiden kabul etmekteydi.

Bu birbirlerine düşman milletler arasında bir ittifak için ilk, fakat çok önemli bir adımdı. Geçmiş kinler unutulmuş, menfaatler iki ülkeyi yıllar sonra birleştirmişti. Bunda Rusların aracılığı en büyük rolü oynamıştı.

Yunanlılar, ne zamandır Sırplarla Bulgarlar arasında gizlice sürdürülen görüşmeleri öğrenmişler ve biraz da kuşku ile durumun gelişmesini takibe başlamışlardı. Öyleya, kendisi Osmanlılar aleyhindeki bir paylaşmanın dışında mı kalacak, Makedonya'yı bu iki Islav milletine mi kaptıracaktı? Yunan Başbakanı meşhur Venizelos, bütün politik yeteneklerini kullanarak girişimlerini arttırdı, Bulgarlarla bir anlaşma imkânını elde etme savaşına koyuldu. Bunun sonunda muradına kavuştu. Yunan-Bulgar gizli anlaşması, Sırp-Bulgar gizli anlaşmasından iki buçuk ay sonra 29 Mayıs 1912'de Sofya'da imzalandı. Bunda anlaşmayı bir çıkmaza sokmamak için, toprak paylaşılmasından bahsedilmemişti. Ama her iki taraf da kendine has hesaplar içindeydi: Bulgarlar, Girit Adası ile bazı Ege adalarını ve Makedonya'dan küçük bir parça toprak vermekle işi halledebileceklerini düşünüyorlar, Yunanlılar ise Girit ve diğer adaların zaten kendisinin sayılacağını, asıl Makedonya'dan önemli bir parça koparacaklarını düşünüyorlardı.

Sonunda, küçük Karadağ da kervana katıldı. Bazı küçük toprak istekleri karşılanır ve kendisine para yardımı yapılırsa, 40 bin savaşçı ile Osmanlılara karşı harbi herkesten evvel başlatır ve en az 100 binlik bir Osmanlı ordusunu üzerine çekebilirdi. Böylece de Karadağ üzerine yürüyen Osmanlılara karşı az sonra savaşa girecek Bulgar, Sırp ve Yunan ordularının baskın şeklinde taarruzları, harbi kazanmakta çok etkili olurdu. Bulgarlar buna çoktan razıydılar ve Yunanlılarla anlaşmadan iki ay sonra 1912 Ağustos başında Bulgar-Karadağ sözlü anlaşması gerçekleşti.

Görüldüğü gibi Balkanlıların anlaşmasında Bulgarlar asıl yapıcı rolü oynamış ve bütün hepsini kendi mihveri etrafında toplamıştı. Bu, olmazı olur yapmada Rusların oynadığı rol, gerçekten başarılıydı.

Bu politik anlaşmalardan sonra, savaşın esasları da saptanmalıydı. Bunun için tarafların askeri heyetleri bir araya gelerek bir seri görüşmelere başlandı ve 11 Mayıs 1912'de Bulgar-Sırp, 22 Eylülde Bulgar-Yunan gizli askeri anlaşmaları yapıldı. Yani, 1912 yılı Eylülünde dört küçük Balkan ülkesi hiç umulmayan bir rüyayı gerçekleştirmişler, yorgun ve ihtiyar Osmanlının Balkanlardaki son topraklarını bölüşmek için dost olmuşlardı. Kanlı bıçaklı Balkanlıların bütün geçmişi unutup anlaşmaları ve ortak askeri harekâtı planlamaları için sadece altı ay yetmişti. Yetmiş ve küçük Balkanlılar, kendilerinden beklenmeyen bir gayretle ve hızla savaş hazırlıklarına başlamışlardı.

Onlara göre kurtuluş günü kapının önündeydi. Dördü bir arada mutlaka şu despot Osmanlıların hakkından geleceklerdi.

Balkanlıları daha şimdiden bir zafer neşesi sarmıştı. Hepsi de o «Müthiş Türk» korkusunu hafızalarından uzaklaştırmaya çalışıyor, Niğbolu'ları, Kosova'ları, Sırp Sındığı'nı gözlerinin önünden kovuyorlardı. Öyleya, bunlar 500 yıl geride kalmıştı ve devir çoktan değişmişti.

Acıdır, fakat gerçektir, Balkanlıların birleşmesinde hemen hemen en önemli rolü Osmanlı yönetimi oynamıştı!.

Nasıl mı?

1870 yılında Bulgar ve az sonra da Sırp kiliselerinin bağımsızlıklarına kavuşmasından ve Fener Rum Patrikhanesinin yönetiminden çıkmasından beri, Balkan milletleri arasında Makedonya'da, kıyasıya bir kilise kavgası hüküm sürmekteydi. Hangi kilise ve kiliselere bağlı hangi okullar kime aitti, belli değildi. Ve bu yüzden özellikle Rumlarla Bulgarlar arasında çekişme ve döğüş hiç eksik olmuyordu. İktidarının ilk gününden beri politikasını, **«Balkanlıları birbirine düşürmek»** temeline oturtmuş olan Abdülhamit, bütün baskılara karşın bu sorunu çözümlemiyor, inadına körüklüyordu.

31 Mart 1909 olayı üzerine Abdülhamit'in iktidardan uzaklaştırılmasından sonra İttihat ve Terakki bu soruna da el attı. Kardeş milletler arasında bu **«Kilise Kavgası»** bir çözüme kavuşturulmalıydı. 3 Temmuz 1910'da Osmanlı Hükümetince çıkarılan **«Kiliseler ve Okullar Kanunu»** bu kargaşalığı gidermiş, hangi kilise ve hangi okulun kime ait olduğunu belirlemişti. Böylece de o güne kadar Balkanlılar arasında kanlı bıçaklı kavganın en önemli sorunu ortadan kalkmış ve yeni yönetim bilmeden kendi elleriyle Balkanlıların anlaşabilmeleri için uygun bir ortam yaratmıştı...

Bu haberi duyduğunda Abdülhamit'in hayreti büyük olmuştu. Padişahın sürgün bulunduğu Selanik'te onun Muhafız Komutanı olan Kurmay Yarbay Fethi (Okyar), anılarında şunları yazar:

«Abdülhamit başını iki eli arasına alarak, eyvah!.. Şimdi Yunanlılarla Bulgarların elele vererek üzerimize çullanmalarını bekleyin. Ben bu birleşmeye otuz sene binbir bahane ve sebeple mani olmuştum, demişti.» (*)

Gerçekten de İttihatçıların kendi yönetimleri sırasında katı davranışlarıyla Arnavutların ayaklanmasına sebep oluşları, bazı ödünler vererek Yemen isyanını önleyebilecekleri halde bunu beceremeyişleri ve bir de, işte bu kilise ve okul çekişmesine son vererek Balkanlıların birleşmelerindeki en büyük engeli, hem de en kritik bir zamanda ortadan kaldırmaları büyük hata olmuştu.

«1912-1913 Balkan Savaşı» adlı yapıtında Fahri Belen'in şu sözlerine hak vermemek mümkün değildir:

Devrimi, iyi niyetlerinden şüphe etmediğimiz bir avuç insanla, siyasetle uğraşması doğru

---

(*) Fethi Okyar: Üç devirde bir adam.

olmayan ordu yapmıştı. İnkilapçılar tecrübesiz, tecrübeli devlet adamları da tutucu idiler. Halk kitlesi ise, meşrutiyetin ne demek olduğunu bilmiyordu. Milletin ruh ve kalbinden doğmayan meşrutiyet rejimi, çeşitli unsurlardan kurulu, dağılma ve parçalanma yolunda olan hasta devlete şifa getirmedi.»

Peki ama, Balkanlılar arasındaki bu gizli gidiş gelişler, bu bitmeyen fiskoslar karşısında, şu «Şifa bulmaz yönetim» acaba ne yapıyordu?

BABIÂLİ NE YAPIYOR?

Babıâli, yani Osmanlı Hükümeti başını kuma sokmuş, gözlerini ve kulaklarını kapatmış oturuyor, dense yeriydi. Gerçekten de öyle bir iç kavgaya dalmıştı ki, değil burnunun dibindeki bu olup bitenleri duymak, neredeyse top atılsa haberi olmayacaktı. Halbuki, Osmanlılardan başka hemen hemen herkes bunun kokusunu almış, bazı şeyler duymuştu. İngiliz istihbaratının da bunu haber aldığı sıralarda Rusya, Müttefikleri olan İngiliz ve Fransızlara durumu gizlice açıklamıştı. Almanlar ve Avusturyalılara da bazı haberler ulaşıyordu.

İngilizler, Türk Boğazlarında Kayzer Almanyası yerine bir Çarlık Rusya'sını görmeyi yeğlerlerdi, bu sebeple Rusların korumasında Balkanlıların ittifakını olumlu karşılıyorlardı. Fransızlar da, yanıbaşlarındaki Alman tehlikesine karşı müttefiki Rusları darıltmamak için seslerini çıkarmamayı uygun bulmuşlardı. Almanlar ve Avusturyalılar ise, ufukta İngiliz, Fransız ve Ruslarla bir savaş ihtimalinin göründüğü şu sıralarda araya girerek ortalığı pek karıştırmamak kararındaydılar. Yani, Avrupalı büyükler, bir gizli Balkan ittifakına karşı tutum almıyorlardı ama, doğrusu bu yüzden bir savaş da çıkmasını istemiyorlardı. Yalnız İtalyanlar, Trablusgarp'ı rahatlıkla elde edebilmek için Balkanların karışmasına razıydı.

İyi ama Osmanlı Hükümeti neredeyse bütün Avrupalıların bildiği bir şeyi öğrenmekte bu denli âciz miydi? Üstelik o sıralarda Avusturya'nın İstanbul elçisi eliyle hükümete bazı uyarılar ve bilgiler de ulaştırılmıştı.

Evet, Babıâli o derece vurdumduymaz, o derece gafildi. Bulgar-Sırp, Bulgar-Yunan gizli anlaşmalarından, ne o sırada işbaşında bulunan Sait Paşa Hükümeti, ne de bu işler olup bittikten sonra bu devletler arasında başlayan askeri görüşmeler sırasında iktidarı devralan Gazi Ahmet Muhtar Paşa Hükümeti bir haber alabilmişti.

Balkan gizli anlaşmalarının yapılmasından iki ay sonra Başbakan Sait Paşa,

Tüm Balkanlılar için meclis kürsüsünden **«Balkan hükümetleriyle ilişkilerimiz en iyi şekilde yürümektedir»**,

Yunanistan için **«Mösyö Venizelos, iyi bir devlet adamı olarak, bir savaştan çok bir barış aramakta ve bu uğurda gayret göstermektedir»**,

Rusya için **«Rus Dışişleri Bakanı Mösyö Sazanof gibi uzak görüşlü ve ortak ilişkilerimizi takdir eden bir kişinin Rus dışişleri bakanlığı gibi bir makamda bulunması, o devletle ilişkilerimizin iyi gittiği hakkında yeterli bir güvence olduğunu»** söylüyor ve milletvekilleri tarafından alkışlanıyordu. (*)

Sait Paşa'dan sonra gelen, eski başbakanların ve eski politik şöhretlerin toplandığı **«Büyük Hükümet»**, daha da büyük bir aymazlık içindeydi.

Büyük Hükümetin dışişleri bakanı Ermeni asıllı Noradunkyan Efendi de Balkanlar konusunda tam bir güvenlik ve rahatlık içindeydi. Noradunkyan bu görüşünü Bakanlar kurulunda defalarca açıkladıktan başka, o günlerde Türk gazetecilerine verdiği bir demeçte de aynen şunları söylemekteydi:

(*) Genelkurmay Harp Tarihi Başkanlığı: Balkan Harbi (1912-1913).

«Bulgar Hükümetinin barışçı beyanatının samimiyetine inanmamak için hiç bir sebep mevcut değil.»

Ve sonra şunları ekliyordu: «Bulgaristan barışa bağlı kaldığı takdirde ,diğer Balkan devletlerinin de onun örneğini takip edeceklerine kuşku yoktur.» (*)

Yine Noradunkyan, Balkan savaşından çok değil, bir ay önce «Balkan Devletlerinin Osmanlı Devletine saldırmayacaklarına dair meclise teminat veririm» diyecek kadar olanlardan habersizdi. (**)

Adı gibi hiç de büyük olmayan sağır hükümet, bir yandan İtalyanlarla olan Trablusgarp Savaşı'nı sona erdirmeye, diğer yandan Balkanlarda, Anadolu'da, Arabistan'daki bir sürü ayaklanmayı bastırmaya uğraşıyor, diğer yandan da İttihatçı-İtilafçı parti kavgaları arasında işleri yürütmeye gayret ediyordu.

Meclisin büyük çoğunluğu İttihatçıların elindeydi ama, Gazi Ahmet Muhtar Paşa Hükümeti hiç de İttihatçılardan yana değildi ve bildiğini okuyordu. Bu sebeple İtilafçılar hükümeti desteklerken, İttihatçılar hükümeti yıkmaya uğraşmaktaydılar. Bu hayhuy arasında Padişah Mehmet Reşat'ı da arkalarına alan Büyük Kabine, bir padişah fermanıyla 8 Ağustos 1912'de meclisi feshetti. Bundan sonra yeni bir seçim daha yapılmayacak, Gazi Ahmet Muhtar Paşa Hükümeti dilediğince hareket edecekti.

Bu sıralarda tam bir aldatmaca siyaseti güden Rus ve Bulgar politikacıları, Osmanlı Hükümetine karşı bir barış taarruzunda idiler. Osmanlı Hükümeti söylentilere ve kışkırtmalara kapılmamalı, dünyanın zaten yeterince karışık olduğu şu sıra-

---

(*) Aram Andonyan: Balkan Harbi Tarihi.
(**) Genelkurmay Harp Tarihi Başkanlığı: Balkan Harbi (1912-1913).

larda Balkanlıların barıştan başka bir maksat gütmediklerine emin olmalıydılar.

Avrupa'daki Osmanlı elçileri de sanki bu havaya uymuşlardı. Hiç birinden Babıâli'yi uyarıcı hiç bir haber gelmemişti. Bütün bu dış temsilciler uyurken, Le Tamps gazetesi 7 Mayıs 1912 günkü sayısında, gizli Bulgar-Sırp anlaşmasını bildiren haberler yayınlıyordu. İşin tuhaf tarafı, bu sıralarda Tanin, İkdam gazeteleri başta olmak üzere bir kısım Türk basını, Sırp ve Bulgar basınının aldatıcı barışçı yayınlarına uymuş, bu yolda yazılarla bilmeden kamuoyunu uyutup duruyordu. Sırp ve Bulgar gazeteleri, Osmanlıların başı çekeceği bir Balkan birliğinden bahsetmekteydiler.

Bulgar-Sırp, Bulgar-Yunan gizli anlaşmalarının yapıldığı sıralarda Sait Paşa Hükümeti, Sırplara karşı bir dostluk gösterisiyle meşguldü. Sırpların Almanlardan satın aldığı yeni seri ateşli topların, Avusturya'nın memleketiçi demiryollarından geçmesine izin vermemesi üzerine Sait Paşa, bu topların deniz yoluyla Selanik'e ve oradan da demiryolu ile Sırbistan'a taşınmasına izin vermişti. Ondan sonra gelen Ahmet Muhtar Paşa Hükümeti, işin farkına vararak taşıma iznini kaldırmıştı ama, bir iki ay sonra başlayacak savaşa yetecek kadar modern top Sırp ordusunun eline geçmişti bile.

Ve daha da önemlisi, Büyük Hükümet tam bu sırada Balkanlardaki orduda asker terhisine başladı ve usta, eğitimli 70 bin eri evine yolladı. Düşünmesi bile korkunç: Dünya neredeyse büyük bir savaşın eşiğinde, Balkanlılar sağır sultanın bile duyduğu bir anlaşma halinde ve Osmanlı ordusunun dörtte biri 1912 Ağustosunda, yani Balkan Savaşı'ndan bir buçuk ay evvel salıveriliyor... İnanılır gibi değil... (*)

Sanki bu yetmezmiş gibi yine bu günlerde

(*) Genelkurmay Harp Tarihi Başkanlığı: Balkan Harbi 1. cilt.

Genelkurmay Başkanı Ahmet İzzet Paşa komutasında 35 taburluk usta erlerden kurulu hatırı sayılır büyük bir kuvvet, Yemen isyanını bastırmak için, uzaklara gönderiliyordu.

Sanki Osmanlı hükümetlerinin basiretleri bağlanmış, sanki gözlerine kara bir perde inmişti. Burnunun dibindeki komplolardan haber alamamak, askeri hazırlığını arttıracağına asker terhis etmek, başka yerlerden asker getireceğine buradan alıp başka yere asker yollamak, başka nasıl açıklanabilirdi?

Genelkurmay Başkanı Ahmet İzzet Paşa'nın karargâhı ile birlikte Yemen seferine katılan Kurmay Binbaşı İsmet (İnönü), anılarında bunu gayet açık şekilde belirtir:

«Yemen isyanının ve oraya büyük bir kuvvet gönderilmesinin, Balkan yenilgisine tesiri büyük olmuştur. Her gün bir Balkan Harbi çıkacak diye ateş üzerinde durduğumuz bir zamanda, Yemen'e 35-36 taburdan kurulu bir ordu gönderildi. Hastalıktan, iklimden ve çarpışmalardan dolayı hemen hemen tamamı eriyen bu kuvvet, Balkan Harbi ordularından hangisine eklenmiş olsaydı, harbi kaybetmezdik ve ordu harpten muzaffer çıkardı.» (*).

İsmet Bey anılarında, 1908'de meşrutiyetten hemen sonra Balkanlarda olsun, Yemen'de olsun barışçı anlaşmalar için çok uygun bir ortamın oluştuğunu, fakat bu güzel fırsatların kaçırıldığını yazar:

«Yemen'de bir anlaşmanın meşrutiyet ilanından sonra yapılamamış olması, aklın alamayacağı kısa bir görüştür» diye üzüntüsünü belirtir. «Eğer Yemen gailesinden devlet ilk sene kurtulmuş olsaydı, Balkan Seferi esnasında Rumeli'nde yüksek kıymette 35 taburdan fazla bir kuvvet muharebe meydanında bulunacaktı.» der ve Balkanlardaki son Osmanlı toprakları yağmalanırken, oradan

_____

(*) Sabahattin Selek: İsmet İnönü hatıralar 1. kitap.

binlerce kilometre uzakta koca bir ordunun asi İmam Yahya Araplarının peşinde Yemen çöllerinde kaybolup gitmesini bir iç buruklığu ile şöyle vurgular:

«**Balkan Harbi sırasında Yemen, bir büyük seferi ordunun seyirci merkezi olmuştur.**» (*)

Ve böylece Osmanlı yönetimi, durumu kavrayıp hazırlıklara girişmesi bir yana, tam tersine Balkan ordusundan askerlerini terhis eder, hem de genelkurmay başkanını başına geçirip koca bir orduyu Yemen asileri üzerine gönderirken, Balkan tehlikesi gizli gizli, fakat ürpertici adımlarla her gün biraz daha yaklaşıyordu.

Balkanlılar büyük bir hırsla hummalı, fakat gizli hazırlık içindeydiler. Başı çeken Bulgar Kralı Ferdinand, kıştan önce savaşı başlatıp bitirmek kararındaydı.

SAVAŞIN AYAK SESLERİ

Evet, savaş derinden derine duyulan homurtularıyla ve önlenemez bir kararlılıkla her gün biraz daha yaklaşmaktaydı. Makedonya dağlarını yuva yapmış Sırp, Bulgar, Yunan çeteleri büsbütün kudurmuşçasına, ama bu sefer yalnız Türklere saldırıyor; yakıyor, yıkıyor, öldürüyorlardı. Pusular, cinayetler, toplu kırımlar, yangınlar ve sabotajlar o güzelim kentleri ve köyleri yaşanmaz hale getirmişti.

1 Ağustos 1912'de Kosova'ya bağlı Kocana'da pazar yerinde Bulgar komitacılarının patlattığı iki büyük bomba, bardağı taşıran damla oldu. 28 kişinin öldüğü ve çok kişinin yaralandığı bu vahşet üzerine galeyana kapılan içlerinde askerlerin de bulunduğu Türk halkı, bölgedeki Bulgarlara saldırarak onlardan 21 kişiyi öldürüp 190 kişiyi yaraladılar.

_____

(*) Sabahattin Selek: İsmet İnönü hatıralar 1. kitap.

Bulgarlar Kocana olayında, arayıp da bulamadıkları bir propaganda fırsatı yakalamışlardı. Bulgarların ve Avrupalı büyük devletlerin notaları birbiri peşine Babıâli'ye yağmaya başladı. O günlerde Sofya'da yapılan büyük bir protesto mitinginde konuşmacılar «400 bin asker ve binlerce topla bu aşağılanmaya katlanmak bizim için ayıptır» diye kıyameti koparıyorlardı. Bulgar halkı ve basın, kral ve hükümetini gevşeklikle suçluyor ve «Eğer kral kendini millet için feda etmezse, millet onu feda eder» diyerek kesinlikle harp istiyorlardı.

Sırplar da ayakta idiler. Bir yanda Makedonya'daki Sırp çeteleri Türklere ve Arnavutlara saldırırken, diğer yandan Belgrad'da kral sarayı önünde mitingler düzenleniyordu. Az sonra bu gösterilere dayanamayan Sırp Hükümeti istifa edecek, yeni hükümet seferberliğe başlayacaktı.

Yunanlılar ise, Ağustostan önce bir savaş için kollarını sıvamışlardı bile. Orduda izinler kaldırılmış, birlikler eksikliklerini tamamlayıp sefer yerine harekete hazırlanmışlardı. Atina'da miting meydanını dolduran halka hitap eden Başbakan Venizelos, hakları verilmezse savaşın kaçınılmaz olacağını bildiren nutuklar vermekteydi.

Küçük Karadağ'a gelince, o zaten hudut boylarında Osmanlılarla neredeyse savaş halindeydi. Melisor (Hıristiyan Arnavut)ların da desteğini sağlayan Karadağ hükümeti, 18-45 yaşındakileri silah altına almış, açıktan seferberlik ilan etmişti.

Peki, ya Osmanlılar?..

Gazi Ahmet Muhtar Paşa Hükümeti, Balkanlıların gizli anlaşmalarından habersiz olduğundan, yapılanları birbirinden kopuk heyecanlı olaylar olarak görüyor, büyük devletlerin şu karışık ortamda tüm Avrupa'yı da peşinden sürükleyebilecek bir Balkan savaşına izin vermeyeceklerini düşünüyordu. Her ne kadar Beyazıt ve Sultanahmet meydanlarında, öğrencilerin de katıldığı mitinglerde «Harp isteriz.. Sofya'ya, Sofya'ya..» diye coşkun gösteriler yapılıyorsa da, bunlar daha çok Talat Bey (Paşa) ve Ömer Naci gibi İttihatçıların kışkırttığı yapay olaylardı(!) Bunun için soğukkanlığı korumalı ve askeri hazırlıklar gibi bir savaş kışkırtıcılığından kesinlikle kaçınılmalıydı(!)

İşte bu düşüncelerle «Büyük Hükümet», daha önce yapılacağını ilan ettiği Trakya Ordu Manevralarından da vaz geçiyor, Ağustosun ilk haftasında Balkan ordusunda başlamış bulunduğu terhislere de devam ederek bu konuda iyi niyetini dosta düşmana göstermeyi sürdürüyordu.

Büyük devletler durumu yakından izliyorlar, fakat Rusya hariç, diğerleri, kendilerini de içine sürüklemesi olasılığı bulunan bir Balkan savaşını hiç de arzu etmiyorlardı. Bunun için İngiliz ve Fransız dışişleri bakanları kendi aralarında görüşmeler yaparken, Rus Dışişleri Bakanı Sazanof Balkan ittifakını desteklemeleri için müttefiklerini razı etmek üzere Londra ve Paris'i ziyaret ediyordu. Avusturya Dışişleri Bakanı Kont Berchtold da devreye girmiş, Osmanlıların Arnavutluk ve Makedonya'ya federal bir yönetim sağlaması yolunda bir öneri ortaya atmıştı.

Denebilir ki, Balkan Savaşının başlamasından 1.5 - 2 ay önceki o Ağustos ayında, Osmanlı Hükümeti dışında diğer ülkeler, bir heyecan ve telaş içindeydiler.

Sonunda, İngiliz ve Rus elçileri, İngiltere, Fransa, İtalya, Almanya, Avusturya, Rusya devletleri adına Babıâli'ye bir nota vererek, Osmanlı Hükümetinin Rumeli ve Anadolu'da reformlar yapmasını istediler. Gazi Ahmet Muhtar Paşa Hükümeti, buna dört elle sarıldı. Evet, istenilen reformları hem de fazlasıyla yapacak ve istekleri gecikmeksizin yerine getirecekti.

Acaba?..

Balkanlılar ve Avrupalılar bundan önce de böyle vaatleri çok dinlemişler, ama değişik bahanelerle sözlerin yerine getirilmediğine tanık olmuşlardı. Acaba şimdi de böyle mi olacaktı? Nitekim İttihat ve Terakki yanlısı gazeteler daha şimdiden hükümetin bu reformları kabul etmekle imparatorluğu özerk eyaletler halinde parçaladığını ileri sürerek ayağa kalkmışlardı.

Diğer yandan Avrupa çapında bu diplomatik faaliyetler yoğun şekilde sürerken, Bakanlılar sefer hazırlıklarını gizlice, fakat hızlı şekilde tamamlamaya çalışıyorlardı.

İşte bu karışıklık ve gerilimler arasında Ağustostan sonra Eylül ayı da gelip geçmişti. Ve Babıâli Hükümeti yaklaşan kış nedeniyle artık bu yıl bir savaş tehlikesinin atladığını düşündüğü 30 Eylül 1912 günü, Balkanlıların birbiri peşine seferberlik ilan ettiklerini hayretle öğrendi.

Evet, Bulgaristan, Türk ordusunun Bulgar hududu boyunca yığıldığını ileri sürerek (halbuki hiç de böyle bir yığılma yoktu) resmen seferberlik ilan etmişti. Yunan Hükümeti de, kendi güvenliğine karşı yönelmiş Osmanlı tehdidi karşısında (ki, böyle bir şey olmadığını herkes biliyordu) seferberlik yapmak zorunda kaldığını bildiriyordu.

Sırbistanın bahanesi daha başkaydı: O da Selanik yoluyla Almanya'dan getirttiği topların taşınmasının Osmanlı Hükümeti tarafından durdurulması sonunda Osmanlıların elinde kalan bu topların kendisine verilmesini istiyor ve bunun için de Babıâli'ye 48 saat süre tanıyordu. (Zaten sürenin dolmasını beklemeden seferberliğe başlayacaktı.)

Karadağ için ise böyle bir sorun da yoktu. Zaten seferberdi ve Osmanlı hudut birlikleriyle adı konmamış bir savaş hali yaşamaktaydı.

Şimdi Balkanlılar tam manasıyle bir savaş atmosferine girmişlerdi: Bir taraftan harıl harıl seferberlik yapılıyor, diğer yandan yurtdışında bulunan Bulgar, Sırp, Yunan, Karadağ gençleri «Otuz yıldır bugünü bekliyorduk» diye seferberliğe koşuyorlardı. Gerçekten de 1877-1878 Savaşından.

beri, her ne kadar Makedonya'da görülmemiş vahşette bir çeteler kavgası sürüp duruyor, kan gövdeyi götürüyorsa da, resmen bir savaş olmamıştı. Ve işte şimdi gün o gündü. Zalim Osmanlı yönetimi altında inleyen Makedonyalı kardeşlerini kurtarma zamanı gelmişti. Hürriyet çanları çalıyordu...

İstanbul Hükümeti ve Türk halkı, bu peşpeşe gelen seferberlikler karşısında şaşırmıştı. Çünkü korkulan şey, işte aniden karşılarına çıkıvermişti. Hem de tüm Balkanların omuz omuza verdiği ve büyük devletlerin desteğini arkalarına aldıkları bir ortak cephe halinde. Balkanlıların daha önceden gizlice kendi aralarında anlaştıkları, artık belli oluyordu.

Aynı gün öğleye doğru Rusların da Kafkasya' da Türk hududu yörelerinde bölgesel bir seferberliğe başlamış oldukları haberi, bu şaşkınlığı bir paniğe çevirdi. (Kısa sürede bu haberin doğru olmadığı öğrenilecekti.)

Babıâli bir düşman dünya ortasında kendini yapayalnız hissetmekteydi. Doğrusu haksız da sayılmazdı. Çünkü en yakın bildiği Almanya bile karşı cephedeydi. Elini tutan, korkma ben de senin yanındayım, diyen bir Allahın kulu yoktu.

Ama artık şaşacak zaman, ah vah edecek sıra değildi. Hele bekleyecek zaman hiç değildi. Hemen ertesi gün 1 Ekim 1912'de Osmanlı Hükümeti de seferberlik ilan etti. Ancak gene de, Balkanlıları ve Avrupalıları fazla kışkırtmamak ve barışçı niyetini göstermek için Seferberlik Rumeli'de ve Batı Anadolu'da uygulanıyor, Doğu Anadolu, Suriye ve Irak seferberlik dışı tutuluyordu.

İyi ama Balkanlıların en az dört ay önceden başlayan gizli anlaşmaları ve gizli savaş hazırlıkları karşısında Babıâli'nin şimdi ilan ettiği seferberlik hangi derde deva olacaktı ki? Hemen başlayacak bir savaşa ne hükümet, ne millet, ne ordu hazır değildi. Gerçi İstanbul'da ve Anadolu'da ertesi günler birbiri peşine yapılan coşkun mitinglerde Müslüman ve Hıristiyan halk savaş istediğini, gençler gönüllü olarak cepheye gitmeye hazır olduklarını haykırıyorlar, «Öldü mü bu millet, evlatları ne güne bekliyor, kanımızı son damlasına kadar akıtmaya hazırız» sesleri ufukları dolduruyordu ama, gerçek bundan çok farklıydı ve hükümet savaşı önlemeye, hiç olmazsa hazırlıklarını tamamlamak için elinden geldiğince onu geciktirmeye çalışıyordu.

Bu hazırlık içinde ve seferberliğin haftasında Babıâli, birdenbire Karadağ'ın savaş ilanı ile karşılaşıverdi. Büyük devletler böyle bir harbe mani olurlar, Balkanlı küçükler buna cesaret edemezler derken, işte korkulan şey gerçekleşiyordu galiba!.

Evet, öyleydi.

Karadağ Elçisi Plamenatz'ın Osmanlı Dışişleri Bakanı Noradunkyan'a verdiği 8 Ekim 1912 tarihli nota, bunda hiç kuşku bırakmıyordu :

«Ekselans,

Karadağ Kraliyet Hükümetinin, Osmanlı Hükümetiyle aralarında devamlı olarak çıkan anlaşmazlıkların barışçı yollarla çözümü için harcadığı bütün dostane çabaların tükendiğinden dolayı üzüntü duymaktayım.

Kralım Majeste 1. Nikola'nın izniyle, Karadağ Kraliyet Hükümetinin bugünden itibaren Osmanlı Hükümetiyle bütün ilişkileri kestiğini, gerek Karadağlıların, gerekse Osmanlı egemenliği altında bulunan kardeşlerinin yüzyıllardır hiçe sayılan haklarının tanınmasını Karadağlıların silahlarına bıraktığını, ekselansınıza bildirmekle şeref duyarım.» (*)

İşte, aylardır küçük Balkanlıların kapalı kapılar ardında gizli gizli hazırladıkları oyun şimdi

_____

(*) Aram Andonyan: Balkan Harbi Tarihi.

82

başlıyordu. İlk adım atılmış, çoktan hazırlanan senaryo uygulamaya konmuştu.

O gün ve ertesi gün diğer Balkan devletlerinin harp ilanları beklendi ama bu gerçekleşmeyince, dönen dolaplardan habersiz Babıâli yine ümide kapıldı: Acaba barış korunacak mıydı, hiç olmazsa bir ay kadar bir zaman kazanılabilecek miydi? Küçücük Karadağ'ın önemi yoktu ve zaten ne zamandır hudut bölgelerinde bir savaş hali yaşanmakta değil miydi?

Karadağ'ın harp ilan ettiği 8 Ekim 1912 günü, yüksek komutanların da hazır bulunduğu bakanlar kurulu toplantısında, Genelkurmay Başkan Vekili Hadi Paşa'nın açıklamalarından sonra varılan sonuç şuydu :

Karadağ'ın harp açması önemli değildir. Bulgaristan, Sırbistan ve Yunanistan'ın yakın bir zamanda harbe girmeleri ihtimali büyüktür. Bu bakımdan Hükümet bütün hazırlıklarını buna göre yapmalıdır.

Bugünkü haliyle Balkanlardaki ordumuzun değil taarruz, savunması bile kuşkuludur. Çünkü şu anda ordumuzun mevcudu 400 bin, Balkanlıların ise 750 bin tahmin edilmektedir. O halde seferberliğin bitirilebilmesi ve ordunun harp planına göre yığınağını (Toplanmasını) tamamlayabilmesi işin ortalama 35-40 günlük bir zamana ihtiyacı vardır. Halbuki seferberliğin ilanı üzerinden ancak bir hafta geçmiştir. Öyleyse Hükümetin, zaman kazanmak için elinden gelen her şeyi yapması lâzımdır.

Ayrıca, İtalyanlarla harp halinin devamında bir fayda kalmamıştır. İki cepheli bir savaştan kaçınmak için İtalyanlarla olan Trablusgarp Savaşı'na hemen son verilmelidir. (*) (Gerçekten de

_____

(*) Genelkurmay Harp Tarihi Başkanlığı: Balkan Harbi 1. cilt.

bir hafta sonra 15 Ekim 1912'de Uşi antlaşmasıyla
İtalyanlarla barış yapılacaktır.)

Bir görgü tanığı olan yazar Aram Andonyan,
Karadağ'ın harp ilanının ertesi günü, yani 9 Ekim
1912 gününün seferberlik telaşındaki İstanbul'unu
şöyle anlatır :

«İstanbul bir muharip şehir görüntüsüne bü-
rünmüştü. Daha çok bir gezi olan Taksim Stadı
Meydanı boydan boya toplar, arabalar, atlar, ça-
dırlar, yük arabaları, saman yığınları ve her tür-
lü savaş araçlarıyla kaplıydı. Aynı manzara Har-
biye Nezareti ve Sultanahmet meydanlarında da
görülüyordu.

Trenler sadece askeri ulaştırmaya ayrılmıştı.
Askere çağrılan yalınayak, sefil, perişan köylüler,
bir gün sonra askeri üniformayı giyince tanınmaz
hale geliyor, neşeli, kendinden emin, yiğit cenga-
verler olup çıkıyorlardı.

Kışlaların önünde Türk kadınlarla Hıristiyan
kadınlar bir arada bekleşiyor, savaşa yolladıkları
oğullarını, nişanlılarını, kocalarını son bir defa da-
ha görebilmek, selamlamak umuduyla avunuyor-
lardı. Tramvayların beygirlerine de orduca el ko-
nulmuş olduğundan, şehiriçi ulaşım daha bir güç-
leşmişti.

Erler iyi giyinmiş olsun ya da olmasın, hiç ho-
murdanmıyorlardı. O günlerde hiç kimse tarihin
en korkunç felaketlerinden birinin kurbanı ola-
cağını aklından geçirmiyor, şevk ve heyecanla gi-
diyordu cepheye. Savaşın iki aylık bir gezinti ola-
cağına inanç tamdı. Bakırköy'de bir Alman su-
bayı, Bulgar ordusunun, dünyanın en iyi ordu-
su olan Prusya ordusuyla eş değerde bir ordu ol-
duğunu, bu nedenle Türklerin Prusya Ordusuna
karşı döğüşmeye gidercesine yola çıkmaları gerek-
tiğini söyleyince, bu sözleri kahkahalarla karşılan-
mıştı.» (*)

_____

(*) Aram Andonyan: Balkan Harbi Tarihi.

SAVAŞ KAPIDA

Balkanlıların ve Osmanlı İmparatorluğunun seferberlik ilan ettikleri günden beri, 1912 Ekim ayının günleri, heyecanlı, olaylı ve sorunlarla yüklü şekilde peşpeşe geçip gidiyordu.

8 Ekimde Balkanlıların en küçüğü Karadağlıların savaş ilanıyla birden yükselen tansiyon, diğerlerinin ona katılmayışı nedeniyle biraz düştüğü sırada, gerilimi daha da azaltan ve barış konusunda yeni ümitler uyandıran bir olay oldu: Avusturya, Rusya, İngiltere, Fransa, Almanya devletleri tarafından dört Balkan Devletine ve Osmanlı İmparatorluğuna 10 Ekim 1912'de aşağıdaki nota verildi:

«1. Büyük Devletler, barışı bozacak her davranışın karşısındadırlar.

2. Büyük Devletler, Berlin Antlaşmasının 23. maddesine dayanarak, Osmanlı halklarının yararı için, idare sisteminde reformu gerçekleştirmeyi üstleneceklerdir. Bu reform, Sultanın egemenlik haklarına ve Osmanlı İmparatorluğunun toprak bütünlüğüne dokunmayacaktır.

3. Eğer her şeye rağmen Balkan ülkeleriyle Osmanlı İmparatorluğu arasında savaş çıkarsa, Büyük Devletler savaştan sonra Avrupa Türkiye' sinin toprak statüsünde hiç bir değişikliği kabul etmeyeceklerdir.»

Gazi Ahmet Muhtar Paşa Hükümetinin yüreğine biraz su serpilmişti. Rusya'nın da içlerinde bulunduğu Büyük Devletler bir savaş istemiyorlardı. Sonra, eğer savaş olsa bile şimdiki hudutların aynen korunacağını kesinlikle belirtiyorlardı. Bunlar iyiye âlâmetti. Reformların yapılmasını Osmanlılara ve Balkanlılara bırakmayarak kendi üstlerine almaları hoş değildi ama, zamanla buna da bir çare bulunabilirdi.

Evet bu, kabul edilebilir bir öneriydi ama, hükümete muhalif İttihatçılar ertesi günü gazetelerinde ağızlarını açmışlardı. Bu, Büyük Devletlerin iç işlerimize karışması demektir, diyorlardı. Avrupalı büyüklerin Berlin Antlaşmasının 23. maddesi gereğince Balkanlılar için istedikleri hakları, yarın aynı antlaşmanın 61. maddesi uyarınca Ermeniler için de istemeyeceklerini kim garanti edebilirdi? Bunlar, devletin bağımsızlığı ile uyuşmaz isteklerdi.

Ekim günlerinin bir sürü olaya gebe olduğu belliydi. Büyük Devletlerin notasının Babıâli'ye verilmesinden üç gün sonra, bu sefer Balkanlıların ortak notası çıkageldi. Bulgar Başbakanı Geşof'un 13 Ekimde Sofya'daki Türk elçisine verdiği nota, Bulgaristan, Sırbistan ve Yunanistan adınaydı. (Karadağ beş gün önce Osmanlılara savaş ilan etmişti, o bakımdan notada imzası yoktu.)

Üç Balkan Devletinin notası sert bir ifadeyle kaleme alınmıştı ve kesin bir takım istekler kapsıyordu. Notada «Büyük Devletlerin ve Balkan Devletlerinin istekleri doğrultusunda reformların hemen uygulanması ve Berlin Antlaşmasının 23. maddesindeki milliyet esası göz önüne alınmak suretiyle illere yönetim özerkliği verilmesi, eğitim özgürlüğü tanınması, azınlıklarca seçilmiş il yönetim kurulu, jandarma ve milis örgütleri kurulması, Makedonya'da Türk yerine Belçika veya İsviçreli bir genel vali seçilmesi» isteniyordu. (*)

Bir diğer maddede de «Bu uygulamanın beş büyük Avrupa Devletinin elçileri ve Balkan Devletlerinin gözetimi altında bulunacak olan eşit sayıda Hıristiyan ve Müslüman milletvekillerinden kurulu bir konsey eliyle yürütülmesi» şart koşuluyordu.

Balkan Devletleri bundan başka «Osmanlı İmparatorluğunun barışçı niyetinin samiyetine ve

_____

(*) Genelkurmay Harp Tarihi Başkanlığı: Balkan Harbi (1912-1913).

reformların ciddi olarak uygulanacağına bir kanıt olmak üzere Osmanlı seferberliğinin hemen durdurulamasını» da başka bir koşul olarak ileri sürmekteydiler.

Aynı gün benzer notalar, ayrıca Sırp ve Yunan dışişleri bakanları tarafından Osmanlı elçilerine verildi. Artık bu üç Balkanlının ve Karadağlıların anlaşmış bulundukları ve birlikte savaşa karar vermiş olduklarına kuşku kalmamıştı. Üç gün önce Büyük Devletlerin aynı konudaki notasından sonra Balkanlıların bu çıkışına başka ne mana verilebilirdi? Bu, savaşa başlamak için bir ortam yaratmak değil de neydi? Zaten notada ileri sürdükleri de, bir anlaşma yolu aramaktan çok, savaş için bahane yaratmak istediklerini gösteriyordu.

Önerileri, bağımsız bir devletin kabul edebileceği gibi değildi. Demek ki gerek Makedonya'da, gerekse Osmanlı ülkesinin diğer topraklarında yaşayan azınlıklara çok geniş haklar tanıyan reformlara hemen başlanacak, üstelik bunun uygulaması Balkan ülkeleriyle birlikte Büyük Devletlerin gözetiminde yapılacaktı. Bir yabancı genel vali ve eşit sayıda Hıristiyan temsilcinin bulunduğu konsey de, devlet içinde devlet gibi çalışacaktı. Yani özetle, Osmanlı yönetimi bir tarafa itiliyor, uluslararası bir örgüt, valisi ve meclisi ile ve kontrol düzeniyle azınlıkların hakları konusunda dilediğince hareket hakkını ele geçiriyordu.

Babıâli'nin ayakları yavaş yavaş suya eriyordu. Demek ki, Büyük Devletler engel olurlar, Balkanlılar korkarlar, kış yaklaştı böyle bir mevsimde savaş olmaz savları, bir yanılgıdan başka bir şey değildi. Ve harıl harıl seferberlik yapan tüm Balkanlıların bir savaşa başlamaları artık gün meselesiydi. Notanın bir sürü ağır koşullar içermesi ve bir ültimatom havasında sert ifadelerle kaleme alınmış olması bunun bir kanıtıydı.

Buna Babıâli'nin tepkisi umulmayacak kadar sert oldu. Bu, büyük Osmanlı Devletini şimdiye kadar eşi görülmemiş şekilde aşağılayıcıydı ve aynı zamanda küstah şekilde bir meydan okumaydı.

Ertesi gün Babıâli Hükümeti bu notalara cevap vermeye bile gerek görmeyecek ve Sofya ile Belgrad'daki elçilerini geriye çağırarak 15 Ekim 1912 gününden itibaren Bulgar ve Sırp Devletleriyle resmi ilişkilerini kesecekti. Bu işlemden Yunanistan'ı hariç tutmasına sebep, Atina'daki Osmanlı Elçisi Muhtar Bey'in Yunan notasını kabul etmemesiydi. Mamafih ertesi günü Yunan notasının hükümetin eline geçmesinden sonra Atina elçisi de geri çağrılacak ve 16 Ekimde Yunanistanla da resmi ilişkiler kesilecekti.

Şu son üç günde işler tamamen tersine dönmüş, azalır gibi olan gerilim Balkanlıların ortak notalarıyla birdenbire yükselerek Babıâli'nin elçilerini geri çağırmasıyla doruk noktasına gelip dayanmıştı.

Büyük Devletler de bu beklenmedik ani tırmanış karşısında dizginleri ellerinden kaçırmış gibiydiler. Balkanlarda başlayacak bir savaşın, aslında yüz yıllar öncesinden gelen bir Islav-Germen mücadelesi olarak Avrupalı büyükleri de içine alacak bir dünya savaşına yol açması olasılığı, devlet adamlarının kalplerine ürperti vermekteydi. Özellikle Fransız Başbakanı Poincarê'nin bir anlaşma sağlamak için didinmeleri bu yüzdendi. Ama görünüşe göre bütün bunlar geç kalmış girişimlerdi ve o ocaklar yıkan savaş kapının önüne varmıştı. Hatta bazı Avrupa gazeteleri, bu arada Rusya ve Avusturya'nın seferberlik hazırlıklarına başlamak üzere olduklarını yazmaktaydılar.

Avrupalılar ve Balkanlar halkının hep birden ayağa kalktığı heyecanlı günler yaşanıyordu.

Sofya'da Başkomutan Çar Ferdinand, kendine vekil olarak çok sevilen General Savof'u atıyor, bu atama Bulgarlar arasında sevinç gösterileriyle kutlanıyordu. Sofya'da halk «Edirne'ye, İstanbul'a» diye ellerde bayraklar meydanları doldurmuş, sokaklar göstericilerle tıkanmış, devamlı çalan çanlarıyla kiliseler ayine koşan halkla mahşere dönmüştü. Diğer yandan sayıları 20 bini bulan Bulgar çeteleri daha şimdiden, ordudan ayrı olarak, Türk hududuna doğru harekete geçmişlerdi bile.

Belgrad'da heyecanlı bir kalabalık Kral Petar'ın sarayı önünde gösteriler yapıyor, «Savaş isteriz» naralarıyle yeri göğü çınlatıyorlardı. Balkanlıların ortak notasının Babıâli'ye verilmesinden bir gün önce 12 Ekimde de bir Sırp tümeni (beş ay önce 11 Mayıstaki gizli Sırp-Bulgar askeri anlaşmasına uygun olarak birlikte harekâta katılmak için) Bulgaristan'a giriyor ve Bulgar halkı tarafından çiçeklerle karşılanıyordu. 27 yıl önce 1885'de yine aynı yerlerde cereyan eden Bulgar-Sırp savaşı artık çok uzaklarda kalmış ve unutulmuşa benziyordu.

Yunanistan Kralı Yorgi, Avrupa gezisini yarıda keserek Atina'ya dönüşünde kendisini karşılayan büyük bir kalabalık «Kurtuluş günü geldi» diye haykırarak sevincini belirtiyordu. 11 Ekimde Veliaht Prens Konstantin, Teselya'daki ordunun komutasını almak üzere, ordu karargâhına hareket ediyordu. (*)

Bundan başka ortak notanın verilişinden bir gün sonra 14 Ekimde Yunanistan, Girit'le birleştiğini ilan ediyordu. Başbakan Venizelos, Girit milletvekillerinin Yunan meclisine kabulünü savaş sebebi sayacağını bildiren Osmanlı Hükümetinin bildirisi karşısında daha önce yapamadığı işi, şimdi uygulamaya koymaktaydı. Öyleya, fırsat bu fırsattı. Başbakan Venizelos parlamentoda Girit milletvekillerini alkışlarla karşılayan Yunan milletvekillerine şöyle sesleniyordu :

«**Adanın Yunanistanla birleşmesi yönünde Girit meclisinin verdiği kararı aynen kabul ediyo-**

(*) Türk Kurtuluş Savaşı sırasında Yunan Kralı.

ruz. **Yunanistanla Girit'in artık bir tek parlamen tosu olacağını kesin olarak ilan ediyorum.»**

Balkanlılarda bunlar olurken, geç kalmış olmanın da telaşıyla Osmanlılarda hummalı bir faaliyet vardı. Ordu olabildiğince hızla hazırlıklarını tamamlamaya çalışıyor, hükümet toplantı üstüne toplantı yapıyordu.

Sultan Mehmet Reşat'ın millete yayınladığı bildiride şu satırlar dikkat çekiciydi :

«Memleketimizin içinde bulunduğu zorluklara rağmen olabildiğince ve kısım kısım reformları gerçekleştiriyoruz. Halkımızın saadeti için çalışıyoruz. Fakat memleketimize göz dikmiş olan ve biz geliştikçe düşüncelerini uygulayamayacaklarını gören küçük komşularımız, reformlarımıza ve gelişmemize engel olmak ve içinde bulunduğumuz zorluklardan faydalanmak istiyorlar, hudut boylarındaki eyaletlerimize saldırmak üzere aralarında anlaşıyorlar.

Altıyüz yıldan beri Osmanlıların zaferlerine sahne olan Bulgaristan, Sırbistan, Karadağ ve Yunanistan'daki hayalperestler, Osmanlıların canlarını ne kadar pahalıya sattıklarını unutuyorlar». (*)

İstanbul'da zaman zaman üniversitelilerin başı çektiği mitingler birbirini kovalıyor. **«Harp isteriz», «Hedefimiz Sofya»** sesleri Beyazıt ve Sultanahmet Meydanlarının göklerinde akisler yapıyordu.

15 ve 16 Ekim günleri Bulgar, Sırp, Yunan elçileri de İstanbul'u terkediyorlardı. Acaba savaş başlıyor muydu? Balkan ufukları bu sonbahar günlerinde kara bulutlarla kapkaranlıktı. Ama belki bir çözüm yolu bulunabilir, kara bulutlar bir barış aydınlığı ile belki yine dağılabilirdi...

Kimbilir?..

(*) Aram Andonyan: Balkan Harbi Tarihi.

DÖRDÜNCÜ BÖLÜM

TARAFLARIN DURUMU

HARBİ BALKANLILAR DEĞİL OSMANLILAR AÇIYOR

«Bulgar kuvvetlerinin seferberliği ve Osmanlı sınırında yığınak yapmaları, sınır boyunca müstahkem mevkilere ve askeri mevzilere hergün tekrarlanan saldırılar, Türkiye'nin iç işlerine müdaheleler ve Bulgar Hükümetinin anlaşılmaz olduğu kadar kabulü de imkânsız talepleri, Türkiye ile Bulgaristan arasında İmparatorluk Hükümetinin daima korumak arzusunda bulunduğu barışı sürdürme imkânını bırakmamıştır.»

16 Ekim 1912 sabahı İstanbul'daki Bulgar Maslahatgüzarına verilen bu nota ile, Osmanlı İmparatorluğu Bulgar Krallığına harp ilan ediyordu. Yarım saat sonra aynı notanın bir benzeri Sırp Maslahatgüzarına veriliyor ve İmparatorluk 16 Ekim 1912 sabahından itibaren kendisinin Bulgaristan ve Sırbistan'la harp halinde olduğunu resmen ilan ediyordu.

Doğrusu, olayların bu denli görülmemiş bir hızla gelişeceği ve harbe, hazırlıklara çoktan girişen Balkanlıların değil de Osmanlıların başlayacağı kimsenin aklına gelmemişti. 13 Ekimde Balkanlıların notasından bir gün sonra Babıâli beklenmeyen sert bir kararla elçilerini geri çekmiş ve daha ne olabileceğinin heyecanla konuşulduğu bir sırada, yani iki taraf elçilerinin daha memleketlerine bile varmadığı iki gün sonra da bir olupbitti halinde bu iki devlete karşı harp ilan edivermişti. Evet, politik durum hiç iç açıcı değildi ama, işin böyle üç gün içinde birdenbire gelişip savaşa dayanması da doğrusu en kötümserlerin bile aklından geçmiyordu.

Babıâli'nin bu kararı Avrupa'da tam bir şok etkisi yaratmıştı. Şimdi Balkanlarda başlayan savaşın nasıl gelişeceği, nerelere tırmanacağı, korkulu bir soru olarak Avrupa'lı Büyük Devlet yetkililerinin kafalarını kurcalamaktaydı.

İşin anlaşılmaz diğer bir yönü de şuydu: Bir gün önce sona eren İtalyan savaşını saymazsak bile, bunca iç zorluklarla uğraşan ve üstelik geç farkettiği Balkanlıların savaş hazırlıkları karşısında zaman kazanmak için didinen Osmanlı yönetimi nasıl olmuştu da harbi kendisi başlatmıştı? Hem de, harbe ilk başlamanın politik bunca sakıncalarını da göze alarak?..

Gerçekten de yanıtlanması zor bir soru!..

Başbakan Gazi Ahmet Muhtar Paşa, oğlu Bahriye Bakanı Mahmut Muhtar Paşa, Savunma Bakanı ve Başkomutan Vekili Nazım Paşa, Salih Paşa gibi hükümetteki askerler ordunun durumunu çok iyi bildikleri ve Genelkurmay Başkan Vekili Hadi Paşa'nın kesin şekilde belirttiği gibi, ordunun seferberliğini tamamlayabilmesi için hiç olmazsa bir aylık bir zamana ihtiyacı bulunduğu belli olduğu halde hükümet nasıl olup da harbe başlama kararına varabilmişti?

Harpten sonraki Harp Divanı sorgulamasında Dışişleri Bakanı Noradunkyan'ın ifadesi, galiba en inandırıcı olanıydı. 13 Mayıs 1914'deki ifadesinde Norandunkyan şöyle diyordu: «Başkomutan Vekili ve Savunma Bakanı Nazım Paşa ilkin, Genelkurmay Başkanı Hadi Paşa ile birlikte, ordunun hazırlığı için dışişleri bakanlığınca mümkün olabildiğince çok zaman kazanılması gerektiğini bakanlar kurulunda belirtmişse de, sonradan 15 Ekim 1912 günkü bakanlar kurulu toplantısında Trakya'da yeteri kadar askerimizin bulunduğunu ve bütünlemenin yeterli olduğunu söyledi. Bu sebeple düşmana vakit bırakmaksızın taarruza geçilmesinin uygun olduğunu belirterek derhal harp ilan edilmesini istedi. (*)

Doğu Ordusu Komutanı Abdullah Paşa da harp ilanı kararı alındığı günkü hükümet toplantısında konuşulanları anılarında şöyle anlatır:

«Balkan Hükümetlerinden yalnız Bulgaristan'la bile yapılacak harbi başaracak bir orduya sahip olmadığımızı, ordumuzun perişan halini, durumunu bir kaç sözle arz ettim. Ve Osmanlı ordusu düşmanı Çatalca'da durdurabilirse, bunu büyük bir başarı sayacağımı arz ettim.

Genelkurmay Başkan Vekili Hadi Paşa Hazretleri, ordunun zayıf tarafları hakkındaki düşüncelere katıldığını açık şekilde belirtti ve devamla Edirne kalesine bir habbe erzak gönderilemediğini, sayıştayın onayda gösterdiği zorluklar nedeniyle satınalmalardaki güçlükleri, levazımın çok eksiği bulunduğunu, İstanbul'da bir kat asker elbisesi bile bulunmadığını ve para verilse bile günde bin kattan fazla elbise yapılamayacağını, özetle ordunun dağınıklığını ve bu sebeple memleketi savunmaya yarayacak bir ordunun ancak bir, bir buçuk ay içinde toplanabileceğini belirtti.» (**)

Ama Başkomutan Vekili Nazım Paşa şimdi fikir değiştirmiştir. Onun etkisinde kalan Başbakan Gazi Ahmet Muhtar Paşa ve diğer bakanlar da harp ilanını uygun bulurlar. Ve uzun görüşmelerden sonra **«Harbe girmek konusu bakanlar kuru-**

(*) Genelkurmay Harp Tarihi Başkanlığı: Balkan Harbi 1. cilt.

(**) Şevket Süreyya Aydemir : Makedonya'dan Orta Asya'ya Enver Paşa 2. cilt.

lunca kararlaştırılarak Padişah'ın onayına sunulur.»

Hükümet böyle bir erken harp kararına varırken, Arnavut ayaklanmasını bastırmakla görevli Üçüncü Ordu Komutanı İsmail Fazıl Paşa'nın daha iki ay kadar önce gönderdiği raporda «**Bu ordu ile harp edilmez, ne yapacaksanız diplomasi yoluyla yapın**» sözlerini de kimse hatırlamak istemez.

Öyle veya böyle, 15 Ekim akşama doğru varılan bu kararla Balkan Savaşı felaketinin en büyük hatalarından biri gerçekleşmiş oluyordu. Hem de hiçbir inandırıcı sebebe dayanmadan ve hatta hatta ilerisi ve gerisi adamakıllı düşünülmeden, neredeyse damdan düşer gibi...

Babıâli'nin harp ilanında dikkati çeken bir başka durum daha vardı: Hükümet 16 Ekimde Bulgaristan ve Sırbistan'a harp ilan etmişti ama elçisini geri çağırmakla beraber, Yunanistan'a ilişmemişti. Anlaşılıyordu ki, Osmanlı yönetimi Yunanistan'ı harp dışında tutmak gibi bir umuda kapılmıştı.

Öyleya, neden olmasın: Karadağ, Sırp, Bulgar Islav ırkındandı; Yunanlılar ise değil. Sonra, Bulgarlarla Yunanlılar arasında tarihin derinliklerinden gelen bir düşmanlık hiç azalmadan sürüp gitmekteydi. Şimdi de Bulgarların Ege'ye inmek arzuları özellikle iki millet arasında çare bulunmaz bir anlaşmazlık konusu olarak güncelliğini koruyordu.

Babıâli, Yunanistan'ın savaşa katılmasiyle hem düşmanlarının çoğalacağını, üstelik Türk Makedonya ordusunun kuzeyde Sırplar ve Karadağlı'lar ile döğüşürken Güneyde Yunanlılarla çarpışmak, yani ters cephelerde vuruşmak zorunda kalacağını düşünüyordu. Ve asıl bundan da önemlisi Osmanlı donanmasına üstün olan Yunan donanması, Ege Denizi'nden yapılacak Türk deniz ulaştırmasına engel olacak güçteydi. Daha iki gün önce-

94

sine kadar İtalyan donanması yüzünden Ege ve Akdeniz'in kapalı olmasının verdiği güçlükler unutulur gibi değildi.

İşte bu sebeple Babıâli, Bulgaristan ve Sırbistan'a harp ilan ettiği gün yapılan mitingde, İstanbul'daki Yunan elçilik binasına halkın verdiği zarardan dolayı Yunan Hükümetinden özür diliyor ve ayrıca İtalyanların Oniki Ada'yı işgalleri sırasında Osmanlı Devleti aleyhine faaliyet gösteren Rumlar için bir de genel af çıkarıyordu. Bundan başka yine iki gün önce İstanbul'da el koyduğu Yunan gemilerini serbest bırakıyor, Yunan ticaret gemilerinin Boğazlar'dan geçişine izin veriyordu. Ve daha da önemlisi, iki gün önce 14 Ekim'de Girit'li milletvekillerinin Yunan meclisine girişlerini harp sebebi olarak kabul edeceğini bildirdiği halde şimdi görmezlikten geliyor ve bu tutumuyla Girit'in Yunanistan'a katılmasına razı olacağını belli ediyordu.

Halbuki Yunan Kralı Yorgi ve özellikle de Başbakan Venizelos, haklı olarak Girit'i zaten ellerinde kabul etmekteydiler. Bir iki gemiyi salıvermek, Adalarda af çıkarmak gibi şeyler onlar için zaten önemli değildi. Onların gözü bölüşülecek Makedonya'da ve tüm Ege adalarındaydı. «Megalo İdea»nın İstanbul'una ve Küçük Asya (Anadolu) ya da sıra, zamanla nasıl olsa gelecekti. (*)

Balkanlılar arasında yapılan bir dizi anlaşmadan habersiz, âdeta gözü açık uyuyan Babıâli Hükümetinin, Yunanistan'ı harbin dışında tutmak manevrası da boşa gitti. Dört ay kadar önce 29 Mayıs 1912'de Yunanlılarla Bulgarlar arasında kendi aleyhine bir anlaşma imzalandığını ve bu-

---

(*) Nitekim aynı Venizelos, 9 yıl sonra Megalo İdea' nın büyük adımını da atacak ve Yunan ordusu 15 Mayıs 1919'da İzmir'e çıkarak Anadolu'yu adım adım istilaya koyulacaktı.

na dayanarak iki taraf arasında bir askeri anlaşmanın daha üç hafta önce 22 Eylülde yürürlüğe girdiğini duymayan bir sağır yönetimden daha da fazlası beklenemezdi.

Ve bu aymazlığı kafasına vurur gibi Babıâli' nin savaş ilan ettiğinin ikinci günü 18 Ekim 1912' de Bulgaristan ve Yunanistan, onlardan iki gün sonra da 20 Ekimde Sırbistan, Osmanlı İmparatorluğuna harp ilan ettiler. Zaten savaş halinde olan Karadağ'ın da aralarında bulunduğu dört küçük Balkanlıyla Osmanlı İmparatorluğu artık karşı karşıya gelmişlerdi. Düğümü şimdi silahlar çözecekti.

Daha hudutlarda topların ilk sesleri duyulmadan önce, harp ilanını duyan Balkanlıların «Savaş» çığlıkları ortalığı doldurmuştu. Sofya, Belgrad, Atina ve Karadağ'ın başkenti Çetine'de halk, kendi ordularına zafer dileyen heyecanlı toplantılar yapıyor; vatan-millet nutuklarıyla insanlar kendilerinden geçiyordu.

İstanbul'un da onlardan kalır yanı yoktu. Bir görgü tanığı şöyle yazmaktaydı :

«Harp ilanı İstanbul'da büyük coşkunluk yarattı. Her taraftan gönüllüler Harbiye Nezareti'ne doğru akıyorlardı. Çokları atlarını da beraber getirip orduya armağan ediyorlardı. Savaşın sonucu hususunda kimsenin kuşkusu yoktu.» (*)

Sultan Mehmet Reşat adına başkomutan vekilliğini yürüten Harbiye Nazırı Nazım Paşa'nın orduya yayınladığı savaş bildirisi şu satırlarla başlıyordu :

«Kara ve Deniz kuvvetleri Başkomutanı Haşmetli Sultan'dan almış olduğum iradeye dayanarak siz kahraman Osmanlı Ordusuna sesleniyorum.

(*) Şevket Süreyya Aydemir: Makedonya'dan Orta Asya'ya Enver Paşa 2. cilt.

Subaylar, erler,

Yüzyıllardır vatanımız bu derece önemli bir an yaşamış değildir. Barış ve hatta dostluk içinde yanyana yaşamaktan başka bir şey istemediğimiz komşu hükümetler, bütün adalet kanunlarını ve hukuku çiğneyerek, barışı korumak yolunda sarfettiğimiz gayretleri boşa çıkarmak için Büyük Avrupa Devletlerinin öğüt ve iyi niyetlerini hiçe sayarak bize meydan okumaya cüret ediyorlar. Bütün millet onların bu cüretkâr davranışını hiddet ve nefretle karşılamış ve bu hakareti yapmaya cüret edenlere layık oldukları tokatı indirme vazifesini sizlere tevdi etmiş bulunmaktadır.» (*)

İMPARATORLUK ORDUSU

Evet, 16 Ekim 1912 günü harp ilan edilmişti.

Üç kıtaya yayılan koca imparatorluk, son birkaç yüzyıl içinde bir sürü ülke kaybetmiş olmasına rağmen, 1912'lerde yine de Rumeli, Anadolu ve tüm Arabistan yarımadasıyla harita üzerinde hatırı sayılır bir büyüklükteydi ve kapladığı alan itibariyle dünyanın diğer büyük devletlerine benzer bir görünümdeydi. Bu tarihlerde Osmanlı İmparatorluğu'nun genişliği 3.027.700 kilometre kareyi bulmaktaydı. Nüfusu da 29 milyondu.

Buna karşılık dört düşman Balkan devletinin yüzölçümleri toplamı 158.456 kilometre kare ve nüfuslarının toplamı ise

Bulgaristan	4.339.000
Sırbistan	2.932.000
Yunanistan	2.640.000
Karadağ	256.000
TOPLAM	10.167.000 kişiydi (**)

(*) Aram Andonyan: Balkan Harbi Tarihi.
(**) Genelkurmay Harp Tarihi Başkanlığı: Balkan Harbi 1. cilt.

97

Bu hesapça Osmanlı İmparatorluğu, Balkanlıların 20 katı toprağa ve 3 katı bir nüfusa sahipti.

Doğrusu, uzaktan bakanlar için İmparatorluk, krokide de görüldüğü üzere şekil ve sayı olarak heybetli bir manzara göstermekteydi. Fakat bunun bir sayı kalabalığı ve boş bir alan büyüklüğünden ibaret olduğu, aldatıcı görünümün arkasında bir başka gerçeğin bulunduğu biliniyordu. O gerçek de, Osmanlı İmparatorluğunu oluşturan bu şekil ve kalabalığın, ayrı gayeleri olan, birbirine düşman karmakarışık ırk ve dinlerden meydana geldiği idi. Zira, 29 milyonluk İmparatorluk nüfusunun ancak

13 milyonu Türk'dü. Geriye kalanların
7 milyonu Hıristiyan (Değişik milletler)
5.5 milyonu Arap
2 milyonu Kürt
1.5 milyonu Arnavutlardan oluşmaktaydı.

Bu rakamlardan da anlaşılacağı gibi, bir milletler karışımı olan Osmanlı İmparatorluğunda Türkler, % 45 olarak yarıdan da az bir sayıda idiler. Yani, bir azınlıktılar.

Tüm yurt çapında % 45 olan Türk nüfusu oranı, Rumeli'de % 18'e kadar düşmekteydi.

Rumeli'deki nüfusun dağılımı şöyleydi: (*)

İslam	2.187.000
Bulgar	965.000
Rum	957.000
Sırp, Ulah	329.000
TOPLAM	4.438.000

Rumeli'deki İslam olarak alınan Türk, Arnavut, Boşnak, Tatar ve Pomak'lar içinde Türk'ler, üçte bir olarak kabul edilmektedir.

(*) Bütün eserler bu konuda değişik sayılar verirler. Bu nedenle yukarıdakiler ortalama olarak kabul edilmelidir.

OSMANLI İMPARATORLUĞU
VE BALKANLAR (1912)

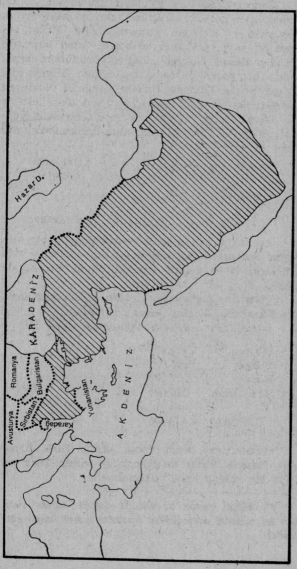

Buna göre 4.5 milyona yaklaşan Rumeli (Arnavutluk, Makedonva. Trakyalar) halkının,

% 29'unu Müslüman Arnavutlar
% 23'ünü Bulgarlar
% 22'sini Rumlar
% 18'ini Türkler
% 6'sını Sırp ve Ulahlar
% 2'sini Ermeni, Yahudi ve başkaları oluşturuyordu. Yani Türkler, Avrupa'daki kendi topraklarında nüfusun beşte birinden de az sayıda 800.000 kişi kadardılar.

Kuşkusuz, koca İmparatorluğun asıl yükü de, bu azınlıkta bulunan Türklerin omuzlarındaydı. Sıra savaşa geldimi, yine en önde **«Mehmet»** vardı. Tarih boyunca bir cepheden bir cepheye koşan, yıllarca evini görmeden o huduttan o hududa savrulan, şayet canını kurtarabilmişse kolunu bir yerde, bacağını başka bir kavgada bırakan **«Mehmet»** ... Gık bile demeden günlerce aç ve susuzluğa katlanan, açıkta kalan, zaman zaman yırtık çarık bile bulamadan çıplak ayakla dolaşan **«Mehmet»** ...

Ve işte İmparatorluğun seferberliği, başta bu **«Mehmet»** e, sonra bu nüfusa dayanılarak yapılacaktı. Gerçi Meşrutiyetten evvel askerlik yapmayan Hıristiyan vatandaşlar, yeni anayasa gereğince şimdi silah altına alınıyorlardı ama, bunların tamamı orduya alınabilseler bile ne derece yararlı olabilirlerdi, o da ayrı bir sorundu!. Bir Rum, bir Bulgar, bir Sırp'ın kendi ırkından insanlara kurşun sıkmasını beklemek olacak iş miydi? Hatta, buna Ermeni, Yahudi gibi diğer azınlıkları da katmak lâzımdı.

Bundan başka, Hıristiyanların askere alınmasının yarattığı diğer bir sorun daha vardı: Müslüman Türk ve diğer Müslüman askerler üzerinde yaratacağı tepki. O zamana kadar Padişah'ın, tüm Müslümanların din uğruna savaşa çağıran **«Cihad»** ı ve **«Din uğruna şehit veya gazi»** fikirleiyle yetişmiş temiz Anadolu Türk'ü, şimdi şaşırmıştı. Öyleya, bu gayrı müslimlerle birlikte şimdi hangi Cihad yapılıyor, hangi din uğruna döğüşülüyordu? Peki, kendisi şehit düştüğünde cennete gidecekti de, bu gayrı müslim nereye gidecekti?.. Öyle anlaşılmaz bir durum ki, içinden çıkabilene aşk olsun...

Osmanlı ordusunda askerlik hizmeti 20 yıldı ve üç devreye ayrılmıştı :

1. Nizamiye :

Barış zamanındaki muvazzaf askerlikti. 3 yılı barışta, sonraki 3 yılı da seferde ihtiyat olarak 6 yıllıktı.

2. Redif :

Seferberlikte silah altına alınan yedeklerdi. 8 yıllıktı.

3. Müstahfız :

6 yıllıktı. En yaşlı olan bu erler seferde askere alınır ve daha çok geri hizmetlerde kullanılırdı.

Balkan Savaşı başladığında Osmanlı barış ordusu (Nizamiye Ordusu), Adriyatik Denizi'nden Basra Körfezi'ne kadar uçsuz bucaksız bir alana yayılmıştı :

Birinci Ordu (Merkezi İstanbul)
İkinci Ordu (Merkezi Selanik)
Üçüncü Ordu (Merkezi Erzincan)
Dördüncü Ordu (Merkezi Bağdat)
14. Kolordu (Merkezi Yemen)
Üç tümen (Asir, Hicaz ve Trablusgarp'da)

İstanbul, Selanik Birinci ve İkinci Orduları Balkanlar'a karşı, Erzincan Üçüncü Ordusu Ruslar'a karşı, Bağdat Dördüncü Ordusu ve diğer kuvvetler de Araplar'a karşı idi. İtalyanların Oniki Adayı işgali üzerine tehlikeyi önlemek için Birinci Ordu'dan İzmir'e getirilen bir tümen sayılmazsa, Anadolu'nun büyük bölümü hemen hemen bomboştu. Ordu bütünüyle hudutlara yığılmıştı ve büyük kısmı ile Balkanlar'daki, diğer kuvvetleriyle Suriye'deki, Yemen'deki ayaklanmalarla uğraşmaktaydı. Diğer yandan, bir yıldır, Anadolu Türk'ü için dünyanın öbür ucu kadar uzak, adını bile bilmediği Trablusgarp denen bir ülkede İtalyanlarla savaşılmaktaydı.

Ordu, modern orduların silahlarından olduğu gibi, örgüt ve eğitiminden de habersizdi. Üstelik, geçmiş yıllarda peşpeşe gelen yenilgiler sebebiyle morali de iyi sayılmazdı. Hele o «93 Harbi» (1877-1878 Savaşı) büyük felâketinin yaraları hâlâ tazeliğini koruyordu.

1877-1878 Savaşı'ndan sonra orduyu düzenlemek için çağrılan Alman Subay Heyeti, özellikle Golç (Von Der Goltz) Paşa'nın gayretleriyle Osmanlı ordusunda bazı yenilikler yapılmak istenmişse de, Abdülhamit'in kuşkusu nedeniyle fazla bir başarı elde edilememişti. Padişah, ordunun gösterdiği lüzum üzerine az sayıda alınan makinalıtüfek ve seri ateşli topları bile birliklere dağıtmayarak, İstanbul'daki depolarda sıkı koruma altında bulunduruyordu. Yani, her şeyden ve özellikle de ordudan kuşkulanan Abdülhamit, kara ordusunu silahlarıyla birlikte kilit altına almakla, donanmayı Haliç'e hapsetmekle, kendini ve iktidarını —sözde— güvenlik altına almaktaydı.

Zamanın Genelkurmay Başkanı Ahmet İzzet Paşa bile, durumdan şöyle yakınıyordu:

«Sultan Hamit'in kuruntusu yüzünden ordunun nişan alma eğitimleri, atış ve büyük çapta savaş eğitimi, büyük ölçüde manevra yapması yasak olduğundan, Alman talim heyetinden tatbikat alanında hakkıyla faydalanma mümkün olmadı.» (*).

Harp Okullarında bile araç, gereçler tamam

_____

(*) Genelkurmay Harp Tarihi Başkanlığı: Balkan Harbi 1. cilt.

değildi. Makinalıtüfek ve tüfeklerin makanizmaları üzerlerinde bulundurulmaz, öğrencilere gerçek mermi verilmezdi. Manevra yapılmadığı gibi, küçük tatbikatlar bile uygulanmazdı. Yani, bir ordunun temeli olan harp okullarında subay yetiştiriliyordu denemezdi. (*)

Buna rağmen yine de harp okullarından çıkan bu subaylar «Mektepli» (Okullu) olduklarından iyi yetişmiş kabul edilirdi. Cünkü orduda bir de okuldan yetişmemiş, hatta okuma yazması bile olmayan, çoğu erlikten gelme «Alaylı» lar vardı. Mektepli Subay ile Alaylı Subay çekişmesi hiç bitmez, bu iki sınıf subay birbirini oldum olası çekemezlerdi. «Mektepli» ye göre Alaylı, eğitim nedir bilmez, cahil; «Alaylı» ya göre Mektepli, teorik olarak yetişmiş pratiği olmayan, toy, askerin dilinden anlamayan bir ukalaydı. 31 Mart (13 Nisan 1909) ayaklanmasında Alaylı ve Mektepli çekişmesi doruğa tırmanmıştı. Alaylı subaylar ve bazı hacı hocaların etkisi altındaki asi askerlerin «Mektepli subay istemeyiz» diye rastladıkları Mektepli subayları öldürmelerinin kökeninde bu ikilik yatmaktaydı.

Yani Abdülhamit devrinde ordu, ordudan başka bir şeydi. Yalnız jandarma rolü oynuyordu. Yer yer çıkan isyanları bastırmak, Makedonya denen cehennemde eşkiya kovalamak onun için yeterde artardı bile.

Yine Genelkurmay Başkanı Ahmet İzzet Paşa'nın yazdığına göre «1877-1878 Rus Harbini yapan ordu subay heyetinin %75-80'ni Alaylı idi. Üstsubay ve paşaların, yaklaşık olarak % 50'si Alaylı, % 10'nu kâtiplikten yetişme, geri kalanı da Mek-

_____

(*) Meşrutiyetten önce İstanbul'daki Pangaltı ve Halıcıoğlu'ndaki iki harp okulundan başka Manastır, Edirne, Erzincan, Şam ve Bağdat'da da harp okulları vardı. Meşrutiyetten sonra İstanbul dışındakiler kapatıldı.

tepli idi. **Kâtiplikten ve Alaydan yetişme müşir** (Mareşal)**ler bile vardı.»** (*)

Şevket Süreyya Aydemir **«Enver Paşa»** adlı eserinde, Meşrutiyetten önce Alaylı subayların Mektepli subaylardan fazla olduğunu ve bunların ortalama 7.000 kişiyi bulduklarını yazar.

Mektepli, Alaylı subaylardan başka bir de **«Redif»** subayları vardı. Bunlar Redif askerlerinin seferberlikte kullanacakları silah ve gereçlerinin korunduğu, memleketin değişik yerlerine serpiştirilmiş depolarda birkaç erle hizmet gören subaylardı. Bunların çoğu barış zamanında erleriyle kahvelerde oturup oyun oynarlar, onlarla birlikte ticaret yaparlardı. Bunlar arasında tütün kaçakçılığı yapanlar bile vardı.

Bir diğer subay sınıfı da **«Zadegan Subaylar»** dı. Daha Harp Okulundayken bile özel işlem gören, ayrıcalıklı ve arkadaşları teğmen çıkarken kendileri yüzbaşı, binbaşı ve hatta paşalığa yükselen bu saraylı ve devlet büyüklerinin çocukları, subaylar arasında bir başka çekişme konusuydu.

Bir de **«Kurmay Subay»** çekememezliği vardı. Diğer subaylar, kurmayların kendilerinden önce terfi etmelerini hazmedemiyorlar, onları daha çok masa başlarında oturan, ataşeliklerde dolaşan, harita üzerinde düşünerek uygulaması olmayan emirler veren, kendini beğenmişler olarak görüyorlardı. Halbuki, Harp Akademisi'ndeki Alman hocalarının da yardımiyle buradan yetişen kurmaylar zamanın en iyi bilgilerine sahip, genç ve yetenekli subaylardı. Nitekim, Balkan Savaşı'ndan 7 yıl önce 1905'de Harp Akademisi'nden mezun olan Mustafa Kemal başta olmak üzere bir çok kurmay subaydır ki, gerek Balkan Savaşı'nın ve gerekse Birinci Dünya Savaşı'nın büyük yüklerini sırtlarında taşıyacaklardı. Kurtuluş Savaşı ise zaten onların önderliğinde yü-

_____

(*) Genelkurmay Harp Tarihi Başkanlığı: Balkan Harbi 1. cilt.

rütülecek, Cumhuriyet dönemi onların ellerinde yükselecekti.

Fakat, daha o günlere zaman vardı ve Meşrutiyetten önceki Abdülhamit döneminin ordusu, bu birbirini çekemez 4-5 sınıf subayın elinde karmakarışık bir haldeydi.

Yüksek komuta kademesi ise bir başka âlemdi. Kişisel yeteneğe sahip birkaç komutan dışında büyük birliklere komuta edebilecek komutan, hemen hemen yoktu denebilir.

Abdülhamit döneminde orduda terfi etme ve görev alma, kişinin yeteneğine göre değil, Sultan'a bağlılık derecesine göre yapıldığı bilinen bir şeydi. Bir subay hiç kıtada bulunmasa bile, mareşalliğe kadar yükselebilirdi.

İşte, böyle bir emir ve komuta altında bulunan erlerin ne halde olacağı zaten belli değil mi? Hele, terhis edildikten sonra öğrendiği bir iki şeyi de unutan Redif (yedek)lerin, tekrar askere alındıklarında ne durumda olacakları kolaylıkla tahmin edilebilir. Asker, şayet eğitime vakit bulabilirse, o zaman da muharebe eğitiminden çok yanaşık düzen eğitimi yapılırdı.

Velhasıl, Balkan Savaşı'ndan önceki ordu, en yüksek kademesinden en aşağıdaki erine kadar hiç de iç açıcı bir durum göstermiyordu. Hatta Balkan Savaşı öncesi Osmanlı ordusu askeri için «Asker yeniden yeniçerileşmekteydi» tanımını yapmak, hiç de abartma sayılmamalıydı. Aşağıdaki satırlar, Selanikli Bahri adındaki bir subayın Balkan Savaşı anılarından alınmıştır :

«Araziden yararlanmayı, silahını kullanmayı bilmeyen askerler, her taburda askerlerin dörtte üçünü oluşturuyordu. Verilen 400 metrelik nişangâha 2.000 metrelik nişangâh düzenlemeye uğraşan, fişeği namlunun ucundan tüfeğe sokmaya çalışan askerlerin, orduda asker olarak bulunmalarına gülmek mi, ağlamak mı lâzımdı, bilemiyorduk.

Harbin devamı müddetince, bir (Süngü Tak), bir (Hücum) borusunun çalındığını, askerin bir defa (Allah!. Allah!.) diyerek ileri atıldığını gören göz, işiten kulak varsa meydana çıksın. Rumeli' nin o temiz topraklarında, usulüne uygun olarak on adımlık bir geri çekilme dahi yapamadığımıza kıyamete kadar yanmalıyız.» (*)

Donanma da, kara ordusundan pek farklı değildi. Sultan Aziz'in, İngiliz donanmasından sonra dünyada ikinci güçlü donanma haline getirdiği Osmanlı deniz kuvvetlerinin savaş gemileri, Abdülhamit zamanında Haliç'e kapatılmışlardı. Her türlü seyir, tatbikat ve manevradan yoksun koca donanma 20 yıl sonra bir hurda demir külçesine dönmüştü. 1897 yılında Marmara'ya açılmaya çalışan gemilerin hazin hali, harp tarihinin sayfaları arasında acıyla ve ibretle okunmaktadır.

Meşrutiyetin ilanından ve özellikle 31 Mart sonunda Abdülhamit'in uzaklaştırılarak Mahmut Şevket Paşa'nın Başbakanlığa gelmesiyle birlikte ilk iş olarak orduya el atıldı. Ve ilk uygulamaya da, «Ordudaki komutan ve subayların tasfiyesi kanunu»nun çıkarılması ile başlandı. Yeteneksiz bir hayli subay emekliye ayrıldı. Saray Paşaları (Zadegânlar) başta olmak üzere bir çok paşa ve subayın rütbeleri birkaç derece birden indirildi. Ve subaylara, ilk defa bu dönemde, maaşları zamanında ve eksiksiz verilmeye başlandı.

Alman subaylarının da yardımıyla ordu, yeniden düzenlenmeye başlandı. Eğitim ve yeni silah alımlarına hız verildi. Ama ne çare ki, şimdi de ordunun yakasına hastalıkların en kötüsü yapışmıştı: Politika.. Meşrutiyeti sağlayan orduydu, öyleyse ister istemez komutan ve subayların bir kısmı bu hastalığa bulaşmıştı. «İttihatçı Subaylar» denen bu subaylar, sonra, «Halaskâr Subaylar» gibi karşıtlarını yaratacaklardı.

(*) Şevket Süreyya Aydemir: Makedonya'dan Orta Asya'ya Enver Paşa 2. cilt.

Ordunun politikaya karışması, azalarak da olsa, Balkan Savaşı'ndan sonra Birinci Dünya Savaşı ve hatta Kurtuluş Savaşı boyunca da sürecek; fakat Mustafa Kemal Paşa'nın, Cumhuriyetin kuruluşundan kısa bir süre sonra aldığı köklü önlemlerle son bulacaktı.

31 Marttan sonra Başbakan Mahmut Şevket Paşa, orduyu politikadan ayırmak için çok çalıştıysa da, koşullar buna elvermedi. Bunun gibi, orduyu yeniden düzenleme çalışmalarında da, beklenen sonuca ulaşılamadan Balkan Savaşı gelip çattı ve ordu o haliyle ve kısıtlı olanaklarıyla kendini savaşın ortasında buldu. Yani, Balkan Savaşı başlarken Osmanlı silahlı kuvvetlerinin dayandığı güç, sadece, subay ve erlerinin bütün tarih boyunca kanıtlanan vatanseverlikleri ve cesaretlerinden ibaretti, dense yeriydi. Ama o da, onların iyi yönetilmeleri şartına bağlıydı. Eğer o şartta yerine getirilmezse, vatanseverlik ve cesaret de havada kalmaya mahkûmdu.

Ve Balkan Savaşı'nda olacaklar da, maalesef buydu...

BALKAN SAVAŞ ALANINDA DURUM

Osmanlı Genelkurmayı Balkan Savaşı'nı, Balkanlardaki ordu ile yapacaktı. Bunlar da, İstanbul'daki Birinci Ordu ve Selanik'deki İkinci Ordu idi. Seferberlikle beraber İstanbul Ordusu «Doğu», Selanik Ordusu «Batı» orduları adını alacaklardı. Doğu Ordusu Trakya'da, Balkan devletlerinin en kuvvetlisi olan Bulgar ordusuna karşı; Batı Ordusu ise Sırp, Yunan ve Karadağ ordularına karşı döğüşecekti. Batı Ordusu, Makedonya hududundaki Bulgar tehlikesine karşı da bir kısım kuvvet ayıracaktı.

Seferberlikle beraber bu iki ordunun Nizamiye Birlikleri (silah altındaki kuvvetleri) hızla bölge halkından Yedek Nizamiye ve Redif (Yedek) erlerle takviye edilecek, ayrıca Anadolu'dan bir kısım Nizamiye ve Redif tümenleri getirilecekti.

Ama, seferberlik 1 Ekim 1912'de ilan edildikten 16 gün gibi kısa bir süre sonra harp gelip çatmıştı. Bu kadar kısa zamanda Nizamiyesi ve Redifi ile bu kadar askerin silah altına alınması, silah, araç ve gereçlerinin tamamlanması, birliklerin sefer görev yerlerine gitmeleri, yani özetle koca bir savaş makinasının bütün takım taklavatıyle, topu, tüfeği, atı, arabasıyle savaşa hazır hale getirilmesi olacak iş miydi? Daha bir ay önce bunun 70.000'i Balkan Ordularından olmak üzere, bütün silahlı kuvvetlerden 120.000 Yedek Nizamiye ve Redif askerlerinin terhis edilmesi, ordu saflarında yarıya yakın bir boşluk yaratmıştı ve bu boşluğun doldurulması kolay değildi.

Gerçi, terhis edilen bu askerin normal terhis süresi bir hayli gecikmiş ve erler arasında huzursuzluk ve disiplinsizlik belirtileri başgöstermişti ama, hükümetin o sıralarda Balkan ülkelerinin kendi aleyhinde bir dizi gizli anlaşmalar yapmasının ve gizli askeri hazırlıklarının farkına varmaması nedeniyle, harbin yaklaştığı bir sırada böyle bir terhise girişmesi affedilir hatalardan değildi. Bunun, Balkan yenilgisi üzerinde çok önemli etkisinin olacağı kesindi.

Bu konuda Genelkurmay Harp Tarihi Başkanlığının «Balkan Harbi» adlı kitabındaki şu satırlar ibretle okunmaya değer:

«1912 yılı Temmuzunda İzmir'deki Redifler terhis edilmişti. Bu erlerin süreleri çoktan dolmuştu. Terhis edilmeselerdi, o dönemde âdet olduğu üzere, topluca başkaldıracak ve hiç bir ceza söz konusu olmadan yine terhis edileceklerdi.

Ancak içinde bulunulan durumun kötülüğü düşünülmeden yapılan bu tür bir terhis, öteki ordular için çok zararlı bir örnek olmuştu. Bunu sırasiyle Çanakkale, Bursa, Bandırma Redifleri, kimi Nizamiye tümenlerinin ikmal erleriyle, nizami sürelerini çoktan tamamlamış muvazzaf erlerin başkaldırmaları ve terhisleri izledi. Durum çabucak Rumeli Ordusu (Balkan Orduları)na da bulaştı. Böylece kısa sürede, ordunun maddi ve manevi gücü altüst oldu.

Sınır ordularının gücü, silah altındaki üç yıllık (1909, 1910, 1911 yılı askere alınan) erlerden oluşan bir duruma düştü.»

Yani, orduda disiplin o denli bozuktur. Emir ve komuta o derece zayıftır ve pamuk ipliğine bağlıdır. Orduda olsun halkda olsun o denli isteksizlik ve bıkkınlık vardır. Devamlı seferberliklerin millet üzerinde yarattığı yıkım, artık elle tutulur bir hale gelmiştir. İstanbul'da savaş lehinde yapılan gösteriler, daha çok üniversite gençliğinin başı çektiği ve saman alevi gibi parlayıp sönen heyecandan öte bir mana taşımıyordu. Halkın çoğu ve özellikle bütün kahrı çeken Anadolu köylüsü, zaten olan bitenden hemen hemen habersizdi. Haberli olanlar ise, sonunda kabağın yine ve yalnız kendi başında patlayacağını bilenlerin duyguları içinde, acı bir sessizlikle olayları izlemekteydiler.

Balkan Savaşı'ndan iki ay önce, daha çoğu İstanbul ordusundan olmak üzere, İmam Yahya' nın isyanını bastırmak için 35 tabur askerin Yemen'e gönderilmesi, Oniki Ada'yı işgal eden İtalyanların bir çıkarmasına karşı Selanik ve İstanbul ordularından bir kısım birliklerin İzmir bölgesine kaydırılması, gene Balkan ordularının büyük ölçüde zayıflamasına sebep olmuştu.

İşte bütün bu sebepler yüzünden 1 Ekimde seferberlik ilan edildiğinde Balkan orduları, sefer kadrolarından çok eksik bir mevcutta idiler.

Seferberlik de çok zor koşullar içinde ve çok ağır yürümekteydi.

Bir defa, o zamanki yollar zaten az, kara ulaştırma araçları ise at, eşek, deve, manda, öküz, gibi canlılara ve onların sürükledikleri kağnı ve arabalara dayanıyordu. Demiryolu, Anadolu'dan İstanbul'a, İstanbul'dan Selanik ve Manastır'a kadar uzanıyor ve asıl yük, bu tek hatlı demiryoluna bağlı kalıyordu. Denizyolu olarak Ege Denizi, İtalyan donanması yüzünden kullanılamıyordu. 15 Ekimde İtalyanlarla barış yapılmıştı ama ondan sonra Balkan Savaşı başlamış ve bu sefer Yunan donanması Ege'ye hakim olduğundan, Ege yine Osmanlı deniz ulaştırmasına kapalı kalmıştı. İşte bütün bunlar insan ve malzeme ulaştırmasını büyük ölçüde aksatmaktaydı. Nitekim Balkan ordularına Anadolu'dan gönderilmesi gereken 60 bin er, Ege Denizi'nin kullanılamaması ve kara ulaştırmasının perişanlığı yüzünden bir türlü zamanında gönderilememişti. Savaş sırasında İstanbul'dan 1-2 saat uzaklıktaki Çerkezköy'e, trenlerin 6 günde zor gidebildikleri görülmüştü.

Zaten, personel seferberliği de, insanı üzecek bir yavaşlık içinde geçmekte ve 5-15 gün içinde silah altına alınması gerekli askerin toplanması bir türlü mümkün olamamaktaydı. «Bazı taburlar merkezlerinde çağrılıp silahlandırılan sefer eratının, elbiseleri giydirildikten sonra subayları tarafından kışlalarda oturtulmak suretiyle korunma altına alınmadıklarından, hepsinin kasaba içine dağıldıkları, bir kısmının da köylerine ve evlerine dönmekte olduğu...», veya «Kıtalara atanıp ismi ve kaldıkları yerler şimdiye kadar merkez komutanlığına bildirilmiş olan doktorlardan bir kısmının görev yerine gitmedikleri...» yolunda haberler birbirini kovalamaktaydı. (*)

Yine de silah altına gelenler, genellikle Türklerdi. Hani, tarih boyunca bu koca imparatorluğun tüm yükünü çeken, barışta vergi veren, savaşta asker veren, kanını veren, canını veren, hududtan hudûda, seferden sefere koşan cefakâr Türk... Yüksünmeden, soru sormadan, inanılmaz bir itaatla vatan vazifesine koşan «Mehmet»...

(*) Genelkurmay Harp Tarihi Başkanlığı: Balkan Harbi 1. cilt.

Gayrı Müslimlerden bir kısmı, ilk defa alındıkları askerlikten kaçmak için akla gelmedik yollar buluyorlar, Müslüman Arnavutlar ise çoğunlukla silah ve donatımlarıyla birlikte kıtalarından kaçıyorlardı.

Menzil örgütü ise, varla yok arası birşeydi. Bu sebeple bütünlemeyi sağlayacak ne yeterli depo, ne araç, ne bunları düzenleyen plan ve program vardı. Orduyu sefer haline getirecek ne yeterli elbise, araç, gereç, yiyecek vardı, ne de neyin nereye verileceğini bilen.. Bir depoda yeterli giyecek varken, bundan habersiz bazı seferberlik birliklerinin köyden geldikleri sivil ve perişan kılıkla cepheye yollandıkları oluyordu.

Düşünmeli ki, o tarihte bir tarım memleketi sayılan ve halkının % 80'i köylü olan Osmanlı ülkesinde yeterli un öğütülemediği gibi, bir tek şeker fabrikası bile olmadığından bunlar dışarıdan ithal edilmek zorundaydı. Yani, harp silah araç ve gereçleri bir yana, sefer ordusunun yiyeceğinin bütünlemesi bile bir sorundu.

Bu yarım yamalak ve ağır aksak bütünleme de, ordunun bir yerde hareketsiz durduğuna göre idi. Ordunun ileriye doğru bir hareketi halinde, araçsızlık ve düzensizlik nedeniyle bütünlemenin nasıl ve ne oranda yapılabileceği, ayrı bir sorundu.

Doğu Ordusu Komutanı Abdullah Paşa, daha sonra şunları söyleyecekti:

«Ekimin üçüne kadar katar ve kafileler olabildiği kadar oluşturulmuş ve çalıştırabilmişti. Fakat bu, ordunun ileri hareketi için değil, bulunduğu yerde iaşesi ve bütünlemesi için yeterliydi. Türk ordusunun taşıt araçları eksikliği nedeniyle haftalarca yürüyüş olanağı yoktu. Ancak bir iki günlük yürüyüş yapabiliyordu.» (*)

Özetle, 1912 yılı soğuk Ekim ayı içinde Bal-

(*) Genelkurmay Harp Tarihi Başkanlığı: Balkan Harbi 1. cilt.

kan ordusunun seferberliği, tam bir dağınıklık, şaşkınlık ve perişanlık içinde yürümekte, daha doğrusu bir bilinmezlik havasında kör topal sürünüp durmaktaydı.

22 Ekimde, yani seferberliğin 22. günü ve Osmanlı devletinin Balkanlılara harp ilan ettiği 16 Ekimden bir hafta sonra, Balkan ordusunun durumu şöyleydi :

Doğu Ordusu (Birinci Ordu) :

478.848 kişi yerine 115.000 kişilik bir mevcuda ulaşabilmişti.

Batı Ordusu (İkinci Ordu) :

418.899 kişi yerine 188.000 kişilik bir mevcuda ulaşabilmişti.

Buna göre Türk ordusu 478.848+418.899= 897.747 kişilik sefer kadrosunun ancak 115.000+ 188.000=303.000 kişi olarak üçte birini toplayabilmişti. Bu kuvvetin silah, cephane, araç, gereç noksanı da ona göreydi. Örneğin, silah altındaki bu kuvvetin piyadesinin sekizde birinin tüfeği yoktu, süvarinin kullandığı kısa namlulu filinta tüfeği ve kılıçtan ancak 7.000'i sağlanabilmişti. Bu ise, olması lâzım gelenin ancak yarısıydı. (*)

Düşman ordularının durumuna gelince :

Bulgar ordusu   : 250.000 kişi
Sırp ordusu   : 200.000   »
Yunan ordusu   : 120.000   »
Karadağ ordusu   :   40.000   »

TOPLAM   610.000 kişi (**)

Türk Balkan ordusunun toplamı 303.000 kişi olduğuna göre, Türk ordusunu düşman ordularının yarısı olarak dikkate almak lâzımdır.

(*) Genelkurmay Harp Tarihi Başkanlığı: Balkan Harbi 1. cilt.

(**) Kesin mevcutlar bilinmediğinden, yaklaşık sayılar olarak kabul edilmelidir.

ORDULARIN YIĞINAKLANMASI
15 Ekim 1912

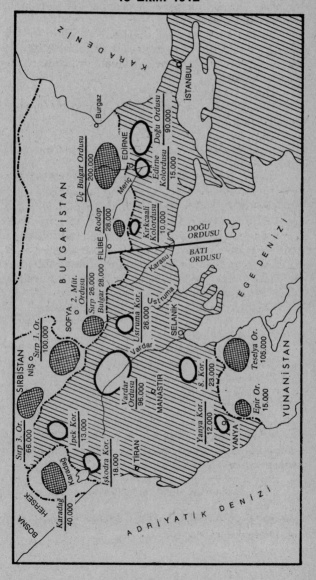

1912 Ekiminde, savaş öncesinde, taraflar şöyle düzenlenmişlerdi:

Türk Doğu Ordusu:

Trakya bölgesinde. Tamamı Bulgar ordusuna karşı kullanılacaktı.
1., 2., 3. ve 4. Kolordular (Edirne-Kırklareli arasında)
Edirne Kolordusu (Edirne'de)
Kırcaali Kolordusu (Batı Trakya'da)
16., 17., 18. Redif Kolorduları (Geride ihtiyat)

Bulgar Ordusu:

Trakya bölgesinde. Tamamı Türk Doğu Ordusuna karşı kullanılacaktı.
1., 2., 3. Ordular (Edirne-Kırklareli arasında)
Rodop Grubu (Batı Trakya'da)

Türk Batı Ordusu:

Makedonya ve Arnavutluk bölgesinde. Sırp, Karadağ ve Yunan ordularına karşı kullanılacaktı.
Vardar Ordusu (5., 6., 7. Kolordular): Sırplara karşı,
İşkodra Kolordusu ve İpek Müfrezesi: Karadağ ve Sırplara karşı,
Ustruma Kolordusu: Sırp ve Bulgarlara karşı.
Yanya Kolordusu ve 8. Kolordu: Yunanlılara karşı.

Sırp, Yunan, Karadağ Orduları:

Kendi sefer yerlerinde, Türk Batı ordusu karşısında tertiplenmişlerdi.

Balkan devletlerinin orduları elindeki silahlar daha yeniydi. Özellikle son zamanlarda seri ateşli toplar almışlardı. Hazırlıklara erkenden başladıkları için, Türk Ordusu daha kendisini toparlayamadan seferberliklerini tamamlamışlar ve savaşa hazır duruma gelmişlerdi. Türk Ordusu elindeki eğitimli erleri az önce terhis etmişti, Redif aske-

114

rin ise eğitimi iyi değildi. Buna karşın düşman or-
dularının eğitimi iyi idi.

Ve hepsinden önemlisi, moral durumu çok
farklıydı. Balkan devletleri, Fransız ihtilalinin ta-
şıdığı milliyetçilik ve hürriyet havasını çoktan al-
mışlardı. Yakın zamanda bağımsız devletlerini kur-
muşlar, bunun gururunu tatmışlardı. Şimdi Os-
manlı topraklarında yaşayan kardeşlerini kurta-
racak, milli devletlerini eksiksiz kurmak için sa-
vaşacaklardı. Aşağı yukarı, yeni bir kurtuluş sa-
vaşı yapacaklardı.

Ama Türkler?..

Ne bir kurtuluş savaşı, ne bir fetih savaşı yap-
maktaydılar. Türk, henüz diğer azınlık halkı gibi
millet olma bilincine bile varamamış, hâlâ Osman-
lılıktan kurtulamamıştı. Anadolu insanı uzak hu-
dutların bir ucundan diğer ucuna koşmaktan yo-
rulmuş, ne uğruna döğüştüğünü şaşırmıştı. Yor-
gundu ve gayesizdi. Babıâli Hükümetinin hali, par-
ticilik kavgalarıyla memleketin ikiye bölünmesi,
seferberliğin perişanlığı ise gözler önündeydi.

Yani, harbin ilan edildiği 1912 yılı 16 Ekiminde
«Avrupa'nın Hasta Adamı», gerçekten de hastay-
dı. Bu ihtiyar hastanın, savaşı daha başlamadan
kaybettiği söylenebilirdi. Küçük, fakat genç ve
coşkulu ideallere sahip Balkan milletleri önünde;
büyük fakat içi boş bir çınar görünümündeki ga-
yesiz İmparatorluk için bütün koşullar bunu gös-
teriyor, acı ve yalın gerçekler hep gelip aynı nok-
tada düğümleniyordu: Evet Osmanlı Ordusu, kay-
bedeceği daha baştan belli olan bir savaşa sürük-
lenmiş gibiydi.

BEŞİNCİ BÖLÜM

DOĞU ORDUSU VE BULGARLARLA SAVAŞ

İKİ TARAFIN SEFERBERLİĞİ

Harp ilanının küçük Balkan milletlerinde ortak bir sevinçle karşılandığı görülüyordu. Çünkü onlara göre bu, bir yeniden varoluş, bir hürolma savaşıydı. 400 yıldır yaşadıkları esaretten tam manasıyle ve tümüyle kurtulma savaşıydı.

Alain Penennrun adlı bir yazarın aşağıdaki satırları, bunu vurgular :

«Her Bulgar uzun süredir arzuladığı bir savaşa koşuyordu. Bulgarlar bağımsızlıklarına kavuşalı, varlıklarının nedeninin, eski efendileri Türklerle savaşmak olduğunu düşünmeye alışmışlardı. Bu savaşa manen ve maddeten hazırlanmışlardı. Kurulan orduya aşılanan ruh ve vatanın varlığını simgeleyen tek fikir şuydu: Türkleri yenmek ve Avrupa'dan atmak gerek. Kaldı ki, Osmanlı egemenliği altında yaşamış olan eski kölelerin ruhuna, intikama susamışlığı ve yenme arzusunu aşılamak hiç de zor değildi.

Bulgarlarla ilk görüşmelerimde, onlar yalnız bugünkü Makedonya'da cereyan eden olaylardan bahsetmekle yetinmiyorlar, 35 yıl önce muzaffer Rus ordularının Osmanlıları Plevne ve Şipka'dan

116

sürerek Balkanlara sarkarken, Bulgar halkının maruz kaldığı zulmü de anlatıyorlardı. Bir zamanların efendisine karşı beslenen nefret, yaşama içgüdüsünden de güçlü.» (*)

Bulgar Çarı Ferdinand, harbin ilan edildiği 18 Ekim günü millete yayınladığı bildiride şunları söylüyordu :

«Herşeye kadir olan Tanrı'nın yardım ve korumasına tam bir güvenle, Türkiye'deki Hıristiyanların haklarını savunmak için harp ilan edildiğini Bulgar milletine bildiriyorum. Yiğit Bulgar Ordusuna, Türk toprağına doğru yürümesini emrediyorum.

Yanıbaşımızda ve bizimle beraber, aynı gaye için, Bulgaristan'ın müttefikleri diğer Balkan devletlerinin, Sırbistan'ın, Yunanistan'ın ve Karadağ'ın orduları da müşterek düşmana karşı dövüşüyorlar. Salibin Hilâle karşı, özgürlüğün istibdada karşı mücadelesi olan bu savaşta, adalet ve terakki taraftarlarının sempatisi bizlerle beraber olacaktır.

Bu sempatilerle güçlenen cesur Bulgar askeri, babalarının, atalarının kahramanlık menkıbelerini, kurtarıcı Rusların yiğitliğini hatırlayarak, zaferden zafere koşsun.

İleri.

Tanrı bizimle olsun. (**)

Bulgar ordusu, harbin ilan edildiği 18 Ekim günü her bakımdan noksanlarını tamamlamış ve plana göre yığınaklarını bitirmişti.

Bulgar ordusu şöyle tertiplenmişti:

Üçüncü Ordu: General Dimitriyef komutasında, Kırklareli (Kırkkilise) doğrultusunda taarruz edecekti.

Birinci Ordu: General Kutinçef komutasında

(*) Genelkurmay Harp Tarihi Başkanlığı: Balkan Harbi 3. cilt, 1. kısım.

(**) Aram Andonyan: Balkan Harbi Tarihi.

TÜRK VE BULGAR ORDULARININ YIĞINAĞI (15 Ekim 1912)

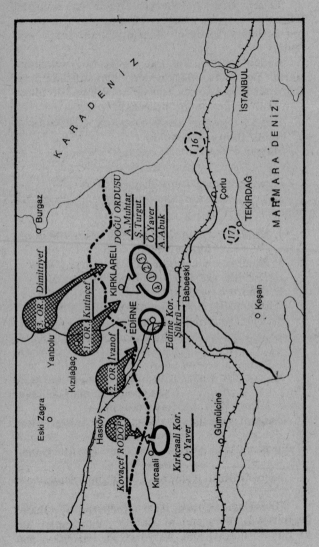

Üçüncü Ordu'nun Batısından, Kırklareli ile Edirne arasından harekâta katılacaktı.

İkinci Ordu: General İvanof komutasında Edirne'ye taarruzla burayı ele geçirecek, sonra diğer orduları İstanbul doğrultusunda takip edecekti.

Rodop Grubu: General Kovaçef komutasında, Meriç Batısında Hasköy'den Kırcaali-Gümilcine doğrultusunda taarruz edecek ve Trakya ile Makedonya'nın bağlantısını kesecekti.

Bulgar Orduları Başkomutanı Çar Ferdinand' dı. Vekili, General Savof'du.

Bulgar ordusunun karşısındaki Osmanlı Doğu Ordusu'nun tertibatı ise şöyleydi:

Kırklareli'nden Edirne'ye kadar bir cephe boyunca yer almış dört kolordu. Bunlar, Doğu'dan itibaren:

3. Kolordu: Komutanı Bahriye Nazırı Mahmut Muhtar Paşa
2. Kolordu: Komutanı Şevket Turgut Paşa
1. Kolordu: Komutanı Ömer Yaver Paşa
4. Kolordu: Komutanı Ahmet Abuk Paşa
Edirne Kolordusu: Komutanı Şükrü Paşa
Kırcaali Kolordusu: Komutanı Ali Yaver Paşa.
    (Meriç batısında, Bulgarların Rodop Grubu karşısında)
16., 17., 18. Redif Kolorduları: Çoğu Anadolu'dan gelerek cepheyi takviye edecekler.
Osmanlı Orduları Başkomutanı: Sultan Mehmet Reşat
Başkomutan Vekili: Harbiye Nazırı Nazım Paşa
Doğu Ordusu Komutanı: Abdullah Paşa

Türk Doğu Ordusu, eğer seferberliğini tamamlayabilseydi, karşısındaki Bulgar ordusundan daha güçlü olacaktı ama ne yazık ki, hazırlıkta çok geç kalmıştı. Bu sebeple de cephedeki dört kolordu için öngörülen 150.000 kişilik ordu yerine, geri hizmettekilerle beraber, ancak 90.000 kişilik bir kuvvet çıkarılabilmişti. Edirne ve Kırcaali Kolordularının durumu da, bu kolorduların durumu gibiydi. Onlar da seferberliklerini tamamlayamamışlar, yeterli personel, araç, gereç bütünlemelerini yapamamışlardı. Harbin ilk günü Edirne Kolordusu'nun 15.000, Kırcaali Kolordusu'nun 10.000 kişilik bir kuvveti vardı. Trakya savaşlarının kaybedilmesinde, diğer hataların yanında, her türlü seferberliğini önceden bitirmiş üstün Bulgar kuvvetleri karşısına bu zayıf kuvvetlerle çıkmış olmanın büyük rolü vardı.

İki ay kadar önce tüm Osmanlı Ordusunun en eğitimli ve en dolgun mevcutlu seçme birlikleri olan ve en önde Bulgar Ordusu ile savaşa giren Doğu Ordusunun bu Kolorduları, terhislerden ve bir kısım birliklerini Yemen'e gönderdikten· sonra neredeyse yarı kuvvete düşmüşler ve seferberliğin ilanı ile savaş arasındaki kısa sürede, yeni gelen acemi ve karmakarışık er, tamamlanamayan silah ve araçlarla —bırakın sefer mevcuduna— eski barış gücüne bile erişememişlerdi.

Başkomutan Vekili Nazım Paşa başta olmak üzere hükümetteki bakanların bir kısmı, harbin ilanından önceki tartışmalarında, Bulgar Ordusunun seferberlik ve yığınaklanmasına vakit bırakmadan hemen taarruza geçilmesini istiyorlardı. Eğer iş düşündükleri gibi olsaydı bu karar doğru olabilirdi ama, ne çareki durum tamamen tersiydi. Yani, savaş başladığında her türlü hazırlığını bitiren Bulgar Ordusu, hazırlığını bitiremeyen ise Osmanlı Doğu Ordusu olacaktı. Aylar önce Balkanlılar arası anlaşmalardan en ufak bir haber alamayan devlet istihbaratının ve düşman harp hazırlıklarının ne olduğunu öğrenemeyen askeri istihbaratın sebep olduğu bu korkunç hatanın, bir harbin kaybedilmesindeki etkisine bundan daha belirgin bir örnek bulunamazdı.

Doğu Ordusu Komutanı Abdullah Paşa ise, taarruz fikrine ilk günden beri karşıdır. Onun düşüncesine göre, ordunun seferberliğini planlandığı şekilde üç haftada bitirmesi olanaksızdır. Öyleyse, sonucu kesin olmayan bir başarı hevesine kapılıp erken bir taarruz hiç de uygun değildir. Düşmanı gerilerdeki savunma mevzilerinde karşılayıp onu durdurduktan ve kendi seferberliğimizi tamamlayıp, Anadolu'dan gelecek kuvvetleri de (16., 17., 18. Redif Kolorduları) aldıktan sonra taarruza geçmek daha uygundur.

Fakat Abdullah Paşa'nın fikri kabul görmez. 5 numaralı sefer planı aynen uygulanacak ve Türk Doğu Ordusu, harp ilanı ile birlikte, vakit geçirmeksizin ileri harekete geçerek taarruz edecekti. Zaten seferberliğin ilan edildiği günden beri ordu, buna göre yığınağını hududa yakın şekilde ileride yapmakta değil miydi?

Abdullah Paşa seferberlik sırasında kolorduları gezip, birliklerin durumlarını gözleriyle gördükten sonra moralini büsbütün yitirdi: Hayır, ordu bu haliyle taarruz edemezdi... Hatta, seferberliğini yapmakta olduğu şimdiki yerlerde durması bile tehlikeliydi. Ergene Nehri gerisine, yani Çorlu dolaylarına çekilip orada savunma için tertiplenmeliydi. Hem de, hiç vakit geçirmeksizin... Eğer bu düşüncesi kabul edilmezse, ordunun hiç olmazsa şimdi bulunduğu Kırklareli-Edirne hattında savunmasına izin verilmeliydi.

Başkomutanlıkla Doğu Ordusu komutanlığı arasında bu yazışmalar yapılırken, harp kapıyı çalmış ve Bulgar orduları hududu aşmak üzere 18 Ekim 1912 günü ileri yürüyüşe geçmişti bile...

KIRKLARELİ SAVAŞI
(22-23 Ekim 1912)

Bulgar savaş planı da, taarruza dayanıyordu. Bulgar komutanlığı, Osmanlı Ordusunun seferberliğini tamamlayamadığını ve nerelerde toplanmakta olduğunu, doğruya yakın şekilde bilmekteydi. Buna göre Bulgar kuvvetleri, Osmanlı Ordusunun hazırlığını bitirmesine vakit bırakmadan, Dogudaki en güçlü Üçüncü Ordu ile, aşılması zor Istranca Dağları'nı aşarak Türk Doğu kanadını parçalayıp Kırklareli'ni ele geçirecek, bundan sonra diğer iki ordu ile birlikte İstanbul üzerine yürüyecekti. Bulgarlar, Osmanlı Genelkurmayını yanıltmak için de, bundan önceki harplerde yapıldığı gibi, asıl kuvvetleriyle klasik bir yol olan Edirne doğrultusunda taarruz edeceklerini etrafa duyurmaya çalışıyorlardı. Öyleya, Edirne gibi demiryolu ve karayolu kavşak merkezi ele geçirildikten sonradirki, ancak İstanbul doğrultusunda bir harekâta başlanabilirdi. Tarihte hep böyle olmamış mıydı?

Bulgarların Osmanlılara harp ilan ettikleri 18 Ekim 1912 günü, yani daha ilk gün, Birinci ve İkinci Bulgar Orduları, yukarıdaki beklentiyi doğrulayacak şekilde, Edirne doğrultusunda hududu geçerek ilerlemeye başladılar.

Doğrudan Edirne üzerine yürüyen General İvancf'un İkinci Ordusu, zayıf Türk hudut birliklerini atarak, daha ikinci gün Edirne önüne ulaşmış ve bölgeyi savunan Şükrü Paşa kuvvetlerini Kuzeyden ve Batıdan kuşatmaya başlamıştı.

İkinci Ordunun Doğusunda bulunan General Kutinçef'in Birinci Ordusu da, aynı gün 18 Ekimde hududu aşmıştı. Ertesi gün, en önde bulunan iki taraf süvari kuvvetleri arasında çarpışmalar başladı.

En Kuzeydeki General Dimitriyef'in kuvvetli Üçüncü Ordusu, yığınağını huduttan epeyi uzaklarda yaptığı ve arızalı Istranca'lar üzerinden ilerlediği için gerilerde kalmıştı. Bölgede yolların az olması nedeniyle, üç tümeni de tek kol halinde arka arkaya yürüyordu. Bu hal de, Bulgarların ana kuvvetleriyle Edirne doğrultusunda ilerleyeceklerini düşünenlerin haklı olduğunu göstermekteydi.

20 ve 21 Ekim günleri, ileri hareketlerini sürdüren Birinci ve İkinci Bulgar ordularıyla Türk kuvvetlerinin süvarileri ve emniyet kuvvetleri arasında önemsiz ufak çarpışmalarla geçti. Türk Doğu Ordusu henüz ileri harekâta girişmemişti. Yani, Türk Doğu Ordusu daha taarruza geçmeden önce, harbin ilk günü hududu aşıp kendisi üzerine yürüyen Bulgar ordusu ile karşılaşmış oluyordu.

Halbuki, Bulgar Ordusunun seferberliğini tamamlamasına fırsat vermeden taarruz etmek kararında olan Türk Ordusunun hemen harekete geçmesi gerekmez miydi? Özellikle de harbi, Bulgarlardan iki gün önce 16 Ekimde başlatan kendisiydi.

Görüldüğü gibi kararla uygulama hiç de birbirine uymuyordu. Hem, vakit geçirmeksizin taarruza karar veriyorsun, bunun için de yığınağını ileride yapıyorsun, harbi de önce sen ilan ediyorsun, ama yerinden de kımıldamıyorsun. İki gün sonra 18 Ekimde Harp ilan eden Bulgarlar hemen hududu geçip sana taarruz için ilerliyorlar ve karşına dikiliyorlar. Bu, hükümet ve yüksek komuta kademesindeki tereddütlerin, kesin karara varamayışın, iradesizlik ve perişanlığın acı bir örneğini oluşturmaktaydı.

Türk Doğu Ordusu, daha harbin başlangıcında yenilgiye mahkûm edilmişti.

Doğu Ordusu Komutanı Abdullah Paşa'nın taarruz edilmemesi yolundaki ısrarı, Bulgar Ordusu ilerlerken, yüksek komuta kademesinde hâlâ konuşulmakta, ordu komutanı ile başkomutanlık arasında telgraf haberleşmeleri sürüp durmaktaydı.

Ve, en sonunda Başkomutan Vekili Nazım Paşa'nın taarruza geçilmesi hakkındaki kesin emri 20 Ekim gece geç saatlerde Doğu Ordusu Komutanlığına ulaştı. Doğu Ordusu Komutanı Abdullah Paşa da, istemeye istemeye 21 Ekim akşamı, birliklerine taarruz emrini verdi. Taarruz, 22 Ekim günü başlayacaktı.

Türk komuta heyeti üç Bulgar ordusunun da karşısında bulunduğunu ve bu kuvvetlerin Doğu kanadının Kırklareli'ne dayandığını sanıyordu. Bunun için de üç kolorduya, cephelerindeki kuvvetleri ezmek üzere Kuzey'e doğru, Kırklareli bölgesindeki Mahmut Muhtar Paşa Kolordusuna ise Bulgar Ordusunu kuşatacak şekilde Batı doğrultusunda taarruz etmesi emrediliyordu. Edirne'deki Şükrü Paşa Kolordusu da Doğu yönünde taarruzla bu harekâta yardımcı olacaktı. Emrin yayınlandığı saatlerde, Bulgar Üçüncü Ordusu'nun Istranca'ları aşarak öncü kuvvetleriyle Kırklareli Kuzeyine ulaştığı, diğer iki tümenin de daha geriden gelmekte olduğu bilinmiyordu.

22 Ekim, yağmurlu ve soğuk bir gündü. Ordu taarruz emrinin küçük birliklere kadar ulaştırılmasında bazı gecikmeler olmuşsa da, sabahın erken saatlerinde Türk Ordusu yine de ileri harekete geçmişti. Böylece, birbirine doğru yürüyen iki ordunun öncüleri, sabahın ilk saatlerinde karşılaştılar ve kısa süre sonra da kanlı bir savaşa tutuştular. Bugün, Ahmet Abuk Paşa komutasındaki 4. Kolordu'nun bir tümeni ve Ömer Yaver Paşa'nın 1. Kolordusu'nun iki tümeni ile Bulgar Birinci Ordu birlikleri arasında Kırklareli Batısında Gerdelli çevresinde sabahtan başlayıp akşama kadar süren şiddetli çarpışmalar oldu. Bulgarlar biraz geriye çekilerek savunmaya geçtiler. Şevket Turgut Paşa'nın ortadaki 2. Kolordusu, çamurlu yollarda bir hayli ilerlemesine rağmen, bugünkü savaşlara yetişememişti.

Daha Kuzeyde, Kırklareli bölgesindeki Mahmut Muhtar Paşa da 3. Kolordusu ile, 22 Ekim sabahı erkenden bir tümenle Doğu yanını emniyete alırken, diğer üç tümeniyle karşısındaki Bulgarları kuşatıcı şekilde taarruza başlamıştı. İlerleyen kuvvetler Bulgar Üçüncü Ordusu'nun ileri kı-

TÜRK - BULGAR KIRKLARELİ SAVAŞI
(22 - 23 Ekim 1912)

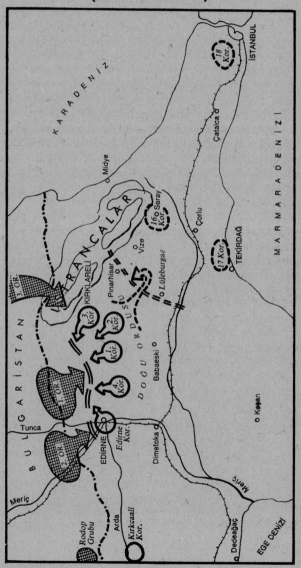

sımlarıyla karşılaşmışlardı. İki taraf arasında Kırklareli yakınında, Petra çevresinde şiddetli bir çarpışma başladı. Bu sırada Afyon Redif Tümeni'nde çözülme ve çekilme belirtileri görüldüyse de, diğer Nizamiye tümenlerinin yardımiyle herhangi bir panik önlendi. Burada da iki taraf arasında akşama kadar süren çarpışmalar sonunda bir sonuç alınamadı ve taraflar savunmaya geçtiler. Edirne'deki Şükrü Paşa'nın üç tümenle katıldığı taarruz ise, Bulgar İkinci Ordusu ve Birinci Ordusunun bir kısım kuvvetlerine çarparak durmuştu.

İki taraf asıl kuvvetleri arasında gerçek savaş bugün, yani harbin dördüncü günü olan 22 Ekim 1912'de başlamış oluyordu. Görünüş oydu ki, bugün Türk taarruzu başarılı olamamış, fakat serbestçe ilerleyen kendisinden üstün Bulgar kuvvetlerini sarsarak onları durdurmuş ve sersemletmişti.

Ama aynı günün akşamı, yani 22 Ekimi 23 Ekime bağlayan gece bu durumun, Gevgili bölgesinde Bulgarların bir gece baskını ile Türklerin aleyhine dönebileceği hiç kimsenin aklına gelmezdi. Gerçi Türk birliklerinde iyi bütünleme yapılamadığı için açlık çekildiği, iyi giydirilememiş askerin yağmur altında ve çamur içinde uzun yürüyüşlerle yorgun düştüğü, moralinin ise pek yerinde olmadığı biliniyordu ama, böyle küçük çapta bir gece taarruzu ile cephenin sarsılabileceği doğrusu hiç beklenmiyordu.

Bulgar Birinci Ordusu'na bağlı 1. Tümen, 22 Ekim gecesi, iki tarafın ateş kesip savunmaya geçmesinden sonra geriden getirdiği taze kuvvetlerle bir gece taarruzuna karar vermişti. Bu baskın, bütün gün sabahtan akşama kadar süren zorlu bir savaştan sonra, hele böyle soğuk ve çamurlu bir gecede bir düşman taarruzunu aklının ucundan geçirmeyen 4. Kolorduya bağlı İzmit Redif Tümeni askerlerini şaşkına çevirmişti. Üstelik Bulgarlar, kuvvetli projektörlerle Türk mevzilerini gündüz gibi aydınlatmışlar, «Na Noce» (süngüyle) naralarıyla dalgalar halinde saldırıya geçmişlerdi.

Neye uğradığını şaşıran eğitimsiz askerler paniğe kapılmış ve bu panik bir rüzgâr dalgası gibi hızla etrafa yayılmıştı. Gecenin ne olduğu bilinmez zifiri karanlığında, «Düşman geliyor», «Basıldık» yaygaraları arasında uzaktaki birlikler de ayağa kalkmıştı. O gece ve ertesi sabah şaşkınlık ve panik, bir kısım askerin karanlıktan da yararlanarak kaçmasına neden oldu.

Ertesi gün, 23 Ekimde Dimitriyef'in Üçüncü Ordusu'nun taarruzuna uğrayan Türk 3. Kolordusu da sarsıldı. Çünkü, bütün Bulgar kuvvetlerinin cephede bulunduğunu sanan Kolordu Komutanı Mahmut Muhtar Paşa, hiç beklemediği bir zamanda yan tarafından kuvvetli bir taarruza uğramıştı. Üstelik bu gelenler, Istranca dağlık ve ormanlıklarının yolvermez kesimlerini, yani hiç beklenmeyen yerleri aşıp gelmişlerdi. Doğrusu, bu tam bir baskındı. Mahmut Muhtar Paşa hem böyle büyük bir kuvvet beklemiyordu, hem de böyle bir doğrultudan beklemiyordu.

O gün, 23 Ekim sabahı, doğa koşulları da, doğrusu Bulgarlardan yana idi. Hava çok soğuk ve yağmurluydu, Üstelik sis de görüşü büyük ölçüde güçleştirmekteydi. Sabahın erken saatinde Batı doğrultusunda taarruz için çamurlara bata çıka ilerlemeye başlayan 3. Kolordu, işte bu sırada sağ yanından gelen General Dimitriyef'in Üçüncü Ordusu'nun taarruzuna uğradı. Öncü birlikler arasında savaşın başladığı sıralarda Afyon Redif Tümeni askerlerinin birden yüzgeri ettiği görüldü. Asker paniğe kapılmış ve kaçmaya başlamıştı. Bu, 3. Kolordu'nun geride bulunan diğer Nizamiye tümenlerine de etki yaptı. Şimdi, Kırklareli'ne doğru düzensiz bir çekilme başlamıştı. 7. Nizamiye Tümeni'nin direnişi, bu çözülüşü durdurmaya yetmedi. Asker, hiç kimseyi dinlemiyor, arkasını düşmana dönmüş şuursuzca kaçıyordu. Dün ve bugün düşmana doğru ilerleyen bu askerin, şimdi daha ilk çarpışmada paniğe kapılıp bozgun halinde kaçması, komutanları da şaşkınlık içinde bırakmıştı.

Mahmut Muhtar Paşa'nın karargâhında görevli Alman Binbaşı Hochwaechter, anılarında bu olayı şöyle anlatır :

«23 Ekim sabahı saat 07.00'de, yakından tüfek sesleri duyduk. Atlara binerek 600 metre kadar ilerlemiştik ki, koşa koşa çığlıklar atarak bize doğru gelen Redif grupları gördük. Durum hakkında bir fikir edininceye kadar birkaç dakika geçti. Sonra Mahmut Muhtar Paşa'nın kılıcını çekerek kaçan Rediflere acımasızca vurduğunu gördük. Biz de onun örneğine uyduk, tabancalarla kaçanlara ateş etmeye başladık. Böylece, o karmakarışık insan kütlesinden birkaç grup düzenlemeyi başardık. Erler kötü hava ve açlıktan perişan, bitik, kıyafetleri berbat, hemen hemen yalınayaktılar. Yeteneksiz subaylara teslim edilmiş bu talihsizler, taarruzun ilk anlarında düzensiz ve hesapsız ateşle bütün mermilerini harcayıp bitirmişlerdi.

Her tarafta köyler yanıyor. Bütün cephede toplar gürlüyor. Bahtsız yaralıların durumu yürekler acısı. Hepsi ıslanmış, ya da donmuş. İleri hatlarda hiçbir sağlık servisi yok. Yaraları yıkamak için su bile yok.» (*)

Görüldüğü gibi, uzun süre ordudan uzak kalmış, eğitimi unutmuş Redif (Yedek) askerlerden kurulu tümenlerin, savaşın daha ilk günlerinde birinci hatta cepheye sürülmeleri hiç de iyi olmamış, bütün ordunun bozulmasına sebep olmuşlardı. Bir gece baskınında veya üstün bir düşman taarruzu karşısında bozguna uğruyorlar ve üstelik bunu diğer kuvvetlere de bulaştırıyorlardı. Dün

---

(*) G.V. Hochwaechther: Türklerle cephede.
Balkan Savaşı'nda bazı Alman subayları gönüllü olarak Türk Ordusunda görev almışlardı. Binbaşı Hochwaechter bunlardan biriydi.

gece baskınındaki İzmit Redif Tümeni,bu günkü Afyon Redif Tümeni gibi...

Üçüncü Kolordu'daki durum, ordu komutanlığına öğleye doğru ulaştı. 4. Kolordu'da, dün geceki baskın nedeniyle sarsıntı sürmekteydi. 1. Kolordu'dan da iyi haberler gelmiyordu. Yani, vaziyet hiç de iyi değildi...

Aslı aranırsa, gerek Ordu Komutanı Abdullah Paşa'nın kolordularıyla, gerekse kolorduların birbirleriyle zamanında ve güvenli haberleşme olanakları da yoktu. Telefonlar doğru dürüst çalışmıyor, telli irtibatlar zamanında sağlanamıyor, telgraf haberleşmesi arıza yüzünden kesiksiz yapılamıyordu. Yani, ordu karargâhındaki istihbarat eksikliğine bir de bilinmezliğin, durumu tam kavrayamamanın şaşkınlığı eklenmişti.

Yapılacak pek birşey yoktu. Gerek diğer kolorduların durumu, gerekse 3. Kolordu'nun şimdiki çözülüşü karşısında, elindeki kuvvetleri bir imha tehlikesinden korumak için Doğu Ordusu Komutanı Abdullah Paşa, 23 Ekim günü öğleden sonra saat 13.30'da gerideki Lüleburgaz mevziine çekilme emrini verdi.

Halbuki şu iki günde iki taraf arasında ciddi sayılacak büyük bir çarpışma da olmamıştı. Ne Bulgar Ordusu önemli bir taarruza geçmiş, ne cephe yarılmış, ne de teklikeli bir kuşatılma ile karşı karşıya kalınmıştı. Hatta kuvvetlerin tümü de savaşa sürülememişti. Düşmanın yüzünü görmeden ve henüz tek bir kurşun bile atmadan, geriye doğru akan sele kapılıp dağılan alaylar ve tümenler vardı. Ama bütün bunlara rağmen işte Türk Ordusunda, düşman zorundan çok, kendiliğinden bir çekilme ve daha da kötüsü bir dağılma ve çözülme başlamıştı. Harp tarihi, koca Doğu Ordusu'nun bu yüz kızartıcı çekilişi, daha doğrusu bozgunu için hiçbir haklı sebep bulamayacaktı.

Evet, Bulgarlarla çarpışma ancak iki gün sürmüş ve bu kısa süre, koca ordunun yüzgeri etmesi için yetip artmıştı.

Şimdi ordunun bütün birliklerini, biran önce kendini gerideki mevziye atmak, düşman gelmeden önce çekilebilmek telaşı sarmıştı. Daha açıkçası Trakya'nın o yağmurlu, o soğuk sonbahar gününde çamurlarla boğuşarak canını kurtarma savaşı verilmekteydi.

Fakat ne yazık ki, bu çekilme kısa sürede bir kaçmaya dönüştü. Düzen ve emri komuta kısa zamanda kayboldu. Subayların ve komutanların otoriteyi sağlamak girişimleri sonuç vermiyor, herkes bir an önce canını düşman uzağına atmaya bakıyordu. Disiplin diye birşey kalmamıştı. Birlikler birbirine karışmış, kimse ne yaptığını bilmez olmuştu. O karışıklıkta toplar, ağır araç ve gereçler geride bırakılıyor, paniğe kapılmış kimi asker elindeki tüfeği de atarak kaçmaya çalışıyordu. Bu yağmur ve çamur içinde düşmana terkedilen silah ve cephanenin haddi hesabı yoktu.

Çekilme akşamı yanındaki birkaç kişiyle Kırklareli'ne ulaşan Alman Binbaşı Hochwaechter, o günü şu sözlerle anlatmaya devam eder:

«Dehşet verici bir andı. Bütün cepheden kaçanlar korkunç haykırışmalarla, tasavvur edilemeyecek bir karışıklık içinde Kırklareli'ne saldırdılar. Bu kaçış, müthiş bir sağanak altında oluyordu. Osmanlı Ordusu'nun bütün yükleri, cephanesi ve yiyeceği mahvolmuştur. Toplar, arabalar batağa saplanmış. Kaçanlar atları çözüp götürmüşler. Nereye gitsek kaçaklara rastlıyoruz. Hıristiyan halk, evlerinden subaylara ateş ediyor. Gürültü ve kargaşalık anlatılır gibi değil.

Kırklareli istasyonu, korkunç olaylara sahne olmuştur. Halk kaçmış, karılarını, çocuklarını, değerli eşyalarını manda veya öküz arabalarına yükleyip uzun kafileler halinde Tekirdağ'a doğru yola düşmüşler. Köyler yanıyor. Çamurlar içinde yalınayak koşan yarı çıplak çocuklar, kadınlar görüyoruz.»

Binbaşı Hochwaechter Kırklareli'nden hareket eden trene zorla binebildiğini, fakat bu trenin de Babaeski'ye kadar gidebildiğini, çünkü istasyondaki demiryolu personelinin görevlerini bırakıp kaçtıklarını, trenlerin ters yönden gelerek tek hattı kullanılmaz hale soktuklarını anlatır. **«Hat üzerinde kurulan depolar talan edilmiş, tek ekmek bile yok, erzak yok.»** diye devam eder.

Yine bir görgü tanığı olan Fransız gazeteci Stephan Lausanne, o felaket anları için şunları yazar:

«Mahmut Muhtar Paşa'nın emir subayları bile artık kaçmak gerektiğine kanaat getirerek karargâhı terkettiler. Bütün resmi evrakı, dosyaları, haritaları, planları, hatta komutanlığın şifreli yazışmalarını orada bıraktılar. Emir subaylarından biri o şaşkınlıkta götürecek şey bulamadı, Muhtar Paşa'nın bisküvi kutusunu aldı sadece. Bu trajedinin tek komik tarafı olan bu şuursuz hareket işe yaradı, çünkü sonraki üç gün Muhtar Paşa, fırtınadan kurtarılan bisküvilerinden başka yiyecek bulamayacaktı.

Kurmay heyetinin bir kısmı da telaşla istasyona koşmuştu. Bir tren hareket etmek üzereydi. Makiniste, orada mevcut subayları takviye kuvveti getirebilmeleri için, derhal Pınarhisar'a götürmesini emrettiler. Fakat istasyon şefi çıkageldi ve haykırdı: Durun, yola çıkmayın, hat üzerinde bu tarafa gelen bir tren var!.. Dinlemediler, istasyon şefini itip kaktılar, makinisti yola çıkmaya zorladılar. Üç kilometre ileride çarpışma meydana geldi. İki lokomotif raydan çıktı. Onları hatta yerleştirmek imkânı yoktu. Topları, mermi sandıklarını trenden indirdiler. Nereye götüreceklerini, hangi tarafa taşıyacaklarını şaşırmışlardı. Ne ileri gidebiliyor, ne de geri dönebiliyorlardı. Orada çamur içinde, hendeklerde, rastgele bıraktılar hepsini. O dehşet gecesi 15.000 kişi Babaeski'ye, Tekirdağ'a kadar kaçtı. Demiryolu boyunca ceset-

ler bulundu daha sonra. Kaçanlar, o panik içerisinde, birbirlerini vurmuşlardı. Bir mısır ekmeğine karşılık tüfeklerini satıyorlardı.» (*)

Gerçekten de bu bir çekiliş değil, emir ve komuta dinlemez yığınların, Doğu'ya doğru bir sürü halinde, karmakarışık ve birbirlerini çiğneyerek doludizgin kaçışıdır.

Sanki bu yetmezmiş gibi bir de, çok cefalar çekmiş ve bundan önceki harpler boyunca Balkanlardan çekilen Türk göçmenlerinin sefaletine yakından tanık olmuş yerli Türkler de telaşla göçe koyulmuşlardı. Şimdi bu çamur ve yağmurda sivil asker birbirine karışmış, bu da benzeri az görülen bu bozguna daha da acıklı bir görünüm vermişti.

Bu kalabalık arasında kendisini Babaeski'de bulan Binbaşı Hochwaechter, o gün gördüklerini şöyle anlatır :

«İstasyonda korkunç bir hava esiyor. Yerli halkın hepsi kaçmış. Kadın ve çocuklar manda arabalarıyla uzun kollar halinde demiryolu boyunca ya da kestirmeden Tekirdağ'a gidiyorlar. Köyleri yanmış, yersiz yurtsuz günlerce oradan oraya dolaşıyorlar. Karışıklık gittikçe artıyor, manzara tam sefalet ve perişanlık. Çocuklar yarı çıplak, kadınlar çamurda çıplak ayak.» (**)

Fakat işin tuhaf tarafı, bu kaçıştan en son Bulgarların haber almış olmalarıdır.

Bunda pek de suçlu sayılmazlardı. Çünkü o yağmur, çamur, sis gibi kötü hava koşullarında hem Türk Ordusunun hareketlerini net olarak göremiyorlar, hem de tarih boyunca çok iyi döğüştüklerini bildikleri dünkü yöneticilerinin daha esaslı bir savaş bile yapmadan, hem de toptan çekilebileceklerine hiç ihtimal vermiyorlardı. Tahkimli bir kent olduğunu sandıkları ve ele geçire

---

(*)   Aram Andonyan: Balkan Harbi tarihi.
(**) G.V. Hochwaechter: Türklerle cephede.

bilmek için koca bir ordu ile zorlu, yol vermez Istranca dağlarını geçmeye katlandıkları Kırklareli (Kırkkilise)'nin, harp ilanının daha altıncı gününde, zahmetsizce ellerine geçeceğini rüyalarında görse inanmazlardı.

İşte bu sebeplerle çarpışmanın üçüncü günü, yani 24 Ekimde, hâlâ bir Türk taarruzu olasılığını dikkate alarak beklemede idiler. Türk tarafında hiç bir hareket göremeyincedir ki, keşif kollarını ileriye sürdüler. Bir Bulgar subay keşif kolu, hiç bir direnişe rastlamadan Kırklareli'ne kadar yürüyüp Türklerin bir gece evvel terkettiği kentte yerli Hıristiyan halkın coşkun gösterileriyle ve kadınların sunduğu çiçeklerle karşılaştığında durum anlaşıldı. Ama Bulgar komutanlığı hâlâ şaşkındı ve hâlâ kuşkusunu yenememişti.

«Eko de Paris» gazetesi muhabiri Marki de Sigonyak, gazetesine gönderdiği haberde şunları yazıyordu:

«Bulgar askeri halden, kudretten düşmüştü. Karanlık yoğun, soğuk müthişti. Süvari tümeni, Kırklareli-Lüleburgaz yolunu kesmek ve Lüleburgaz-Çorlu arasında bulunmak emrini almıştı. Ama düşmanı takip etmek mümkün değildi. Temas kaybolmuştu. Ateş yakılmıyordu. Ve Bulgar askeri, başarısını ancak ertesi gün anlayabildi.» (*)

Evet, bir yabancının dediği gibi «Türk piyadesinin kaçışı, Bulgar süvarisinin ilerleyişinden daha hızlı» idi.

Ama artık durulacak zaman da değildi. İki gün sonra 26 Ekimden itibaren Birinci ve Üçüncü Bulgar Ordularının askerleri, yağmur altında çamurlara bata çıka Doğu yönünde yorgun argın ilerlemeye başladılar. Bulgar askeri yorgundu ama, Türklerin acele ile çekildiklerinde terkettikleri top, silah, araç ve gereçlerle dolu yollardan

_____

(*) Şevket Süreyya Aydemir: Makedonya'dan Orta Asya'ya Enver Paşa 2. cilt.

ilerlerken de, bir zafer kazandığının farkına varıyor ve attığı her adımla biraz daha moral kazanıyordu. Karşılarında askersiz, hatta kaçamayan Türk halkı da birer dam altına sığındığı veya dağlara çekildiği için neredeyse insansız, bomboş bir alan vardı.

Bir iki günlük çamur ve yağmur arasında nasıl yapıldığı da pek anlaşılamayan, karmakarışık kısa bir çarpışmadan sonra koca Türk Ordusuna ne olmuştu böyle? Sanki yer yarılmış, içine girmişti. Önlerindeki acı sessizlik, Bulgar askerlerine korku vermekteydi.

İki düşman ordu, birbirini kaybetmişti...

Kırklareli Savaşı haberi, dış dünyada büyük bir şaşkınlık yarattı. Avrupa başkentlerinde ilgililer kulaklarına inanamıyorlardı: Türk Ordusu bu kadar kısa zamanda bu denli büyük bir yenilgiye nasıl uğrayabilirdi? Üstelik ordu sadece yenilmemiş, panik halinde kaçmıştı da...

Haberi en çok hayretle karşılayan da Bulgar kamuoyu olmuştu: Acaba duydukları doğru muydu?.. Peşpeşe gelen haberler olayı doğruladıkça halkın sevinci çılgınlığa dönüştü.

İstanbul'da hükümet ve yetkililer şaşkınlık ve acı içindeydiler. Onlar da bir türlü buna inanmak istemiyorlardı. Daha harbin ilanı üzerinden bir hafta bile geçmeden Bulgarlar hudutlarımızı aşacak, ordumuzu bozacak, İstanbul'a doğru ilerlemeye başlayacaklardı?!.

Nasıl işti bu, koca orduya böyle ne olmuştu?..

Paris Matin gazetesi'nin muhabiri Stephane Lausanne şöyle yazıyordu:

«O akşam Dışişleri Bakanı Noradunkyan'ın evinde yemeğe davetliydim. Yemekten önce bakan birdenbire salona girdi. Yüzü sapsarıydı, şaşkınlık içindeydi. Kısık bir sesle dedi ki: Tarihimizde örneği bulunmayan birşey cereyan etti. Askerlerimiz Kırklareli'ni terketmişler. Yenilmemişler, paniğe kapılmışlar ...Sonra ekledi: Bulgar ve Rum asıllı çok asker var saflarımızda. Subaylarımızın

134

sayısı da az. Sonra, biraz fazla gömülmüşlerdir siyasete...» (*)

İstanbul halkı da çok geçmeden durumu öğrenmişti. Öğrenmiş ve o da ne diyeceğini şaşırmıştı. Daha düne kadar bir eyaleti olan küçük Bulgaristan'ın küçük ordusunun koca Osmanlı ordusunu birkaç gün içinde önüne katıp kovalamasına bir türlü akıl erdirememişti. Ve birkaç gün sonra akın akın İstanbul sokaklarını doldurmaya başlayan perişan Rumelili göçmenleri gözleriyle görene kadar da buna kolay kolay inanamayacaktı...

LÜLEBURGAZ SAVAŞI
(28 Ekim - 2 Kasım 1912)

Türk Doğu Ordusu'nun bu müthiş kaçıştan iki gün sonra 25 Ekimde Lüleburgaz hattında durması, gerçekten bir başarıydı. Asker sersemlemişti, yorgun, aç ve çıplaktı ve çamurlara bulanmıştı, soğuktan donuyordu ama yine de oradan oraya koşan komutanlarının emrine uymuş ve durmuştu. Kuşkusuz bunda, Bulgar ordusunun onun peşinden gelmeyişinin büyük rolü vardı. Eğer düşman sıkı bir takiple arkasından koşsaydı, o korkunç panikten sonra değil böyle bir ikinci hatta durmak, ordunun ne kadarının dağılmadan ayakta kalabileceği bile belli olmazdı.

Gerçekte kabahat erlerde ve küçük komuta kademelerinde değil, yüksek komuta kademelerindeydi. Seferberlikte geç kalmalardan, taarruz edelim etmeyelim diye tereddütlerden, düşman kuvvetini ve düzenini bilmeden körlemesine ileri atılmalardan sorumlu olan, tabiatiyle «Mehmet» değildi. Ve doğrusu aranırsa, bozgun Mehmet'de değil, asıl büyük komutanların kafalarındaydı. Düşünün ki, bir ordu komutanı, yani Abdullah Pa-

---

(*) Aram Andonyan: Balkan Harbi tarihi.

şa, savunalım dediği halde, inanmaya inanmaya taarruz zorunda kalmıştır; o taarruzdan ne hayır beklenirdi?..

Ordunun yorgun argın Lüleburgaz hattına çekildiği şu sıralarda Ordu Komutanı Abdullah Paşa, yine tereddüt ve kararsızlıklar içindeydi: Acaba doğru mu karar vermişti. Öyle görünüyordu ki, bu keşmekeş ve karışıklıkta bu hatta durmak tehlikeliydi. Bulgarlar, dağınık ordunun toparlanmasına ve savunma hazırlıklarını tamamlamasına vakit bırakmadan ya karşısına dikilirlerse?.. Düşmanla araya daha da uzun bir mesafe koyarak rahatça hazırlanmak için gerideki Çorlu hattına (İlk önerisindeki Ergene Nehri gerisine) çekilmek daha doğru olmaz mıydı?

Hatta hatta harbe son vermek, daha toptan ve kestirme bir çözüm değil mivdi?.. Öyleya, neden olmasın?.. Evet, en doğrusu buydu. Paşa, ordunun bu inanılmaz yenilgisi karşısında soğukkanlılığını ve huzurunu neredeyse tamamen yitirmişti. Başkomutanlığa veya Başbakanlığa yazacağına, aynı zamanda Bahriye Nazırı (Deniz bakanı) olan emrindeki 3. Kolordu Komutanı Mahmut Muhtar Paşa'ya aşağıdaki telgrafı çekti:

«Bu askerle savaşmak mümkün değildir. Sorunun politika yoluyla çaresi bulunmalıdır. Kabinenin üyesi olduğunuz için hükümette girişimde bulununuz.» (*)

İstanbul'da gerek hükümet, gerek başkomutanlık Kırklareli yenilgisinin ve o büyük paniğin şaşkınlığını üzerlerinden atamamışlardı. Başbakan Gazi Ahmet Muhtar Paşa, Harbiye Nazırı ve Başkomutan Vekili Nazım Paşa'nın cepheye giderek durumu yakından takip etmesini istiyordu. Nazım Paşa, ordunun Lüleburgaz hattına çekildiği 26 Ekim günü cepheye hareket etti.

Başından sonuna kadar Balkan Savaşı içinde

(*) Fahri Belen: 1912-1913 Balkan Savaşı.

bulunan Kurmay Yüzbaşı Nihat, bu olay için şunları yazmaktadır:

«Başkumandan Vekili Nazım Paşa'nın ağzı ile, seferberliğin ilk günlerinde Sofya'ya bilet isteniyordu! Fakat ilk darbe ona çok ağır geldi. Ordusunu tanımayan başkumandan vekili, hemen orduya giderek bir kaç gün içinde işi düzeltmek ve sonra İstanbul'a dönmek kararı verdi. Niyeti Çorlu'ya kadar gitmekti. 25 Ekimde trenle hareket etti. Fakat daha ilk istasyonda karşılaşılan yaralı ve göçmen trenleri, moralini birdenbire sarstı. O sırada genel karargâh da, orduyu Çatalca hattında toplamaktan başka çare yoktur kanısına varmıştı. Sinekli istasyonunda karşılaşılan bir trende, tâ Kırklareli'nden Çorlu'ya atla dörtnal kaçan, ordusunu tümenini bırakan ve İstanbul'un yolunu tutan bir tümen kumandanı görüldü. O da vaziyeti büsbütün ümitsiz gösterdi.

Başkumandanın verdiği emre göre Lüleburgaz'da olması lâzım gelirken, kendiliğinden Çorlu'ya nakletmiş bulunan Doğu Ordusu Kumandanlığı karargâhı ile makine başında yapılan konuşma, başkumandanın Çerkezköyü'nden ileri geçmesini önledi. Burada başkumandan Ergene Suyu gerisine çekilmek emrini verdi. Bu emir zaten ve kendiliklerinden Lüleburgaz'a yığılmış olan 1., 2. ve 4 Kolordu kumandanlarına bildirildi. Ama iş öyle gitti ki, bunlar başkumandan vekilinin emrine uyacak yerde, başkumandan vekili onlara uydu. Lüleburgaz'da muharebenin kabulü cihetine gidildi. Halbuki bu büyük hata idi. Ama ne var ki, artık ok yaydan çıkmıştı. Düşmanla ise temas kaybolmuştu...» (*)

Abdullah Paşa gene de Çorlu hattına çekilmekte diretiyordu. Başkomutanlıkla ordu komutanlığı arasında harbin başındaki **«Taarruz ede-**

_____

(*) Şevket Süreyya Aydemir: Makedonya'dan Orta Asya'ya Enver Paşa 2. cilt.

lim-Etmeyelim» tartışmaları gibi şimdi de «Lüleburgaz hattında duralım-Hayır Çorlu hattına çekilelim» tartışması başlamıştı. Bu çekişmede kolordu komutanları da Başkomutan Vekili Nazım Paşa gibi Lüleburgaz hattında savunmak fikrinde olduklarından, Abdullah Paşa yalnız kalmıştı. Artık bu kadarı da fazlaydı, paşa istifasını verdi. Fakat Nazım Paşa bunu kabul etmedi: Hayır, şu sıkışık zamanda görevi bırakıp gitmek olmazdı, Abdullah Paşa ordu komutanlığına devam edecekti.

Ve Başkomutan Vekili Nazım Paşa, 27 Ekim günü, Lüleburgaz hattının savunulması hakkındaki kesin emrini verdi.

Ama bu arada çok değerli günler boşuna ve tereddütler içinde geçirilmişti. Halbuki daha Kırklareli hattından çekilirken, 23 Ekimde bu karara varılmış olsaydı, şu geçen beş günde çok iş yapılabilir, birlikler düzenlenir, mevziler hazırlanır ve bir türlü iyi çalışmayan bütünleme hizmeti bir hale yola konabilirdi. Hem bu sıralarda, yarım yamalak da olsa seferberliklerini tamamlayan diğer üç kolordu (16., 17., 18. kolordular) kısım kısım Trakya'ya geçmişler. Doğu Ordusu'nun gerisine yanaşmaya başlamışlardı. Bunlar da görev yerlerine sevkedilebilirlerdi.

Evet, bütün bu hazırlıklarda geç kalınmış, zaten morali bozuk ordu ancak 28 Ekim gününden itibaren savunma için düzenlenmeye koyulmuştu. Gerçi şimdiye kadar da günler pek boş geçirilmemiş, bazı savunma hazırlıkları yapılmıştı ama, bunlar tam bir hazırlık sayılmazdı, kesinlik yoktu.

Bu günlerde Bulgar Ordusu o ilk kuşkularını gidermiş, Türk Ordusunun yerini öğrenmek için keşif harekâtını arttırmıştı. General Nazlimof komutasındaki Bulgar süvari tümeni Edirne-İstanbul şosası boyunca ilerleyerek 25 Ekimde Babaeski'ye hiç bir direnişle karşılaşmaksızın, girmişti. Ertesi gün Salih Paşa komutasındaki Türk süvari tümeniyle Bulgar süvarileri arasında Lüleburgaz Batısında çarpışmalar başladı.

Süvarilerinin arkasından 26 Ekimde ileri harekete geçen Bulgar piyade tümenleri, üç günlük bir yürüyüşten sonra, ancak 28 Ekim günü Lüleburgaz mevzii ile karşı karşıya geldiler.

28 Ekim 1912 günü, Kırklareli savaşından beş gün sonra mevziin Güney kanadında süvari savaşları ve ortada Karaağaç bölgesinde Şevket Turgut Paşa'nın 2. Kolordusunun bazı piyade kuvvetleriyle Bulgar piyadeleri arasında önemsiz bazı çarpışmalar oldu.

İstifası kabul edilmediğinden Çorlu'dan cepheye gelen Doğu Ordusu Komutanı Abdullah Paşa, cephedeki 1., 2., 4. kolorduların bir ordu halinde toplanıp 4. Kolordu Komutanı Ahmet Abuk Paşa emrine verilmiş olduğunu gördü. Komutayı tekrar eline aldı. Abdullah Paşa, Vize'deki 3. Kolordu ile Vize bölgesini savunmayı, geriden gelmekte olan 17. Redif Kolordusunu da ihtiyatında tutmayı planlıyordu. Halbuki Başkomutan Vekili Nazım Paşa, 3. Kolordu ve arkadan yetişen 17. ve 18. Redif Kolordularını Kuzeyde toplayarak İkinci Ordu adıyla yeni bir ordu kurmuş ve komutanlığına da 18. Redif Kolordusu Komutanı Hamdi Paşa'yı getirmişti.

Abdullah Paşa'nın, kendi elinden Mahmut Muhtar Paşa komutasındaki 3. Kolordunun alınıp, diğer iki Redif kolordusunun katılmasıyla kurulan böyle bir ordudan da haberi yoktu. Üstelik bu İkinci Ordu'nun Başkomutan Vekilinden aldığı emir, savunma değil, Pınarhisar doğrultusunda taarruz ederek Bulgar ordusunu geriye atmaktı. Bir iki gün önce bıraktığı (Edirne ve Kırcaali kolordularını saymazsak) cephedeki dört kolordulu Doğu Ordu'su, şimdi altı kolordulu iki ordu olmuştu ve bir ordu kendi komutasından çıkmıştı.

Haberleşme olanakları ve zaman o kadar kıttı ki, Abdullah Paşa ne bu durumu değiştirmek

TÜRK - BULGAR LÜLEBURGAZ SAVAŞI
(28 Ekim - 2 Kasım 1912)

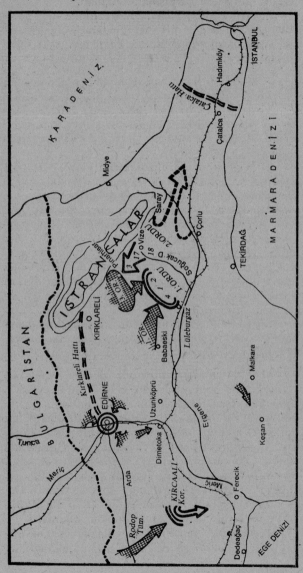

için girişime vakit bulabildi, ne de bunu duyaracak haberleşme aracı.

Zaten hiç bir şey için zaman kalmamıştı.

28 Ekim günü cepheye yanaşmasını tamamlayan Bulgarlar, ertesi günü 29 Ekimde, Kuzeyde General Dimitriyef'in Üçüncü Ordusu, Güneyde General Kutinçef'in Birinci Ordusu taarruza geçmişlerdi.

Savaşlar bugün Karaağaç kesiminde 2. Türk Kolordusu ve Güneyde Lüleburgaz civarında 4. Türk Kolordusu bölgesinde şiddetli oldu. Karaağaç'ı ele geçiren Bulgarlar zorlukla durdurulabildi. 4. Kolordu ise Lüleburgaz'ı elinde tutmakta güçlük çekiyordu. Bugünkü Türk ve Bulgar süvari tümenlerinin de katıldığı taarruz ve karşı taarruzlarla geçen savaş, iki tarafta da ağır kayıplara neden olmuştu.

Kuzeyde yeni kurulan Hamdi Paşa'nın İkinci Ordusu ise, önde Mahmut Muhtar Paşa'nın 3. Kolordusu olmak üzere Pınarhisar doğrultusunda taarruza başlamış ve karşısındaki Dimitriyef kuvvetlerini geriye atmıştı. Bu cephede de iki taraf, akşama kadar kıyasıya vuruştu.

Bugün ortada, her zaman rastlanmayan ilginç bir durum vardı: Cephenin Güneyinde Bulgar Ordusu, Kuzeyinde Türk Ordusu taarruz halindeydi. Güneyde Türk Ordusu, Kuzeyde de Bulgar Ordusu zor durumdaydı. Kuzey ve Güneyde, tüm cephedeki bu kanlı boğuşma, sağnak halinde yağan bir yağmur altında akşam karanlığına kadar sürdü. İki taraf askerleri de, kötü hava koşullarındaki bu zorlu çarpışmada yorgunluktan bitap hale gelmişlerdi. Fakat dikkati çeken taraf şuydu ki, dört beş gün önce Kırklareli cephesinde feci bir bozguna uğrayan ordu şimdi dayanıyor, silahını atarak panik halinde kaçan dünkü asker şimdi savaşıyordu.

Ertesi gün 30 Ekimde savaş, sabahın erken saatlerinde yine aynı tertipte başladı. Yani Kuzeyde Türkler, Güneyde Bulgarlar taarruzlarına devam ettiler.

Güneyde Lüleburgaz bölgesinde Ahmet Abuk Paşa'nın 4. Kolordusu biraz geri çekilmesine rağmen savunmada yine de güçlük çekiyordu. Düşman süvarisi mevzii kuşatmaya çalışmaktaydı. Lüleburgaz, Bulgarların eline geçmişti.

Ortada Şevket Turgut Paşa'nın 2. Kolordusu' nun Karaağaç'daki mevzileri de yarılmak üzereydi. Nitekim az sonra Uşak Redif Tümeni, bozgun halinde çekilmeye başladı.

Toplarının çoğunu Kırklareli çekilmesinde kaybeden 1. Kolordu da güç durumdaydı. Kolordu Komutanı Ömer Yaver Paşa, savunmayı sürdüremeyeceğini bildiriyordu. Kırklareli zaferiyle moral kazanan Bulgar askerinin şimdi daha atak ve daha cesur olduğu gözlenmekteydi.

Emrindeki üc kolordunun da tutunamadığını gören Birinci Ordu Komutanı Abdullah Paşa, Kuzeydeki İkinci Ordunun Pınarhisar taarruzu hakkında da bir türlü doğru bir haber alamıyordu. Öğleden sonra saat 15.40 sıralarında 4. Kolordunun gerilemeye başladığı ve savunma düzeninin kaybolduğu haberi de gelince çekilmeden başka bir çare kalmamıştı. Abdullah Paşa, Kırklareli'nden sonra ikinci defa 30 Ekim 1912 gecesi saat 23.00'de yine o uğursuz «Çekilme» emrini verdi. Her üç kolordu, gerideki Soğucak Deresi Doğusuna çekileceklerdi. Halbuki bugün Kuzeydeki Hamdi Paşa Ordusu, önde Ahmet Muhtar Paşa' nın 3. Kolordusu, arkasında Çürüksulu Mahmut Paşa'nın 17. Redif Kolordusu Pınarhisar yakınlarına kadar ilerlemişlerdi. 18. Redif Kolordusu da Vize bölgesine ulaşmıştı.

Başkomutan Vekili Nazım Paşa, Birinci Ordu Komutanı Abdullah Paşa'nın çekilme kararını hayret ve hiddetle karşılamıştı: **«Hamdi Paşa'nın İkinci Ordusu ilerlerken Birinci Ordu'nun çekilmesini kesinlikle kabul etmem»** diyordu. (*)

_____

(*) Fahri Belen: 1912-1913 Balkan Harbi.

Gerçekten de Bulgar Başkomutan Vekili General Savof, Pınarhisar kesiminde başlayan Türk taarruzu karşısında tereddüde düşmüştü. Bu durumda, ertesi günü güneydeki başarılı taarruzunu durdurmak ve savunmaya geçerek geriden gelecek takviye birliklerini beklemek niyetindeydi.

Ama, Güneydeki Abdullah Paşa kuvvetlerinin çekilmeye başlaması durumu değiştirmişti. Artık, Türkler Kuzeyde ilerliyor diye Güneydeki başarılı taarruzunu durdurmak için sebep kalmamış, tehlike atlatılmıştı. Eğer Türkler Kuzeyde ilerlemeye devam ederlerse kendileri bilirdi. Çünkü bu sefer onları kuşatmak için bulunmaz bir fırsat doğardı.

Bu arada Abdullah Paşa'nın Güneydeki üç kolordusunun, yani Birinci Ordu'nun 30/31 Ekim gecesi çekilmesi, kör karanlıkta yine büyük bir karışıklık içinde başlamıştı. Çünkü bu geriye gidiş, kısa bir süre sonra bir kaçma, bir dağılma şeklini almış; o herşeyi berbat eden panik havası yine birlikleri sarmıştı. Bir hafta önceki feci olaylar, yeniden ve aynen bir defa daha yaşanıyordu. Herkes canını kurtarmak telaşına kapılmış; düzen, emir komuta, disiplin tamamen kaybolmuştu...

Balkan Savaşı'na katılan Kurmay Yarbay Hafız Hakkı Bey (Paşa), savaştan hemen sonra yazdığı **«Bozgun»** adlı kitabında, askerin neden bozguna kapıldığı konusunu, özellikle uzun boylu inceler. (*)

(*) Hafız Hakkı: Enver Paşa ile birlikte 1902 yılında kurmay yüzbaşı olarak Harp Akademisi'ni bitirmiş, İttihat Terakki'ye girmiş, gerek 2. Meşrutiyetin ilanı ve gerekse 31 Mart olayının bastırılmasında büyük hizmetleri geçmiştir. Birinci Dünya Savaşı'nda Ruslara karşı kara kışta gerçekleştirilen ve iki haftada 90.000 Mehmet'in karlara gömüldüğü Sarıkamış harekâtında 10. Kolorduya komuta etmiştir. Başarısız bu harekâttan sonra aynı yıl (1915) tifüs'ten ölmüştür.

Hafız Hakkı şöyle yazar:

«Umulmadık bir vaziyette, umulmadık bir zamanda bozgunluk olur. Harpte asabı sarsan binlerce durum vardır. Bozgunluk; açlık, susuzluk, ölümün her gün görülen binlerce çeşitleri, yaralıların perişan hali en sağlam yürekli, demir sinirli insanları bile sarsar. Tehlike anlarında insanlar kara habere kolay inanır. Harpte insan maddiyattan uzaklaşır. Fazla hayalperest olur. Yalan bir kaç söz, en sağlam bir askerde yılgınlık ve ürkeklik duyguları uyandırır. Arkadan işitilen bir kaç silah sesi, dörtnala kalkmış atlar, arabalar, hasılı sükûnet halinde bir tesir yapmayacak olan en ufak gürültüler en seçme bir askerde bir bozgunluk yapar.

Harpte bozgunluk, harbin esasında vardır. Bozgun, insanların, askerlerin daimi bir âfeti, bir derdidir.

Birkaç saat evvel kahramanca taarruz eden bir asker uzaktan beş on düşman süvarisini görünce bozulabilir. Dün hayali bir tehlike karşısında bozgunluğa uğrayan bir kıta, bu gün büyük fedakârlıkla harbeder. Yarın yine umulmadık bir zamanda bozgunluğa düşebilir. Bilhassa asab, hissiyat fena halde bozulmuş ise, harici ufak, ehemmiyetsiz bir tesir, dehşetli bir bozgunluk yapar.»

O bozgunu bizzat görmüş, olayların içinde yaşamış bir kimse olan Yarbay Hafız Hakkı, gözlemlerini anlatmaya devam eder:

«Panik denen ani bozgunlarda ekseriya başlangıçta yalnız bir kaç erin sinirleri gevşemiş, kendisini şaşırmış, deli gibi kaçtığı görülür. Bu aralık kuvvetli bir azim, metin bir subayın, bu tehlikeyi unutturacak ateşli bir kaç sözü, erlerini manyetize edecek fedakârane tavırları, başlayan fırtınanın önüne geçmezse, kaçanları gören diğer askerlerin gözü arkaya döner. Kendilerini korku istila etmeye başlar. Bir çoğu çantasını çıkararak, kaçmaya hazırlanır. Çok zaman geçmez, birdenbire askerin mühim bir kısmı, hayallerinde büyüttükleri tehlikenin azameti karşısında, kaçanları taklit hissi ile, ne olduğunu bilmeden manyetize olmuş gibi ilk kaçanların arkasından koşar. Dağdan yuvarlanan bir çığ gibi korku artar. Kaçanların adedi dehşetli surette çoğalır. Ve az zamanda bütün kıta bir sürü yığın halinde kaçar. Nefsine hakim olan, sağlam sinirli, metin yürekli insanlar da bu sel ile beraber sürüklenir, gider. Kaputlar, çantalar, kazma kürekler, candan aziz tutulan tüfekler atılır. Herkes kuvvetinin yettiği kadar alabildiğine kaçar. Bu anda asker, ne subayını, ne arkadaşını, hiç kimseyi düşünmez. Annesini bile çiğner. Senelerce uğraşılarak kazanılan disiplinin, askeri eğitimin kuvvetli bağları tamamen çözülür.»

Bozgunu bir fırtınaya benzeten ve «Birdenbire gelir, yıkar, devirir, dağıtır, perişan eder» diye tanımlayan Hafız Hakkı, bunun çaresi olduğunu da söyler:

«Bozgun askeri, pek korkaktır. Bir demir el, bozgun askerlerin yüzlercesini toplayabilir.»der ve yazısını şöyle sürdürür :

«Bozulmuş bir asker ne kadar miskin ise o kadar korkaktır. Cesur, elinde tabancalı bir subay, bir er, hatta bir sivil, bir çok tüfekli, süngülü arslanları yere mıhlar. Son harbin değişik bozgunluklarında elinde tabancalı, kırbaçlı bazı subayların süngü takmış, elinde tüfeği ile deli gibi kaçan bir çok erleri durdukları görülmüştür. Kırklareli bozgununda Isparta'lı Hakkı Çavuş namında bir ihtiyat askeri, daha kıtasına katılamadan, tüfek alamadan bozgun içine düşer. Eline iğnesi kırık bir martin tüfeği geçer. Hakkı Çavuş' un bununla tehdit ederek bir çok erleri firardan durdurduğunu Kurmay Yüzbaşı Rüştü Bey, olayın tanığı olarak anlatıyor.» (*)

Hafız Hakkı Bey, bozgun denen bu felaketin yalnız bizde değil, en güçlü ve disiplinli diğer ordularda da zaman zaman görüldüğünü örnekleriyle anlatır.

Hafız Hakkı'nın bu gözlemleri, Balkan Savaşı'nda olduğu gibi şimdi ve gelecek günlerde de karşımıza çıkabilecek bir durumu yansıtmaktadır. Bu nedenle de, her zaman üzerinde dikkatle durulup düşünülecek ve incelenecek gerçeklerdir. Günümüzde de önemini kaybetmeyen bir konudur.

İşte, sanki beş gün önce Kırklareli Savaşı'ndaki yetmemiş gibi, şimdi Lüleburgaz Savaşı'nda da aynı hal ile karşılaşan ordu, karmançorman İstanbul'a doğru dağılmış gidiyordu.

Bu panik ve bozgun ortasında haber alamaz ve emir veremez bir hale düşen karargâhı ile Abdullah Paşa şaşkın ve çaresiz kalmıştı. Çıldırmışçasına kaçışan bu insan seli arasında sürüklenmeye başlayan Ordu Komutanı, orduyu Solucak Deresi hattında da durduramayacağını anlamış, daha gerideki bir hatta olsun durdurabilmek için atlı emir subaylarını sağa sola koşturmaya başlamıştı.

Yarbay Hafız Hakkı Bey gibi bu savaşa katılan bir başka yazar, Kurmay Yüzbaşı Nihat Bey, «Balkan Harbi'nde Çatalca Muharebeleri» adlı eserinde, o feci bozgun için şunları yazmaktadır:

«Doğu Ordusu, gerçekte ve daha 30 Ekim saat 10.30'da bir avuç aç, cephanesiz, perişan bir topluluktan ibaretti. Pınarhisar-Vize dolaylarındaki ordu denen acaip kalabalık ise, durdurulması imkânsız bir surette çözülmüştü. Bu vaziyeti düzeltecek, lehe değiştirecek bir şekilde ağırlığını koyabilecek bir yedek kuvvet de ortada yoktu.

Lüleburgaz istasyonunda düşmana çok mik-

_____

(*) Hafız Hakkı Paşa: Bozgun.

tarda erzak ve cephane terkedilmişken, ordunun felaketine erzaksızlık ve cephanesizlik özellikle etkili oldu. Başlayan yağmurlar ise felaketi tamamladı. Ordu bir sürü haline geldi. Çok miktarda malzeme, top ve gereç araziye serpilip kaldı. Doğu Ordusu, ciddi hiç bir düşman baskınına uğramadan keşifsizlik, bilgisizlik yüzünden, hiç bitmeyen 'geliyor, gidiyor' havadisleri arasında bocaladı ve nihayet büsbütün dağıldı.

Bulgarlara gelince, muharebe baştan sona kadar onlar tarafından da başarı ile idare edilememiş ve duruma hakim olunamayarak rastgele bir çatışma sürdürülmüştü.»

Ertesi gün ve sonraki 2 Kasım günü Kuzeydeki Hamdi Paşa'nın İkinci Ordusu'nun Pınarhisar taarruzu da tehlikeye düşmüştü. Güneyde Abdullah Paşa'nın Birinci Ordusu paniğe uğramış çekilirken onun ilerlemesi, tehlikeye atılmaktan başka bir şey değildi. Zaten bu sırada Karaağaç bölgesinde serbest kalmış olan 4. Bulgar Tümeni de, İkinci Orduya kuşatıcı bir tehlike oluşturmaya başlamıştı.

Başkomutan Vekili Nazım Paşa da çaresizdi. Tüm kuvvetlere, 2 Kasım 1912 günü çekilme emri verdi. Hem bu çekilme, Soğucak Deresi'ne hatta Ergene Nehri gerisine Çorlu hattına da değil, daha gerideki Çatalca hattına yapılacaktı. Nazım Paşa, ikinci defadır paniğe kapılan bu korkunç selin, 100 kilometre gerideki Çatalca'dan önceki bir yerde durdurulamayacağını anlamıştı.

Şimdi ortalama 100.000'i bulan bir ordu ve ordu ile birlikte canını kurtarmak için evini terkeden sayısı belirsiz atlı, arabalı, yaya Türk göçmen kafileleri yollara düşmüş, sağanak halinde yağan bir yağmur altında çamurlara bata çıka İstanbul'a doğru çekilmekteydi.

Çekilme emrinin verildiği ve Kuzeydeki İkinci Ordu'nun çekilmesinin bir paniğe dönüştüğü 2 Kasım günü, Mahmut Muhtar Paşa karargâhında görevli Alman Binbaşı Hochwaechter, Vize'den Pınarhisar'a, yani cepheye doğru yoldadır. Binbaşı, görevle gittiği İstanbul'dan dönmektedir.

Anılarında o bozgun sahnesini şöyle anlatır:

«Kerpiç bir kulübede durdum. Kulübenin içi asker ve yaralı dolu; korkunç bir manzara, zavallılar günlerdir bir şey yemediklerini söylüyorlar. Saray'dan almış olduğum koca bir ekmeğin yarısını onlara verdim. Fakat bu kadar kişiye ne desin? Bütün kötülük, burada cephe gerisinde bir kez daha açıkça görülüyordu.

Yola devam etmek zorundayız. Sağanak halindeki yağmurda gittikçe daha yavaş ilerliyoruz. Tam beş saattir yoldayız, ama hâlâ Vize ve kalesi gerimizde görünüyor.

Birdenbire karşımıza bağıran çağıran bir kalabalık çıktı; sonra arabalar, süvariler, cephane kolları ve bir çok doktoru olan bir sıhhiye bölüğü göründü. Hepsi müthiş bir telâş içinde. Bunu, koşuşan tek tük askerler ve sonra etrafına korku ile bakan küçük birlikler izledi. Yaklaşık bin metre ileride bize doğru gelen çok geniş karaltılar görüyoruz. Öküzleri süren arabacı daha ileri gitmek istemiyor.

Geride kalmış ve ileri yanaştırılması Muhtar Paşa tarafından telefonla rica edilmiş olan bir cephane kolunu alıp getirmesi için gece bir jandarma erini, atımı vererek Çerkezköy yönüne göndermiş olduğum için atsızdım, arabanın üzerinde oturuyordum.

Durum açıktı, olağanüstü birşeyler oluyordu. Fakat ne olduğunu sorduğumuzda herkes bağrışıyor, sesler birbirine karışıyordu. Askerlerimizin hepsi kaçtı, arabacı geri döndü. Bu en doğru hareketti, çünkü bu çamurlu yollarda geri kaçan yığınların içine giremezdik.

Böylece yaklaşık bir saat onlarla beraber sürüklendik, binlercesi bizi geçti. Bir arabacının kaçıp kurtulmak için nasıl mücadele ettiğini ilk kez görüyorum. Benim süvari yüzbaşısı bunu görmüyor, sesimi ona duyuramıyorum, gürültüden işitilmiyor. Nihayet arabacım da kaçtı.

Askerler hafiflemek için tüfeklerini arabama koyuyorlar, hiç olmazsa yere atmak istemiyorlardı.

Öküzler çamurda arabayı kendi kendilerine çekiyorlar. Bir ırmağa geliyoruz. Kalabalık, derin suyun üzerindeki tek tahta köprünün önünde birikiyor, herkes diğerini sağa sola iterek önüne geçmek istiyor, korkunç bir kargaşa meydana geliyor. Benim öküzler doğrudan doğruya ırmağa gitti, onlara yön veremedim. Arabadan atladım, fakat bu sırada araba da devrildi, diğerleri de durdu.

Süvari yüzbaşısı kendini emniyete almak için kaçıyor. Yanımda kalması için ona bağırıyorum, ama o 'kalsam ne olacak' diye cevap veriyor. Şimdi ben, kaçan hayvanlaşmış insanların arasında, çamurun ortasında terkedilmiş durumdayım. Subaylara ve erlere, paşalarının eşyalarını almaları için yalvarıyorum, kimse beni dinlemiyor.

Bir askerin kaçmak için bir saka (su) arabasından küçük, değersiz, cılız bir hayvanı çözüp aldığını gördüm. Hemen aklıma bir fikir geldi: Erden atı istedim. Ben dizginlere yapışınca göğsümden itti. Ona, eşyaları götürmek için yardıma muhtaç olduğumu anlattım. Ama hayatı söz konusu olduğundan bunu anlayamazdı. Bir mecidiye, iki Türk lirası verdim, o zaman hayvanı verdi. O kadar ıslak ve üşümüştüm ki, zorlukla binebildim. Kendisi binmek için bir er, birdenbire beni attan çekip indirmeğe kalkıştığında herhalde yarım saatlik bir yol almış bulunuyordum. Bu arada kılıcımı da çekip aldı. Yazık ki, tabancam da daha önce kaybolmuştu.

Bir saatte Saray'a geldim. Oradaki jandarmadan yardım göreceğimi ummuştum. Herkes kaçmış, artık hiçbir şey yapamazdım. Yığın halinde firar devam ediyordu. Herşeyin kaybedilmiş olduğunu görüyorum. 1. Kolordu'nun bir kısmı da buradan geçiyor. Akşam oldu, kendi kendimi düşünmek zorundaydım. Eyersiz atla yola devam edip Çerkezköy şosasına geldim.

Harp korkusunu yakından öğreniyorum. Sanki takla atmak istiyormuş gibi bir er önümde yere yıkıldı, sağa sola biraz yuvarlandı. Meğer ölü imiş, gereksiz ağırlık teşkil ettikleri ve canlıların kaçıp kurtulmasını engelledikleri için ölüler arabadan atılıyordu. Kabarmış derenin soğuk, sarı suyuna göbeğe kadar girmek gerekiyordu.

Bağıra çağıra kaçan yerli halk, kilometrelerce uzayan konvoylar teşkil ediyordu. Saatler geçti, gece oldu ve yağmur hâlâ kırbaç gibi yağıyor.»(*)

Evet Hochwaechter'ın de belirttiği gibi askerle beraber onunla içiçe, ondan evvel veya ondan sonra Trakya Türk halkı da 500 yıllık baba yurtlarını terkederek yollara düşmüş, İstanbul'a doğru kaçmaktaydı. Sanki bozguna uğrayan yalnız ordu değildi, Bütün Trakya Türkleri de çözülmüştü. Yani Türklük, askeri ile sivili ile Avrupa Türkiyesi'ni boşaltmakta, Anadolu topraklarına sığınmaktaydı. Çünkü düşman ordusunun yapmadığını arkadan gelen Bulgar komitacıları yapıyor, ondan geriye kalan olursa onu da yerli Hıristiyan çeteleri tamamlıyordu. Hatta Türk Ordusunun Lüleburgaz bozgunu sırasında, daha Bulgar Ordusu yetişmeden, Kırklareli, Babaeski, Pınarhisar yerlisi Bulgar ve Rum çeteleri ortaya çıkmıştı bile... Bunlar bölgedeki savunmasız Türk köylerine ve kaçmaya çalışan Türk göçmen kafilelerine baskınlar düzenliyor; öldürüyor, yakıyor, yağmalıyor, dehşet saçarak göçü çoğaltmaya, yöreyi Türklerden temizlemeye uğraşıyordu. Gün, bugün'dü...

Şevket Süreyya Aydemir, bu göç dramını şu acılı sözlerle belirtir:

«Evet Rumeli göçüyordu. Rumeli boşalıyordu. Rumeli Türkleri akıp geliyorlardı. Rumeli'yi yüzyıllarca evvel alan, Rumeli'de yüzyıllardır yaşa-

(*) G.V. Hochwaechter: Türklerle cephede.

yan son Türkler, 20. Yüzyılın başında alevlenen bu yangının alevleri içinde yanarak, çamurlar içinde eriyerek, her sürünüşte biraz daha azalarak, biraz daha kaybolarak, her an daha koyulaşan bir karanlığın içinde, sonu bilinmez geleceklere doğru akıyorlardı. Bu kaçışta ya arkadan düşman yetişir, kafileyi kılıçtan geçirir. Ya soğuk, açlık, hastalık, yağmurlar ve binbir çeşit bela, kafileyi her gün küçültür, yoksullaştırır.» (*)

Bu göç, bu perişan çekiliş Balkan Savaşı'ndan sonra Birinci Dünya Savaşı'nda ve hatta ondan sonra Kurtuluş Savaşı denen o büyük mücadelede de aynen devam edecek, üstelik bu sefer Anadolu'ya da atlayacak ve Anadolu içlerine doğru gelişecekti. Batı Anadolu'dan Yunan, Doğu ve Güneydoğu Anadolu'dan Ermeni istilası yüzünden yurtlarını terkedenler Orta Anadolu'ya doğru kaçacaklardı. Ta ki, bir Mustafa Kemal çıkıp milleti arkasına takarak bu düşmanları geldikleri yere kovalayana kadar. İşte ancak o zaman, Viyana'dan başlayıp yüzyıllar süren bu perişan kaçış, bu perişan çözülüş artık sona erecek, işte ancak o zamandan sonra bu acı yıkılış artık bir daha dirilmeyecek şekilde geçmişe gömülecekti. Gerçi o gün elde ne Arnavutluk, ne Makedonya, ne Batı Trakya, ne Arabistan, Filistin, Suriye, Irak hiç biri kalmayacaktı ama, Anadolu, yani şu «Anayurt» kurtulacaktı ya, o yeterdi...

Kırklareli Savaşı'nda olduğu gibi Lüleburgaz Savaşı'nda da ordunun kötü yönetildiğine kuşku yoktu. Lüleburgaz'da ordu, Kırklareli'nde olduğundan daha fazla yokluk içindeydi. Silah, cephane, giyim, kuşam zaten yetersizdi. Sağlık ve diğer sosyal hizmetlerden ise söz etmek bile fazlaydı. Ama o hepsinden önde gelen o açlık denen gereksinme yok mu, işte o, artık dayanılmaz bir hal almıştı. Kırklareli çekilişinde düşmana terkedilen ton-

---

(*) Şevket Süreyya Aydemir: Makedonya'dan Orta Asya'ya Enver Paşa 2. cilt.

larca yiyecek bu yokluğu daha da arttırıyordu. Memleket içlerinden de hemen hemen hiç bir şey gelmiyordu. O kötü hava koşullarında, o yolun kıt olduğu bölgede Trakya'nın meşhur yağmur ve çamuru, zaten zarzor işleyen bütünleme hizmetini büsbütün içinden çıkılmaz bir hale getirmişti. Ortalık zaten ana-baba gününü yaşıyordu, bu kıyamette hangi hizmet, hangi bütünleme doğru dürüst işliyordu ki?.. Kırklareli yenilgisinin taze acısı, giyimi, kuşamı, silahı ve aracı tam olmayan, üstelik karnı aç olan askerin ayakta kalabilmiş son moralini de yıkıp götürüyordu.

Lüleburgaz Savaşı'nın o karanlık ve yokluk günlerinde 1. Kolordu Komutanı Yaver Paşa ile emrindeki 2. Tümen Komutanı Osman Paşa arasında geçen aşağıdaki telgraf görüşmesi, açlık konusunda bize çarpıcı bir örnek verir :

«Komutanların birbirlerine çektikleri telgraflara bakılırsa ,onlar dahi açtırlar! Lüleburgaz ile Babaeski arasında, 2. Tümen Komutanı Osman Paşa ile Birinci Kolordu Komutanı Yaver Paşa arasında şu telgraf konuşması geçer:

Osman Paşa —Ben ve Prens Aziz Paşa ve astımız subaylar peksimet bile bulamadık. Erlerin haline Tanrı acısın.

Yaver Paşa —Paşa biraderler, gerek ben ve gerekse beraberimde bulunanlar bu gün bir şey yemediğimiz gibi, Lüleburgaz'da bir dilim ekmek bulamadık. Erler burada da böyledir. İnşallah iyi olur.

Osman Paşa —İnşallah!..» (*)

Fransız «Matin» gazetesi muhabiri Stephane Lausanne, «Hastanın Baş Ucunda» adlı eserinde, o günler için şöyle yazar:

«Lüleburgaz Savaşı dört günden beri devam ediyordu. Çarpışmaların devam ettiği bu dört gün zarfında Türk Ordusu Komutanı Abdullah Paşa,

---

(*) Doğan Avcıoğlu: Milli Kurtuluş Tarihi 3. cilt.

karargâhı olan **Sakız Köyü'nde küçük bir evde kapanmış kalmıştı.**»

Yazar, burada Abdullah Paşa'nın açlık çektiğini, Smit Bartlet adındaki bir savaş muhabirinin konservelerinin imdada yetiştiğini anlatır ve sonra anılarını şöyle sürdürür :

«**Kaldı ki, Osmanlı Ordusu Komutanı, yiyecek bulamadığı gibi, ordusundan haber de alamıyordu. Denebilir ki, Savaşın devam ettiği dört gün zarfında ne olup bittiğinden hiç haberi olmadı. Ordusunun sağ kanadı nerede, bunu ancak şöyle böyle biliyordu. Ama o feci mücadelenin hiç bir safhasını gereğince öğrenememişti. Hiç bir zaman bir emir vererek savaşa etkili olmadı.**

Komutana haber getirmek için ateş hattına gönderilen bir kaç süvari, ya bir şey görememiş, öğrenememiş, yahut dönmemişlerdi. Savaş cephesi 50 kilometrelik bir genişlik tutuyordu. Bu savaş hattı ile bağlantı için Abdullah Paşa'nın elinde ne telefon, ne telgraf, ne telsiz telgraf vardı. Ne otomobile, ne uçağa sahipti.»

Yazar bundan sonra Şevket Turgut Paşa komutasındaki 2. Kolordu'nun 24 saattir bir şey yiyemediğini söyler ve çekilişi şu satırlarla anlatır :

«**31 Ekim akşamına doğru Osmanlı Ordusu, âdeta bir sel gibi geriye akıyordu. Ortada ordu namına, ovalardan, sahralardan Çatalca'ya doğru akıp giden kaçaklardan başka bir şey kalmamıştı. Topçular toplarını, cephane sandıklarını bırakıyorlardı. Piyadeler tüfeklerini atıyorlardı.**

Bulgar Ordusu da bitkindi. Askerlerinin nefesi kesilmişti. Bunun için Türk Ordusu'nun kalıntıları hiç bir takibe, hiç bir saldırıya uğramadan ovalarda, sırtlarda başıboş akıp gidiyorlardı.

Daha garibi, bozgun haberini İstanbul; Londra'dan, Paris'ten daha geç, daha sonra alabildi. İstanbul'da Lüleburgaz Savaşı'na ait resmi bildi-

ri ancak 4 **Kasım sabahı, yani dört gün sonra ya**-
yınlanabildi.» (*)

Yani Stephane Lausanne'nin de yazdığı gibi
ordu, en yukarıda bulunan ordu komutanından
en tabandaki erine kadar toptan açtı ve yine ya-
zarın dediği gibi gerçekten de İstanbul bu gün-
lerde tam bir karışıklık içindeydi.

Lüleburgaz Savaşı'nın başladığı 28 Ekim gü-
nü hükümet istifa etmiş, ertesi gün Kâmil Paşa
yeni hükümetini kurup işe başlamıştı. **«Büyük
Kabine»** diye isim yapan ve eski sadrazamlar
(başbakanlar), eski nazırlar (bakanlar), eski paşa-
lardan kurulmuş olan Müşir (Mareşal) Gazi Ahmet
Muhtar Paşa başkanlığındaki bu hükümet hiç de
ismi gibi büyük olamamış; kararsız, enerjisiz, si-
lik ve sağır tutumu ile Balkan Savaşı'nın hemen
öncesinde ve savaşın başlangıcında memlekete fe-
laketten başka bir şey getirmemişti.

Şimdi de 80 yaşındaki ihtiyar Gazi Ahmet
Muhtar Paşa gitmiş, yerine yine 80 yaşındaki bir
başka ihtiyar Kâmil Paşa gelmişti. Harbin erken
başlamasına ve ordunun hazırlıksız olduğuna bak-
maksızın taarruza karar verip Kırklareli ve Lüle-
burgaz bozgununa neden olan Başkomutan Nazım
Paşa, Harbiye Bakanı olarak yine yerini koruyor-
du. Ermeni Noradunkyan Efendi de, dışişleri ba-
kanlığı görevine devam etmekteydi.

Yeni hükümetin işe başladığı ilk günler, Lüle-
burgaz Savaşı'nın bozgun haberleri de peşpeşe İs-
tanbul'a ulaşmaya başlamıştı. Evet, Kırklareli'n-
den sonra bir de Lüleburgaz yenilgisi, gerek yeni
hükümetin, gerekse İstanbul'dan başlayarak bütün
memleketin üzerine bir kâbus gibi çökmüştü.
Geçmişi şanlı zaferlerle dolu Türk milletinin şim-
diki çocuklarının, onların silahlı kuvvetlerinin,
daha dünkü küçük Bulgar ordusu önünde bu akıl

(*) Şevket Süreyya Aydemir: Makedonya'dan Orta As-
ya'ya Enver Paşa 2. cilt.

almaz yenilgisi karşısında âdeta diller tutulmuştu.

Peki bu sıralarda acaba, uzakta Arnavutluk ve Makedonya cephesinde bulunan Ali Rıza Paşa komutasındaki Batı Ordusu'nun durumu nasıldı? Bari o, bu yaralı gönüllere biraz ferahlık verecek bir vaziyette olsaydı!..

Ama, ne gezer... O da Sırp Ordusu karşısında Kumanova'da yenilmiş, o da Üsküp'e doğru —hem de bozgun halinde— çekilmekteydi. İstanbul'a ulaşan kopuk kopuk ve eksik haberlerden anlaşılan buydu. Yine bu haberlerden, Yunan Ordusunun da, aynı günlerde Selanik'e doğru ilerlemekte olduğu anlaşılıyordu.

Acaba doğru muydu?.. Felaket haberlerinin böyle sözleşmişler gibi peşpeşe bir karabasan halinde gelişleri, inanılır gibi değildi...

Doğu Ordusu'nun Çatalca'ya doğru gerilemesinden sonra Şükrü Paşa'nın kolordusu da Edirne bölgesinde düşman ortasında kalmıştı. Edirne şimdi tamamen Bulgar kuşatması altındaydı. Allahtan ki, oradan gelen haberler fena değildi. Edirne kuvvetleri, Bulgar taarruzlarını rahatlıkla püskürtmüştü ve dayanıyordu. Ama, bu neyi değiştirirdi ki?.. Ve şehir, daha ne kadar dayanabilirdi ki?..

Doğu Ordusu'nun bozularak Çatalca doğrultusunda çekilmesi karşısında İstanbul'dan başka şimdi Çanakkale Boğazı da tehlikeye düşmüştü. Başkomutanlık bir taraftan da, Fahri Paşa komutasında Gelibolu bölgesindeki kuvvetleri takviyeye çalışıyor, aceleyle Anadolu'dan o bölgeye de kuvvet yolluyordu.

Beri yandan, Batı Trakya'da Arda Nehri boylarında, General Kovaçef'in Rodop Grubu ile Yaver Paşa komutasındaki Kırcaali Kolordusu arasında daha harbin ilk günlerinde başlayan bir savaş sürüp gitmekteydi.

İki tümenli Kırcaali Kolordusu, Redif ve Müstahfız birliklerinden kurulmuş olduğundan savaş

yeteneği çok zayıftı. Buna karşın gerek Kırcaali'
de ve gerekse daha güneyde yapılan çarpışmalarda üstün Bulgarlara karşı gene de başarılı savaşlar verdi. Fakat Türk Doğu Ordusu'nun Lüleburgaz Savaşı'nı kaybederek 2 Kasımdan sonra çekilmesi üzerine, Yaver Paşa da kuşatılmamak için
Meriç Nehri'ni Doğuya geçmek çabasına girdi. Ferecik'e doğru çekildi. Çünkü bu sıralarda Albay
Tanef komutasındaki bir başka Bulgar kuvveti,
Meriç Nehri boyunca Dimetoka'yı aldıktan sonra
hızla Ferecik'e doğru ilerlemekteydi.

Ve böylece Rumeli'deki Türk kuvvetleri, savaşın başlamasından 11 gün sonra iki parçaya bölünmüş ve Makedonya'daki Türk Batı Ordusu'nun
anavatanla olan tüm bağlantısı kopmuştu. Şimdi
Batı Ordusu Komutanı Ali Rıza Paşa, 188.000 kişilik ordusuyla, Sırp, Yunan, Karadağ ve bir kısım
Bulgar orduları karşısında kaderi ile başbaşaydı.

Meriç boylarında sıkışan Yaver Paşa da zor
durumdaydı. Çoğu yerli halktan oluşan bir kısım
erler dağılmış, kaçmıştı. Beri yandan Meriç Nehri bu mevsimde taşkın, günlerdir yağmur ve çamur içinde durmadan çarpışan ve yürüyen asker
aç ve yorgundu. Bulunabilen ancak bir kayık ve
salla nehir geçilmeye çalışılıyordu. Bu arada nehrin bir yakasından öbürüne çekilen çelik halat da
kopunca, geçiş büsbütün zorlaştı. Bu sıralarda bir
Bulgar alayı da Türk Trakyası tarafında Malkara
üzerinden Keşan'a ulaşarak Yaver Paşa kuvvetlerinin yolunu kesmeye uğraşmaktaydı. (*)

Velhasıl cephe perişan, İstanbul perişandı.

_____

(*) Bir taraftan kendisinin iki misli kuvvetindeki 20.000
kişilik Rodop Grubu, diğer yandan kendisini kuşatmaya
çalışan öbür Bulgar kuvvetleri arasında sıkışan Yaver Pa
şa, Meriç Nehri'ni Doğuya geçememesine karşın bir süre
daha dayanacak, sonunda 27 Kasımda teslim olacaktı.
Bulgarlara esir düşenlerin sayısı, Yaver Paşa ve karargâhı ile birlikte 239 subay ve 8.349 erdi. (Fahri Belen: 1912-
1913 Balkan Savaşı)

Bu kadar kısa zamanda bu kadar büyük bozgunu akıllar almıyordu. Ama gerçek olan şuydu: Şimdi yani Lüleburgaz yenilgisinden sonra beşyüz yıllık Osmanlı başkenti İstanbul, Bulgar ordularının karşısında savunmasızdı. Hem de daha harbin üçüncü haftası bile dolmamışken...

Allahtan ki, Bulgar orduları da beş gündür süren Lüleburgaz çarpışmasında hem hatırı sayılır kayıplara uğramıştı, hem de çamur ve yağmurla boğuşmaktan yorgun düşmüştü. Bulgarlar da bir ölçüde yiyecek ve cephane sıkıntısı çekiyorlardı. Bundan başka, Kırklareli Savaşı'nda olduğu gibi Bulgar komutanlığı bu savaşta da, zaferi tümü ile kazandığına inanmakta güçlük çekmekteydi.

«Bulgar Ordusu, bu koca harp meydanının bu kadar kolay kendisine terkedilişinden şaşırmıştır. Bu meydanlarda kendisini yalnız hissetmiş, korkmuştur. Ne var ki çabuk toparlanmış ve doğal olarak zafer, onun başına konmuştur.» (*)

İşte Bulgar Ordusunun sıkı bir takip harekâtına girişememesi, Kırklareli bozgununda olduğu gibi Lüleburgaz bozgununda da Türk Ordusunun kurtulmasına neden olmuştu. Şayet Bulgarlar harekâtı aynı hızda sürdürecek takat ve cesareti gösterebilselerdi, Türk Ordusunun felaketi önlenemez ve hatta bir Çatalca savunması da mümkün olmazdı.

Başkomutan Vekili Nazım Paşa'nın morali adamakıllı bozulmuştu. Lüleburgaz yenilgisinden sonra, ordunun Çatalca mevziinde bile savunabileceğinden kuşku duymaya başlamıştı. Gerek Kırklareli'nde olsun, gerekse Lüleburgaz'da olsun ordunun önemli bir çarpışma yapmadan, düşmanın bir mevzi yarması veya tehlikeli bir kuşatmasına bile uğramadan âdeta kendiliğinden çekilmeye başlaması çok düşündürücüydü. Hele bu çekiliş

(*) Şevket Süreyya Aydemir: Makedonya'dan Orta Asya'ya Enver Paşa 2. cilt.

lerin, düşmanın herhangi bir takibi bile olmadığı halde, kısa sürede gemlenemez, önlenemez bir bozguna dönüşmesi, bu güvensizliği daha da arttırıyordu.

Evet, bu ordu ile Çatalca'da bile yeni bir savunma kurulamaz, Bulgar Ordusu ile üçüncü bir savaş göze alınamazdı. En iyisi, hiç vakit geçirmeksizin hükümet, Bulgarlarla barış çarelerini araştırmalıydı.

Halbuki yeni Başbakan Kâmil Paşa, daha iyi koşullarda barış masasına oturabilmek için, ordunun Çatalca mevziinde hiç olmazsa beş-altı gün dayanmasının ve Bulgar Ordusuna karşı bir savunma başarısı kazanmasının önemli olduğuna inanmaktaydı. Şimdi, başkomutanlıkla hükümet arasında 1 Kasım 1912'den itibaren telgraf başında sürdürülen üzücü ve yıpratıcı bir haberleşme başlamıştı. Başkomutanlık, ümidini tamamen yitirmişlerin ürkekliği içinde bir an önce ateş kesilmesini istemekte; hükümet ise, daha iktidar olur olmaz böyle yüz kızartıcı bir duruma düşmemek, hiç olmazsa bir şeyler kurtarabilmek telaşındaydı.

4 Kasımda İngiliz Dışişleri Bakanı E. Grey, Londra'da Avam Kamarasında, Avusturya Dışişleri Bakanı Berchtold Viyana'da verdikleri beyanatlarda «Balkanlarda artık statükonun devamının mümkün olmadığını» söylüyorlardı. Yani, savaşın başlamasından önce büyük devletlerin ilan ettikleri «Savaşın sonucu ne olursa olsun, Balkanlarda statükonun değiştirilmeyeceği» Balkanlıların başarıları karşısında unutulmuş ve hemen yön değiştirilmişti. Çünkü, iki gruba ayrılmış ve birbirlerinin gırtlağına sarılmaya hazır büyük devletler, şimdi küçük Balkanlıları kendi yanlarına çekebilmek için onlara hoş görünmek yarışına girişmiş lerdi.

Osmanlı Dışişleri Bakanı Noradunkyan'ın Başbakan Kâmil Paşa'ya gönderdiği 6 Kasım ta-

rihli yazıda «**Balkanlarda statükonun korunması-**
nın artık imkânı kalmadığından, bu işten en az
zararla kurtulabilmek için Çatalca savunma hat-
tında ve Edirne müstahkem mevkiinde mukave-
met edilerek, düşmanı gerektiği kadar yorup, ba-
rış yapmaya zorlanması...» istenmekteydi. (*)

Bir haftalık Başbakan Kâmil Paşa, «**Hemen**
barış yapalım», hayır «**Biraz daha direnelim**» gibi
iki zıt fikir karşısında, kendi insiyatifini kullana-
rak, İstanbul'da görevli ve emekli paşa ve yük-
sek rütbeli subaylardan bir askeri kurul toplayıp
görüşlerini istedi. Kurul aynı gün, 6 Kasımda
toplanarak büyük bir çoğunlukla «**Çatalca müs-**
tahkem mevziinde savunmanın yapılabileceğine
ve düşmanın durdurabileceğine» karar verdi.

Buna karşı Başkomutan Vekili Nazım Paşa,
Hadımköy'de bulunan Abdullah Paşa ve Genelkur-
may Başkan Vekili Hadi Paşa'nın da katıldığı yük-
sek rütbeli subayları toplayarak durum tartışma-
sı yaptı. Varılan ortak sonucu hükümete bildirdi.
Bu yazıda «**Çatalca'ya çekilmekte olan ordunun**
toplarının çoğunun elden çıktığını, ordunun kayıp-
lara uğradığını ve hepsinden önemlisi, askerin
şimdiki durumunun bir yenilgi olmaktan çok, çe-
şitli nedenlerle askerin moralinin bozularak yersiz
ve zamansız dağılmalarından ileri geldiğini ve bu-
nun tüm orduya yayıldığını; uzun yıllardır kendi
haline terkedilen Çatalca tahkimatının bu kısa sü-
rede onarılamayacağını, Anadolu'dan gönderilecek
takviye kuvvetlerinin ise eğitimsiz olduğunu» ile-
ri sürerek «**Çatalca savunmasının güvenle yapıla-**
mayacağını» bildiriyordu.

O sıralarda, Çatalca'ya doğru çekilmekte olan
kolordu komutanları, yollardan Nazım Paşa'nın so-
rusuna verdikleri yanıtlarda, Hadımköy kurulu-
nun aksine, «**Çatalca hattında savunulabileceğini**»

(*) Genelkurmay Harp Tarihi Başkanlığı: Balkan Har-
bi 2. cilt, 1. kitap.

bildirmişlerdi. Fakat Başkomutan Vekili Nazım Paşa, kendisinin başbakanlığa yolladığı yazılı cevaptan sonra gelen ve kendi görüşünün aksini savunan kolordu komutanlarının bu düşüncelerini İstanbul'a bildirmeye gerek görmedi. (*)

2 Kasımdan beri karmakarışık bir halde çekilmekte olan ordu, 8 Kasımdan itibaren Çatalca hattına ulaşmaya başlamıştı. Bir süre tereddütten sonra başkomutanlık da şaşkınlıktan yavaş yavaş kurtulmuş ve işe sarılmıştı. Hükümetin emrini yapmaktan, yani Çatalca mevziinde savunmaktan başka çare yoktu. Aç, yorgun, birliğini kaybetmiş, darmadağınık, çamurlara bata çıka gelen asker Çatalca hattında çevriliyor, bir düzene sokulmaya çalışılıyordu. Bir yandan da İstanbul'dan yeni birlikler yollanmaktaydı. Çatalca mevziinde tahkimata da başlanmıştı. Yani, ne olursa olsun ordu bir kez daha şansını deneyecek, namusunu ve başkentini savunacaktı.

Bulgarlar, akıllarından bile geçirmedikleri bu hızlı ve parlak başarılar karşısında haklı bir gurura kapılmışlardı. Öyleyse Çatalca'da tutunmaya çalışan bu morali bozuk Türk Ordusuna çullanıp İstanbul'u almak pek zor olmasa gerekti. O herkesin rüyasını süsleyen, Rusların, Rumların ve daha bir çok kimsenin ele geçirmek için yanıp tutuştukları Çargard'ı (İstanbul'u) almaları artık gün meselesiydi. General Nazlimof'un süvarileri, piyadeleriň önünde ilerleyerek 3 Kasımda Çorlu'yu ve 6 Kasımda Tekirdağ'ı hiç bir direnişle karşılaşmadan daha şimdiden işgal etmişlerdi bile... Bulgar Orduları Başkomutan Vekili General Savof, Balkan Savaşı'ndan bir yıl sonra, Sofya'da Türk Büyük Elçisi olarak bulunan Fethi (Okyar) Bey'e şöyle diyecekti: **«En az sekiz ayda elde edebilmeyi hayal ettiğimiz yerlere iki ayda eriştik.» (**)**

Lüleburgaz Savaşı'ndan sonra kendisini topar-

(*) Fahri Belen: 1912-1913 Balkan Savaşı.
(**) Fethi Okyar: Üç Devirde Bir Adam.

lamak için bulundukları yerde üç gün dinlendirilen Bulgar Ordusu, 6 Kasım 1912 sabahından itibaren İstanbul'a doğru ileri harekete geçti...

ÇATALCA SAVAŞI
(17-18 Kasım 1912)

«Çatalca Mevzii» denen yer, İstanbul'un 35-40 kilometre kadar batısında, Terkos ile Büyük Çekmece arasındaki bir hattır. Mevziin genişliği 30 kilometreyi bulur. 1877 - 1878 Türk-Rus Savaşı'nda seçilmiş ve direnek noktaları halinde tahkim edilmişti. Ama o savaştan sonra 35 yıldır el sürülmediğinden, daha çok topraktan yapılmış mevziler bozulmaya yüz tutmuş, toplarının bir kısmı da Edirne'ye götürüldüğünden ateş gücü de azalmıştı. (*)

Lüleburgaz yenilgisinden sonra, büyük bir acele ile hazırlanmaya çalışılan mevzi, işte bu mevziydi. Ama o yağmur ve çamurda ve soğuktan donmak üzere olan o toprakta, kazma ve kürekle... Ve rastgele... İstanbul'dan gönderilen dikenli teller yine acele ile hendeklerin önüne serilmeye çalışılıyor, gelecek toplar için yollar açılıyor, belirli yerlere cephane ve yiyecek yığılıyor, komuta yerleri arasında telefon hatları çekiliyordu.

Lüleburgaz hattından çekilen, daha doğrusu çekilen değil, karmakarışık kaçan aç susuz, yorgunluktan adım atacak hali kalmamış asker, 8 Kasımdan itibaren, yani bir haftalık bir yürüme sonunda kısım kısım mevziye ulaştıkça tahkimat daha hızlanıyordu. 10 Kasımdan, yani Lüleburgaz yenilgisinden 8-9 gün sonra, ordunun 20.000 kişi-

---

(*) 1939'da başlayan İkinci Dünya Savaşı sırasında betonarme olarak yeniden düzenlenen aynı mevziin koruganları, şimdi İstanbul-Edirne yolundan geçerken görülebilir.

lik kaybından arta kalanı, Çatalca hattına çekil-
miş bulunuyordu.

Başkomutan Vekili Nazım Paşa, tüm Çatalca
Ordusu'nun komutasını eline almış ve karargâhı
ile birlikte savunma planını hazırlamıştı. Gerek
cepheden çekilenler, gerek Anadolu'dan gelenler
bu plana göre düzenleniyor, mevzilere gönderili-
yordu.

12 Kasımda Bulgar Ordusu da, 100 kilometre-
lik yolu yedi günde alarak, öncüleriyle Çatalca
mevzii önüne gelmişti.

Bu geliş, Bulgarlar için pek kolay olmamıştı.
Devamlı yağan yağmur ortalığı batağa çevirmiş,
yollar, izler bu çamurda neredeyse kaybolmuştu.
Topları taşımak zorlu bir uğraş gerektiriyordu.
Memleketten uzaklaştıkça yiyecek ve cephane bü-
tünlemesi de bir sorun olmaya başlamıştı. Önden
çekilen Türk Ordusu yol üzerinde, zaten yiyecek
namına bir şey bırakmamıştı. Bölgedeki köylüler
de, yiyeceklerini alıp dağlara kaçarak saklanmış-
lardı. Doğrusu aranırsa, iki büyük zafere rağ-
men Bulgar Ordusu'nda da moral, öyle sanıldığı
kadar yüksek değildi. Kötü hava koşulları, bitme-
yen bir yağmur ve çamur içinde uzun yürüyüşler
ve son günlerde başlayan dizanteri askerde pek
neşe bırakmamıştı. Üstelik, dizanteriden sonra bu
sefer kolera başlayacaktı.

Evet, kolera...

Hastalığa yakalananlardan çoğunu öldüren o
korkunç salgın hastalık, 7 Kasımdan sonra her iki
orduya da girdi. Girdi, ve savaştan daha büyük
kayıplara neden oldu. İki taraf askerleri de zaten
kötü beslenme ve kötü hava koşullarında enerji-
lerini tükettiklerinden, her türlü hastalığa yaka-
lanmaya hazır bir haldeydiler. Önceki dizanteri-
den sonra Türk Ordusunda ilkin 7 Kasımda Ha-
dımköy'de görülen kolera, gittikçe artan bir hızla
tırpanını her tarafa sallamaya başladı. Çıplak ve
bakımsız asker için zaten ne yeterli doktor, ne
ilâç, ne de hastane vardı. Yalnız bir günde ve

yalnız 3. Kolordu'da koleraya yakalananların sayısı 496, ölenlerin sayısı ise 21'di. (*)

Şevket Süreyya Aydemir'in yazdığına göre ise, yalnız bir günde (15 Kasım 1912) Çatalca'daki bütün Türk Ordusunda hasta olanlar 2.786, ölenler ise 817'yi bulmaktaydı. Savaşın sonunda yapılan araştırmaya göre, Çatalca Türk ordusunun kolera ve dizanteriden dolayı verdiği ölü 40.000'di.(**)

Alman Binbaşı Hochwaechter anılarında «Bir bu eksikti» diyerek, askerin kolera hastalığı ile boğuşmaya başladığını anlatır:

«Hiçbir yerde su bulunmadığından askerler pis su birikintilerini içiyor; birlikler çok zayıflamış durumda; sefalet içindeki bu insanlar bulaşıcı hastalıklara, yağmura, soğuğa ve açlığa uzun süre dayanamazlar. Benim hizmet erime buraya geldiğimizden beri ancak dün yiyecek bir şey verildi.»

Hochwaechter yine 3. Kolordu Komutanı Mahmut Muhtar Paşa'nın karargâhında görevlidir ve 11 Kasım 1912'de Çatalca Mevziinde, Hadımköyündedir :

«Saat 04.30. Biraz önce dışardaydım. Yaklaşık 2.000 aç asker geldi; bunlara yiyecek verildi ve trenle İstanbul'a gönderildiler. Düzinelercesi yere yıkılıyordu. İki asker, ölü gibi rayların arasında yatıyordu. Durumu bir doktora gösterdim ve dikkatini çektim, sadece baktı ve yoluna devam etti. Hemen bir üçüncüsü de oraya düştü. Nihayet arkadaşları onları sırtladı ve bir eşya vagonuna götürüp bindirdiler. Diğerleri bakalım ne zaman onları takip edecek? Açlıktan baygın düşmüş olanlar da kolera hastası kabul ediliyor; çoğu kez adamın üzerine, gerçekten ölmüş mü diye muayene edilmeden kolera kireci dökülüyordu. Ki-

(*) Genelkurmay Harp Tarihi Başkanlığı: Balkan Harbi 2. cilt, 1. kitap.

(**) Şevket Süreyya Aydemir: Makedonya'dan Orta Asya'ya Enver Paşa 2. cilt.

reç, adamın çukura kaçmış gözlerini yakıyor, biraz daha yaşamak isteyenler dehşetle etrafına bakınıyordu; ama ancak bir dakika...»

Aradan beş gün daha geçmiştir. 16 Kasımda Hochwaechter şunları yazar :

«Hadımköy'e girişte yolun sağ tarafında büyük bir tarla ve bu tarlanın üst tarafında tepede bir kaç ev vardır. Bu evler bir zamanlar hastane olarak kullanılmıştı, ama uzun süredir boş duruyorlardı. Bu tarlaya mezar çukurları kazılmıştı; fakat buna rağmen cesetler üstüste gömülüyordu. Nihayet araba dolusu ölü getirilmiş ve cesetler üstüste çukurlara yığılmıştı. Kollar ve bacaklar kaskatı dışarı çıkmıştı. Zavallılar çoğu kez hastane yolunda, yığılıp kaldıkları yerde ölmüşlerdi.

Yolun öbür tarafında beyaz gömlekli adamlar çok büyük çukurlar kazıyorlardı. Bunların etrafta bulunan gömülmemiş ölüler için kazılmakta olduğunu düşündüm. Ama yukarı giderken, bu çukurlara —kim olduğu bilinmeden, gözyaşı dökülmeden— gömülecek ölüleri getirmiş uzun bir araba kolu gördüm.

İstasyonda kalabalıktan adım atacak yer yoktu. Avurtları çökmüş, kanlı gözleriyle sabit bir noktaya bakan binlerce insan, iki uzun katara âdeta sürüklenircesine koşuyor, vagonlara ve vagon damlarına tırmanmaya çalışıyordu. Bu damların üzerinde oracıkta ölmüş ölüler vardı; kollar bacaklar aşağı sarkıyordu; vagonlar arasında bile ölüler yatıyordu. Hasta olmayanlar da burada hastalanmaktan kendini kurtaramazdı. Ortada subay ve doktor pek görünmüyordu; herhalde onlar da salgın hastalıkların kurbanı olmuşlardı.

Dört gün öncesine kadar başkomutanlığın gazino olarak kullandığı ve içinde son kez yemek yediğim bir evde ağır hasta subaylar için yataklar yapılmıştı.

Her yerde bitip tükenmek bilmeyen bir inilti... Arsalar, ganimeti paylaşmak için birbirleriyle çekişen akbaba ve köpek sürüleriyle dolu. Ha-

164

va kirlenmiş, bütün arazi bir ölü tarlası. Bu manzaraya artık tahammül edemeyeceğim.

Temiz hava bugün bize iyi geldi. Saat 07.30' da araziye çıktık. Yeni topçu mevzilerini görmek, sonra büyük ve ayrıntılı bir kroki çizmek istiyorum...» (*)

Çatalca'daki Bulgar Ordusunun koleradan dolayı ne kadar kayıba uğradığı konusunda resmi belgelerde bir bilgi bulunmamakla beraber, Bulgarların da Türk Ordusununkine yakın ölü verdikleri tahmin edilmektedir. Fahri Belen «Balkan Savaşı» adlı eserinde, Bulgar Ordusunda «Bir hafta içinde 30.000 vakanın çıktığını ve 4.000 kişinin öldüğünü» yazar. Kuşkusuz, bu öldürücü salgın her iki taraf saflarında boşluklar yaratıyor ve askerde moral adına birşey bırakmıyordu.

İşte bu sıralarda, yani 1912 Kasımının 12'sinde, Kâmil Paşa Hükümetinin ateş kesilmesi için doğrudan doğruya Bulgar Hükümetine başvurduğu duyuldu. Beş gün önce 7 Kasımda bu konuda yaptığı girişimden, büyük devletlerden bir anlayış göremeyen hükümet, gittikçe sıkışmış ve şimdi de doğrudan Bulgar Hükümetine başvurmuştu.

Çünkü Makedonya cephesinden, Sırp, Yunan ve Karadağlılarla yapılan savaşlardan da kötü haberler gelmeye devam ediyordu. 20 gün kadar önce Sırplarla yaptığı Kumanova Savaşı'nı kaybeden Ali Rıza Paşa'nın Batı Ordusu, çekildiği Pirlepe-Kırçova hattında da tutunamamış, Üsküp Sırplıların eline düşmüştü. Şimdi Sırp Ordusu Manastır üzerine yürümekteydi.

Yunan cephesinden gelen haberler daha da kötüydü. Yunan Ordusu, 8. Türk Kolordusunu önüne katarak Selanik önlerine ulaşmış ve Kolordu Komutanı Hasan Tahsin Paşa, Kuzey ve Batıdan yürüyen Sırp ve Bulgar kuvvetleriyle tam bir kuşatma altına düşmekte olan Selanik'i döğüşmeden üç gün önce, Yunanlılara teslim etmişti.

(*) G.v. Hochwaechter: Türklerle cephede.

165

İşkodra, daha şimdiden Karadağ ve Sırp kuvvetlerinin kuşatması altındaydı. Burada Hasan Rıza Paşa komutasındaki Türk kuvvetleri kendi kaderlerine terkedilmişlerdi.

Yani, Doğu Ordusu gibi Batı Ordusu da anlaşılmaz bir çözülüş içindeydi. Yenilgiler ve felaketler birbirinin üzerine yığılarak geliyordu. Koca Rumeli, Adriyatik'den Karadeniz'e kadar neredeyse daha şimdiden elden çıkmıştı.

Her ne kadar henüz savaş bitmemişti ve tüm umutlar kaybolmamıştı, üstelik Doğu Ordusu Çatalca'da savunmak gayretindeydi ama, iki yenilgiden sonra acaba bunu başarabilecek miydi?

Ayrıca başka tehlikeler de vardı. Selanik'in düşmesinden sonra burada serbest kalan 3-4 Bulgar ve Sırp tümeninin, Çatalca'daki Bulgar Ordusunu takviye etmeleri beklenirdi. Türk Başko mutanlığı ayrıca, üstün Yunan donanmasını Çanakkale Boğazı'ndan Marmara'ya sokabilmek için, Bulgar ve Yunan kuvvetlerinin ortaklaşa Gelibolu'ya asker çıkarabileceklerini de göz önünde bulundurmak zorundaydı.

İşte böyle bir ortamda Bulgarların Edirne'yi almaları, veya daha kötü bir ihtimal olarak, Çatalca savunmasını yarıp İstanbul'a girmeleri halinde koşullar büsbütün ağırlaşırdı.

Ama ne varki, Kâmil Paşa Hükümetinin Bulgar Hükümetine yaptığı başvurudan da bir sonuç alınamadı. 12 Kasım günü Bulgar Kralı Ferdinand, Başkomutan Vekili General Savof'a «Kâmil Paşa'nın barış için başvurduğunu, fakat kendisinin zafer kazanmış ordusu adına, hükümeti her ne suretle olursa olsun görüşmelere girişmekten alakoyduğunu» bildiriyordu. (*)

Nitekim Babıâli'ye, Bulgar Hükümetince bir cevap bile verilmedi. Bulgar Başkomutan Vekili

---

(*) Genelkurmay Harp Tarihi Başkanlığı: Balkan Harbi 2. cilt, 1. kitap.

General Savof, karargâhına davet ettiği yabancı muhabirlere şunları söylemekteydi:

«Baylar, sekiz gün sonra Çargrad'da (İstanbul' da) olacağız. (*)

Kırklareli ve Lüleburgaz zaferleri ile Bulgaı yönetimi, büyük bir moral kazanmıştı. Toplarını, araçlarını, herşeyini bırakıp kaçan Türk Ordusu döküntülerinin Çatalca'da da fazla dayanamayacağını, koleranın kendi taraflarından çok, Türk Ordusunda ağır kayıplara sebep olduğunu hesaplıyor, coşkulu Bulgar Ordusunun İstanbul'u fethetmek heyecanıyla kısa zamanda Çatalca mevzilerini ezip geçeceğine inanıyordu. Ateş kesilmesi için Kâmil Paşa Hükümetinin, büyük Avrupa devletlerinden sonra şimdi doğrudan doğruya kendilerine başvurması, Osmanlı yönetiminin ne kadar zor durumda olduğunu göstermekte değil miydi?

Bununla beraber Bulgar Ordusu, Çatalca Mevziine karşı hemen taarruza girişmedi. Bulgar Başkomutanlığı geriden yeni takviyeleri almak, toplarının kalanlarını getirmek ve eksiklerini tamamlamak istiyordu. Bulgarlar, Üçüncü Ordu Kuzeyde, Birinci Ordu Güneyde, hazırlık ve keşiflerine hız verdiler. Başkomutan General Savof, şimdi her iki orduyu, General Dimitriyef'in emrine vermişti.

Türk Başkomutan Vekili Nazım Paşa da, Birinci ve İkinci Ordu Komutanlıklarını lağvetmiş, kolorduları doğrudan doğruya kendi komutasın daki «Çatalca Ordu Komutanlığı»na bağlamıştı. Yani Nazım Paşa, Başkomutan Vekili, Harbiye nazırlığından başka şimdi de Çatalca'daki kuvvetlerin komutanlığını üstlenmiş ve karargâhını cephenin hemen gerisindeki Hadımköy'de kurmuştu.

Nazım Paşa, Birinci hatta üç Nizamiye (1., 2., 3. Nizamiye) kolordusunu koymuş, daha çok acele ile Anadolu'dan gönderilen Redif (Yedek) birlik

---

(*) Aram Andonyan: Balkan Harbi Tarihi.

TÜRK - BULGAR ÇATALCA SAVAŞI
(17 - 18 Kasım 1912)

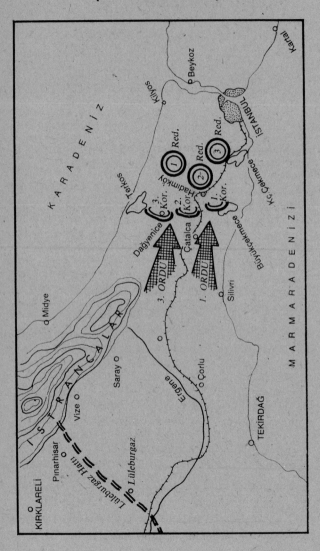

lerden kurulu üç Redif Kolordusunu da (1., 2., 3. Redif Kolorduları) ihtiyata ayırmıştı.

Çatalca'da savaş başlarken, yani 12 Kasımda tarafların kuvveti şöyleydi :

	Türk	Bulgar
Subay	2.395	3.025
Er	138.176	173.326
Makinalıtüfek	62	146
Top	316	462 (*)

Bulgar Ordusunun özellikle Makinalıtüfek ve top yönünden üstün olduğu görülmekteyse de, 10 gün gibi kısa bir sürede Türk Ordusunun da hızla toparlandığı belli olmaktaydı. Gerçi sayıdan çok, moral, eğitim, silah standartları ve bütünleme olanakları gibi diğer faktörlerin önemli olduğu biliniyorsa da, yine de Türk Ordusunun sayıca ulaştığı durumu bir başarı olarak görmek lâzımdı.

Beş günlük bir hazırlıktan sonra beklenmekte olan Bulgar taarruzu, nihayet 17 Kasım 1912 günü sabahın 06.30'unda yoğun bir topçu ateşiyle bütün cephede birden başladı. Bugün, yarın diye beklenmesine rağmen sabahın o kör karanlığında aniden topların gürlemesi, Hadımköy'de bir trende bulunan Başkomutanlık karargâhı üzerinde yine de şaşırtıcı bir etki yapmıştı. Genelkurmay Başkan Vekili Hadi Paşa, uyku şaşkınlığı ile gecelik elbisesiyle dışarı fırlamış cephenin o kadar uzağında borozanlara «Silah başı» çaldırmak için sağa sola koşuşturup emirler vermeye koyulmuştu.

Türk topçusu da ateşe başlamış ve saat 09.00'a doğru Bulgar piyadesinin ilerlemeye başlaması ile çarpışmalar şiddetlenmişti. Güneydeki Ömer Yaver Paşa'nın 1. Kolordusuna taarruz eden Bulgar kuvvetleri Türk direnişi karşısında fazla ilerleye-

(*) Genelkurmay Harp Tarihi Başkanlığı: Balkan Harbi 2. cilt, 1. kitap.

memişlerdi. Öğleye doğru Marmara ve Büyük Çekmece Körfezi'ndeki Türk savaş gemilerinin, Barbaros Hayrettin zırhlısı başta olmak üzere uzun namlulu toplarıyla işe karışmasının etkisi de kendini göstermişti. Bulgar piyadesi ilkin durmuş, sonra da mevzilerine çekilmişti.

Ortadaki Hamdi Paşa'nın 2. Nizamiye Kolordusu bölgesinde de şiddetli çarpışmalar öğleye kadar sürmüş, ilerideki mevzilerin bazılarına giren Bulgar piyadesi, karşı taarruzlarla geri atılmıştı.

Asıl şiddetli savaşlar Kuzeyde, Mahmut Muhtar Paşa'nın 3. Kolordu bölgesinde yapılmaktaydı. İnatla sürdürülen Bulgar hücumları yer yer duruyor, yer yer başarılı oluyordu. Karşılıklı süngü savaşlarıyla kanlı bir boğuşma hali alan çarpışmalar akşama kadar sürmüştü. Bulgarlar burada da dikkate değer bir başarı sağlayamamışlardı. Karadeniz'deki Türk savaş gemilerinin savunmayı destekleyen topçu ateşleri, burada da etkili olmuştu.

Akşama doğru fırtına ile karışık şiddetli bir yağmurun başlamasıyla bütün cephede ateş kesilmişti. Fakat Bulgarlar bu gece de, kendi askerlerinin gayet alışık olduğu gece baskınlarından birini daha gerçekleştirdiler.

O savaş gününün akşamı Dağyenice köyü bölgesindeki İleri Tabya, bir karşı taarruzla Türk kuvvetlerinin eline geçmiş ve ihtiyat birliklerinden Alanya (Alaiye) Redif Taburu bu tabyada savunma görevini almıştı. O karışıklıkta komşularıyla bağlantı kuramayan ve yeterli güvenlik önlemlerini de almadan karanlıkta tanımadığı bir araziye yerleşen Alanya Taburu erleri, o gece sereserpe uykuya dalmıştı. Ama bu sereserpe yatış ve üstelik nöbetçilerin de yorgunluk, çamur ve soğuktan uykuya dalmaları ile bir facia doğmuş ve hemen hemen tüm taburun hayatına mal olmuştu. O gece sabaha karşı karanlıkta sessizce tabyaya saldıran 29. Bulgar Piyade Alayı, mevzi çukurlarında uyuyan tabur erlerini süngüden geçirmiş ve tabyayı gürültüsüz alıvermişti. Alanya Taburu'nun bu saldırıda kaybı, tabur komutanı da içinde olmak üzere 7'si subay 157 şehitti. (*)

Bu baskın o kadar beklenmez ve o kadar sessizce olmuştu ki, bundan ne bölgedeki Türklerin, ne de Bulgarların haberi olmuştu. O gün sabah, kolordusuyla karşı taarruza hazırlanan 3. Kolordu Komutanı Mahmut Muhtar Paşa son durumu görmek üzere İleri Tabya bölgesine geldiğinde birden bu Bulgar Alayının ateşine uğramış; kendisi, kurmay başkanı ve emir subayı yaralanmıştı. O sırada sisin de çekilmesiyle durum ortaya çıkmış ve karşı taarruza geçen Türk askerleri hem Bulgarları geriye atmış, hem de paşa ve diğer yaralıları kurtarmışlardı.

Bundan sonra Mahmut Muhtar Paşa İstanbul'a hastaneye götürülecek, kolordunun komutasını Ahmet Abuk Paşa alacaktı.

Bulgar Ordusu o gün, yani 18 Kasımda da bütün cephede taarruzunu sürdürecek, fakat dünkü gibi gene bir başarı elde edemeyecekti. Çatalca'daki Türk Ordusu, sanki o Kırklareli ve Lüleburgaz'daki aynı ordu değildi. Siperlerde sağlam duruyor, mevziini kaybetse bile hiç paniğe kapılmıyor, inadına kaybettiği yerleri tekrar ele geçirmek için az sonra karşı taarruza kalkıyordu. «Mehmet», biraz karnı doyunca, biten mermisinin yerine yenisi konunca, etrafta azıcık düzen görünce, tarihin her zaman teslim ettiği o güzel yeteneklerini yeniden kazanıveriyordu. O yine Mohaç'ların, Plevne'lerin o mübarek askeri oluvermişti.

General Dimitriyef, 60 bin kişilik ihtiyatını bile henüz cepheye sürmemişken, ummadığı bu sert direniş karşısında başarı umudunu kaybetmiş ve taarruzdan vazgeçerek kuvvetlerini savunmaya geçirmişti.

Bulgar kuvvetlerinin bu iki günlük savaşta kaybı, ölü ve yaralı olarak 12 bini buluyordu.

(*) Genelkurmay Harp Tarihi Başkanlığı: Balkan Harbi 2. cilt, 1. kitap.

Türklerin kaybı ise 1.300'dü ve Bulgar kaybının dokuzda biriydi. Yine bu iki gün içinde Bulgar kuvvetlerinden 4.602 kişi kolera hastalığına yakalanmış, 603 kişi ölmüştü. Türk Ordusunda ise kolera kayıpları, 2.897 hasta ve 970 ölüydü. (*)

Evet, savaşın ilan edildiği 18 Ekimden 24 gün sonra iki savaş kazanarak 200 kilometre ilerleyip İstanbul kapılarına dayanan muzaffer Bulgar Orduları, savaşın birinci ayını doldurduğu 18 Kasım günü Çatalca'da yenilmiş ve durmak zorunda kalmışlardı.

İstanbul kurtulmuştu ama, yöneticiler ve kentliler başta olmak üzere bütün millet özellikle şu son iki gün, büyük bir heyecan geçirmişti. O sıralar, bütün dünyanın İstanbul'un her an düşmesini beklediği günlerdi. Avrupalı büyükler, Bulgarların İstanbul'a girmesi esnasında çıkabilecek karışıklıkta kentteki vatandaşlarını korumak için, İstanbul önlerine savaş gemilerini göndermişlerdi. Hatta bu donanma içinde İspanya, Belçika ve Romanya'nın gemileri bile vardı.

17 Kasımda başlayan Çatalca Savaşı ve Marmara'daki Türk savaş gemilerinin İstanbul'dan duyulan top sesleri, heyecanı son haddine çıkarmıştı. Bunun üzerine savaşın ikinci günü 18 Kasım sabahı 2 bini aşkın yabancı asker, gemilerden karaya çıkarak kentin kritik yerlerini kontrol altına almışlardı. Bu sıralarda Başbakan Kâmil Paşa, hükümetin Bursa'ya gitme önerilerini şiddetle reddediyor ve sultanı ile, hükümeti ile sonuna kadar İstanbul'da kalınacağını ilan ediyordu. Neyse, o gün tehlike atlatılmış ve İstanbul kurtulmuştu.

İki günlük kanlı Çatalca Savaşı sonunda Padişah Mehmet Reşat'ın Nazım Paşa'ya gönderdiği telgraf, bunca heyecandan sonra ulaşılan rahatlamayı ve sevinci yansıtmaktaydı:

(*) Genelkurmay Harp Tarihi Başkanlığı: Balkan Harbi 2. cilt, 1. kitap.

«Düşman taarruzları karşısında ordumuzun, Cenabı Hakkın yardımiyle gösterdiği metanet ve mukavemet, benimle birlikte bütün Osmanlıları mesut kılmıştır. Vatanı kurtarmak için sarfedeceğiniz gayretler, bugün düşmanın çiğnediği memleketimizi vaktiyle fethetmiş olan ecdadımızın ruhlarını da şad edecektir. Padişahın ve bütün milletin kalbi sizinle beraberdir.» (*)

Trakya'da peşpeşe gelen iki yenilgiden, hatta yenilginin de ötesinde bu felaketli kaçıştan, bu bozgunlardan sonra Çatalca'da bu beklenmez direniş herkesi şaşırtmıştı. En fazla şaşıran da Bulgarlardı. Anlaşılıyorduki Türkler ,İstanbul kapılarında toprağa tırnaklarıyla yapışmışlar, her ne olursa olsun buradan daha geriye çekilmemeye karar vermişlerdi.

Doğrusu aranırsa, Bulgarların durumu da bu sıralarda pek iyi sayılmazdı. Bir taraftan Çatalca' da çakılıp kalmışlardı. Diğer yandan kolera denen âfet orduya girmiş, askeri ciddi kayıplara uğratmaktaydı. Edirne karşısındaki General İvanof ordusu da yerinde sayıyordu. Kent hiç de açlıktan veya zordan teslim olacağa benzemiyordu. Türk askeri, kenti çevreleyen mevzilerini sağlam şekilde koruyordu. Üstelik son günlerde, istila edilen toprakların bölüşülmesinde, kendi müttefikleriyle eskiden beri varolan anlaşmazlıklar su yüzüne çıkmaya başlamıştı. Müttefiklerinden daha çevik davranarak hızla Selanik'i ele geçiren Yunan askerleriyle Bulgar askerleri arasında yer yer sürtüşmeler ve hatta bazı silahlı çatışmalar olmaktaydı.

Diğer müttefiklerine de danışarak Bulgarlar, Babıâli'nin 12 Kasım 1912'de yaptığı ateşkes çağrısına 19 Kasımda olumlu cevap verdiler. Fakat, ileri sürülen ateşkes koşulları o kadar ağırdı ki,

_____

(*) Genelkurmay Harp Tarihi Başkanlığı: Balkan Harbi 2. cilt, 1. kitap.

Kâmil Paşa Hükümeti konuşmaları sürdürüp sür-
dürmemekte tereddüde düştü.

Müttefiklerin ateşkes koşulları şöyleydi:

O güne kadar savaşta kaybedilen yerlere ila-
ve olarak, Edirne Bulgarlara, Yanya Yunanlılara,
Debre ve Draç Sırplara, İşkodra Karadağlılara
—hem de buraları savunan askerleriyle birlikte—
teslim edilecek. Çatalca Mevzii Bulgarlara terke-
dilecek, Türk Ordusu İstanbul Boğazı'nın Doğu-
suna çekilecek. Karadeniz'deki Osmanlı donanma-
sının Bulgar limanlarındaki ablukası kaldırıla-
cak. (*)

Ön koşullar çok ağırdı ama Kâmil Paşa Hü-
kümeti hemen olumsuz bir cevap vermekten çe-
kinmiş, görüşmelere başlanmasını istemişti. Bunun
üzerine Başkomutan Vekili Nazım Paşa ve Bulgar
Başkomutan Vekili General Savof başkanlığındaki
heyetlerle 26 Kasımda Çatalca'da başlayan ateş-
kes konuşmaları bir hafta sürdü. Sonunda Bulgar-
lar ve müttefikleri Sırplarla Karadağlılar ön ko-
şullardan vazgeçtiler. 3 Aralık 1912'de imzalanan
ateşkes anlaşmasına göre, tarafların ordularının
ellerinde bulunan yerler ateşkes hattı olarak ka-
bul edildi. Yani Osmanlılar ne Edirne'yi, ne İşkod-
ra'yı, ne de başka yerleri terketmeyecekler, Ça-
talca mevzilerini de boşaltıp Boğaz Doğusuna çe-
kilmeyeceklerdi. Buna karşılık Osmanlı donanma-
sı Karadeniz'deki ablukayı kaldıracak, Bulgarlar
gerek denizden, gerekse trenle Edirne'den geçe-
rek Çatalca Ordusunun yiyeceğini sağlayabilecek-
ti. Yani bir aydan fazladır kuşatma altındaki aç
Edirne savunucuları ve halkı önünden —kendile-
ri hiç bir yardım alamazken— yiyecek dolu tren-
ler geçit resmi yapacaklardı. (Nitekim ateşkesten
sonra erzak trenleri, açlık çeken Edirnelilerin ve
askerlerin gözleri önünde Bulgaristan'dan gelip
Çatalca'ya doğru peşpeşe geçip gidecek ve Bul-

(*) Genelkurmay Harp Tarihi Başkanlığı: Balkan Har-
bi 2. cilt, 1. kitap.

garlar trenden etrafa ekmek, sigara, şeker gibi şeyler atarak bunu alaylı bir gösteriye çevirecek lerdi.) /

Görüşmeleri Bulgarlar, hem kendileri hem de müttefikleri Sırp ve Karadağlılar adına da yürütmüşler, fakat Yunanlılar Bulgarlara yetki vermeyerek (Daha doğrusu onlara güvenmeyerek) toplantılara kendi heyetleriyle katılmışlardı. Sonunda Yunanlılar varılan ateşkes koşullarını da kabul etmeyecekler ve Osmanlılarla Bulgarlar, Sırplar, Karadağlılar arasında ateş kesildiği halde Osmanlı-Yunan savaşına devam edilecekti. Tuhaf, tuhaf olduğu kadar da tatsız bir durum...

Ne olursa olsun, iyi kötü bir ateşkese varılmıştı işte. 3 Aralık 1912 günü akşamı saat 19.00'dan itibaren —Yunan cephesi dışında diğer bölgelerde— silahlar susmuş, ortalığa kuşkulu bir sessizlik çökmüştü. Şimdi, ateşkes anlaşmasında varılan karara göre on gün içinde Londra'da toplanacak barış konferansı için hazırlıklara başlanmıştı.

Kitabımızda buraya kadar anlattığımız, harbin başlamasından yani 18 Ekim 1912'den ateşkesin imzalandığı 3 Aralık 1912 tarihine kadar geçen 45 günlük sürede Batı ve Doğu Trakya'da Bulgarlarla yapılan savaşı kapsamaktadır. Önemli bir askeri harekâtın yapılmadığı son onbeş günü de saymazsak, sadece bir ay gibi kısa bir zaman içinde Bulgarlar karşısındaki Türk Doğu Ordusu'nun, zarzor Çatalca'da durabilen akıl almaz bozgununun, yüzgeri edilişinin kısa öyküsüdür.

Bütün tarihi şanlı zaferlerle dolu bir ordunun, daha dün kendi yönetiminden kurtulup bağımsızlığına kavuşan bir küçük devletin yeni kurulmuş silahlı kuvvetleri karşısında uğradığı utanç verici, kahredici çözülüşü, kaçışı ve âdeta ayaklar altında ezilişidir. Ve bu şanlı geçmişin yerlerde sürünüşü, çamurlara batışı, neredeyse yok oluşudur...

Bir yönetim ki, birdenbire kavuştuğu «Meşru

tiyet» denen bir hürriyetin hazımsızlığına uğramış, dış âlemi unutarak iktidar ve muhalefeti ile birbirinin boğazına sarılmıştır. Bir dışişleri ki, küçük devletler kendi aleyhine burnunun dibinde bir sürü anlaşmalar yapar, kılıçlarını bilerken dünyadan haberi yoktur.

Bir iktidar ki, aklı erenler «Aman, seferberliği tamamlamak için biraz zaman» diye çırpınırken, damdan düşer gibi harp ilanında sakınca görmez.

Bir yüksek komuta kademesi ki, Trakya'da kimi geride toplanıp hazırlığımızı yapalım derken, kimi hududa yakın yığınak yapıp —Üstelik daha seferberliğini yeterince tamamlamadan— savunma da değil, kendisine üstün düşmana taarruza kalkışır.

Bir ordu ki, hâlâ bakımsız, hâlâ günün silahlarından yoksun, Balkanlar kaynarken —hem de genelkurmay başkanı başlarında olduğu halde— bir kısmı Yemen'de, bir kısmı Suriye'de, Trablusgarp'de ve bilmem nerelerdedir. Subayları, yok «İttihatçı'lar», yok «Halaskâr'lar» diye ikiye bölünmüştür.

Evet, daha silahlar patlamadan birbiri üstüne yığılan o denli büyük hatalar ki, kötü bir yenilgiye doğru gidildiğinin somut kanıtları olarak birbirlerini tamamlayıp dururlar.

Trakya savaşlarını baştan sona yaşayan ve tarafsız bir tanık olan Alman Binbaşı G.v. Hochwaechter, gün gün, sıcağı sıcağına tuttuğu notlardan oluşan anılarında bize bu konularda değerli bilgiler aktarır. Bu anılarda politikacıların hatalarını sıraladıktan sonra ordunun durumuna değinir:

«Komuta makamlarında bulunan paşalar, albaylar ve diğer rütbeli subaylar yeni atanmışlardı, ne karargâhlarını ne de birliklerini tanıyorlardı. Bir paşa, ertesi gün muharebeye sevkedeceği tümenini ancak o gün akşam bulabilmişti.»

«Elde yeteri kadar becerikli subay olsaydı hiçbir şeyden korkmaya gerek kalmazdı. Fakat iyi eğitilmiş bir subay kadrosuna sahip olmak için ordu henüz çok yeni idi. Yüksek komuta makamlarında da becerikli, yetişkin kimseler yoktu. Genç subaylar da bu yüksek makamlara çıkamıyordu.»

Binbaşı Hochwaechter, başlıca ulaştırma aracı olan demiryollarının durumunu da şöyle anlatır :

«Doğu demiryolları, manevra hatları bulunmakla beraber tek hattı. Yeteri kadar rampa yoktu. İstasyon musluklarında su kalmamıştı. Halkın ve kaçakların hücumu, daha sonra işleri o derece karıştırdı ki, bütün istasyonlar tıkandı ve trenlerin 50-60 kilometre yol almaları günler sürdü.»

Hochwaechter, seferberliğin çok zor koşullar altında yapılmaya çalışıldığını anlattıktan sonra sözü yine askerlere getirir :

«Kabahatin, zavallı askerleri bu koşullar altında savaşa sürenlerde olduğunu sanıyorum. Eline, kullanamadığı, nişangahını okuyamadığı bir tüfek tutuşturularak kendi vatanı saymadığı topraklarda günlerce aç ve açık oradan oraya niçin sürüklendiğini bilmeyen sıcak iklimlerden gelmiş Asya köylüsünün ruh halini düşünmek lâzım. Kendi haline bırakılmış, yırtık pırtık ayakkabılarla çamurda yürümüş, soğuk geceyi ıslak zeminde çadırsız geçirmiş, çok yorgun ve aç bir er, güneş doğunca nasıl tekrar savaşır? Bir saatlik ateş muharebesinden sonra birdenbire mermisi biter, yanındaki arkadaşında da mermi kalmamıştır. Ateş kesilir, Bulgarlar boyuna yaklaşmaktadır. Cephane sandıkları gelir, bunlar yağmurdan paslanmıştır, kazma ve kürekle açılamaz. Asker, önceki gün yararlananların halini düşünür. Ölüm korkusuna kapılır ve kendini bu korkudan kurtaramaz... Kaçar, diğerleri de onu izler... Önce sessiz sedasız, eğilerek... Sonra takip eden düşmanın ateşi altında bütün gücüyle koşarak... İşte herkesi peşinden sürükleyen panik böyle başlar. Yollar tıkanmıştır, bozuktur, dereler taşmıştır, köprüleri su alıp götürmüştür. Köyler yanmıştır ve düşman ateşi, kaçan yığınları eritmektedir. Böyle bir kaçıştan daha korkunç bir şey olamaz. İnsan hayvanlaşır ve savaş korkusu artık kontrol edilemez. Böyle bir anı yaşamış olanlar, onu asla unutamazlar.»

Hochwaechter, sonra sözü Redif (Yedek) askerlere getirir :

«Redifler geldiklerinde çoğunlukla iyi görünüyorlardı; fakat uzun yolculuktan, kötü bakımdan, açlıktan yorgun düşmüşlerdi. Aralarında körler, topallar da bulunuyordu. Abdülhamit'in tek kurşun atmamış eski askerleri.

Bunlar iki-üç gün İstanbul'da tutuluyor, sonra buraya gönderiliyordu. Bu sürülere rastlayanlar, onlardan iyi birşey beklemiyordu. Bu birliklerde hiç muvazzaf subay yoktu. Mevcut olanlar, fakir ve az maaşlı insanlardı. Bunlar, hayatta kalabilmiş olmalarına sevinen, yaşlı, cansız hayaletlerdi. Yolda erlerini toplayamaz ve onlara hiçbir söz geçiremezlerdi. Erlerin bir kısmı, yalnız ağızdan dolma tüfeği bildiğinden makanizmayı açamıyordu. Yürüyüşe de alışık değildiler.

Yaralılar, yaraları kötü sarılmış ya da hiç sarılmamış olarak şiddetli yağmur altında aç biilaç demiryoluna kadar sürüne sürüne gelmek ve İstanbul'a varıncaya kadar günlerce orada beklemek zorundaydılar. Bunun, muharebeye katılmak üzere yeni gelen birlikler üzerindeki etkisi, hiç kuşkusuz moral kırıcıydı.»

Ve arkasından, bütün bunlara karşın, harbin asıl yükünü çeken «Mehmet» hakkındaki düşüncesini şu satırlarla belirtir:

«Muharebeyi Türk askeri kaybetmedi. Sorumsuzca, hiçbir şeyin yapılmasını sağlamamış olan sorumlu makamlar kaybetti.» (*)

Evet, artık kimin kaybettiği, asıl sorumlunun kim olduğu da önemini yitirmişti. Bulgar Ordusu bir kolu İstanbul, bir kolu ile Gelibolu kapıları-

---

(*) G.v. Hochwaechter: Türklerle Cephede.

na dayanmış, diğer kolu ile Selanik ve Dimetoka arasında Ege kıyılarına ulaşmıştı. Yani şimdi Bulgar Ordusu, Karadeniz'den sonra Marmara ve Egedenizi'ne de el atmış, üç denizden gelen hava ile yorgunluğunu gidermekteydi.

Ve tarihlerin 1912 yılının Kasım ayı sonlarını gösterdiği günlerde, istila dalgaları arasında bir küçük ada gibi kalmış Edirne sayılmazsa, Batısı ve Doğusuyla Trakya, göz açıp kapayacak kadar kısa bir zamanda elden gitmişti. Bundan sonraki yapılacak barış görüşmelerinde bir kısmını olsun kurtarmak ümidini taşıyan da yoktu. Silah gücüyle kaybedilen yerlerin masa başlarında geri alınması çok zordu. Hele bu, **«Salip»**le (Haç'la) **«Hilal»** arasında ise ve kaybeden Hilal ise, hiç olacak şey değildi. Daha dün, **«Statüko değişmeyecektir»** diyenlerin, durum Osmanlılar aleyhine gelişmeye başlayınca acele ile sözlerinden dönmeleri, zaten bunu göstermekte değil miydi?

Süleyman Paşa'nın 1354'de iki sal dolusu bir bir avuç kahramanla Gelibolu kıyılarında başlayan Avrupa'daki Türk yayılması, Viyana'ya kadar ulaştıktan sonra yine başladığı yere dönmüş oluyordu. 558 yıl süren bu tarihi met ve cezir, arkasında kan ve ateş, acı ve gözyaşından başka bir şey bırakmamışa benziyordu.

17 ve 18 Kasım günlerindeki Bulgar taarruzları başarılı şekilde durdurulup geriye atıldığı halde İmparatorluk başkenti İstanbul, yönetici ve halkı ile, hâlâ kurtulmuş olduğuna inanamamış gibiydi. Bir yanda 18 Kasımda şehre çıkan yabancı donanma askerleri gece barlarda neşe ile eğlenirken, diğer yanda Trakya'daki yurtlarından kopup İstanbul'a doluşan aç ve çıplak göçmenlerin sefil görünümü tuhaf bir manzara oluşturuyordu. Pera (Beyoğlu), Rumu, Ermenisi, Yahudisi, Bulgarı, Sırbı, dokuz milletin donanma askeri, yani tüm gayrimüslimiyle gülüp oynarken; İstanbul yakası (Haliç'in karşı yakası) yani Müslüman mahalleleri ürkek bir sessizlik içindeydi.

Evet, Trakya kaybedilmişti. Türk Doğu Ordusu, hani bir ay kadar önce Edirne'den Kırklareli' ne kadar uzayan bir cephede ayakta gibi duran Abdullah Paşa kuvvetleri yenilmiş, Çanakkale ve İstanbul kıyılarına kadar gerilemişti.

İyi ama, bu arada Türk Batı Ordusu ne olmuştu?

Yani Sırplar, Yunanlılar, Karadağlılarla yapılan savaşlar ne getirip ne götürmüştü? Gerçi ilk gelen haberler iyi değildi ama, bilinmezki! Makedonya dağları ve ovalarında, Arnavutluk yaylalarında, yani Üsküp, İşkodra, Manastır, Selanik, Yanya denen uzak illerde hâl ve vaziyet neydi?..

Şimdi onu anlatmaya başlayabiliriz...

ALTINCI BÖLÜM

BATI ORDUSU VE KARADAĞLILARLA SAVAŞ

MAKEDONYA VE ARNAVUTLUK CEPHESİ

İstanbul ve Anadolu'nun bitişiğindeki Doğu Ordusu seferberliğini tamamlayamazken, oralardan yüzlerce kilometre uzakta Makedonya ve Arnavutluktaki, yani Rumeli'deki Batı Ordusu'nun seferberliğini yapabilmesinin güçlüğü ortadaydı.

Daha harp başlamamışken, Trablusgarp Savaşı sırasında Ege Denizi'nde dolaşan İtalyan donanması yüzünden Anadolu'dan Batı Ordusu'na deniz yoluyla ne asker, ne de araç gereç yollanabiliyordu. İtalyanlarla barış yapıldıktan hemen sonra başlayan Balkan Savaşı'nda ise, İtalyan donanmasının görevini bu sefer Yunan donanması almıştı. Üstün Yunan deniz gücü karşısında Ege Denizi yine Türklere kapalıydı. Batı Ordusu seferberlik için ancak kendi bölgesindeki insan ve diğer bütünleme kaynaklarına başvuracak, bir de İstanbul-Selanik-Manastır demiryolu ile Anadolu'dan ne gelebilirse onunla yetinecekti.

İşte bu nedenlerle seferberlik planının öngördüğü İzmir'den gelmesi gerekli Redif kolordusu ile birlikte sayısı 150.000'i bulan asker getirilememiş, yabancı şirketler tarafından işletilen

181

tek hatlı demiryolundan yeterince yararlanılamamıştı. Zaten bu demiryolu da, savaşın başlamasından 11 gün sonra Batı Trakya'da hızla Ege'ye inen Bulgar Rodop Grubu tarafından kesilecek ve 29 Ekim 1912'den sonra Batı Ordusu hem denizden, hem karadan anavatanla olan tüm bağlantısını kaybedecekti.

Batı Ordusu da, Doğu Ordusu gibi, seferberlikten 1.5 ay önce askerlerinden çoğunu terhis etmiş, bir kısım kuvvetlerini Yemen'e göndermiş ve bu nedenle zaten adamakıllı zayıflamıştı.

Savaştan önceki 18 günde olsun, ondan sonraki günlerde olsun yapılmaya çalışılan seferberlik, bundan önce anlatılanlar gibi, Batı Ordusu'nda da aynen yaşanmış, yani tam bir keşmekeş içinde geçmişti. Bölge halkının direnci sebebiyle Redif askerleri bir türlü tamamiyle silah altına alınamamış, alınanlar da bir türlü gereğince giydirilip silahlandırılamamıştı. O mevsimde başlayan yağmurlar altında, o araçsızlık, o haberleşme zorlukları içinde bu birlikleri savaş görev yerlerine ulaştırabilmek de ayrı bir sorun olmuştu.

Asıl sorun ise, Arnavut vatandaşlarla olan ilişkilerin tatsızlığı idi. Daha iki yıl öncesine kadar Osmanlı İmparatorluğunun Rumeli'deki en büyük desteği Müslüman Arnavutlar, artık eski dost Arnavutlar değildi. Şu son ayaklanmalardan sonra, bir anlaşmaya varılmasına ve yine onlara ayrıcalıklı bir statü verilmesine rağmen, ilişkiler bir türlü düzelmemişti. Arada sanki bazı teller kopmuş ve onlar bir türlü artık eski şekilde bağlanamamıştı. Arnavutlar, millet bilincine varmış Balkanlıların bu yağmasında kendi topraklarının da elden çıkacağı kuşkusuna kapılmışlardı. İtalyan ve Avusturya hükümetlerinin, kışkırtmaları da bitmek bilmiyordu. Gerçekten de bu ana baba gününde vatan elden gidebilirdi. Öyleyse?.. Kendine özgü toprağı, bayrağı ve milleti olan bağımsız bir Arnavutluğun kurulmasının tam zamanıydı.

Bundan önce olduğu gibi Osmanlıların Rumeli'de dayandıkları asıl asker kaynağı elden çıkmış gibiydi. Çünkü Rumeli'de 2.187.000 Müslümanın 1.500.000 gibi büyük çoğunluğunu Arnavutlar oluşturmaktaydı. İşte şimdi seferberlikte bu büyük kaynak —hiç değilse bir kısmıyle— kaybedilmişe benziyordu. Hem de gözü pek, savaşkan, cesur askerlerin oluşturduğu bir kaynak.

Seferberlik gereğince silah altına alınan Arnavutlar ya askere gelmiyorlar, yahut asker olduktan sonra silahlarıyla birlikte ve çoğu kez de topluca dağılıp gidiyorlardı. Dağılmayıp cepheye giden bazı Arnavut birliklerinin de savaş esnasında kısım kısım veya topluca birlik halinde çarpışmayı bırakıp çekildiklerini göreceğiz.

Arnavut halkı da eski dost değildi, sanki dünkü Müslüman kardeşlerine yabancılaşmıştı. Desteklemek bir yana, zaman zaman düşmanlık gösteriyor, Türk askerini dışlıyordu. Arnavutların bu tutumu, Batı Ordusu'nu daha seferberlik sırasında en önemli desteğinden yoksun kılmış, âdeta bir tarafı felçli bir adam durumuna sokmuştu. İşte bu nedenlerledir ki, bütün tarihçiler, Arnavutların darıltılması yüzünden cesaret bulan Balkanlıların savaşı başlattıklarında, savaş sırasındaki Arnavutların tutumları nedeniyle de Türk Batı Ordusu'nun yenilgisinde önemli bir ağırlıkları olduğunda birleşirler.

Vardar Ordusu Komutanı Zeki Paşa da aynı kanıdadır :

«İlk günü şanlı bir galibiyet iken, ikinci günü maddi ve manevi bilgisizlik yüzünden kirli bir yenilgiye çevrilen Kumanova muharebesiyle ordu bölgesindeki diğer muharebelerin hepsindeki felaketlerin en önemli sebeplerinden biri ve belki de birincisi Arnavutların devlet için kaybedilmiş olmalarıdır.» (*)

İşte Balkanlılarla 18-19 Ekim 1912 günlerin-

_____

(*) Genelkurmay Harp Tarihi Başkanlığı: Balkan Harbi 1. cilt.

de tüm cephelerde başlayan savaş, Batı Ordusu'nu zorluklar içinde bulmuştu. Batı Ordusu savaş başladığı gün, planlanan 419.000 asker yerine onun ancak yüzde 45'i kadarına, yani 188.000 asker sayısına ulaşmış bulunuyordu. Örneğin, plan gereğince yalnız Vardar Ordusu'na seferberlikle beraber 42.000 er gönderilmesi gerekirken ancak 1.800 er gönderilebilmişti. Yüzde beş bile değil... (*)

Batı Ordusu'nun zorluğu yalnız bununla da bitmiyordu. Doğu Ordusu Trakya gibi dar bir cephede ve yalnız bir düşmana karşı döğüşmekteydi. Halbuki onun savaş bölgesi, Makedonya ve Arnavutluğu kapsayan çok geniş bir alandı ve Sırp, Yunan, Karadağ, hatta bir kısım Bulgar olmak üzere değişik karakterde tüm Balkan ordularına karşı yapılacaktı. Ve hepsinden de önemlisi ters cepheli bir savaş yapmak zorundaydı: Kuzeyde Karadağ, Sırp ve Bulgarlarla; Güneyde Yunanlılarla. Yani önünde düşman, arkasında düşman vardı.

Seferberliğin ilanından sonra Batı Ordusu komutanlığına atanan Ali Rıza Paşa İstanbul'dan hareketle 8 Ekim günü Selanik'e ulaştığında, Karadağ'ın harp ilanı ile karşılaşmıştı. Yani, diğer Balkanlılarla barış içindeyken Batı Ordusu bir bölgede savaşa tutuşmuştu bile. Öbür devletlerin harp açıp açmayacakları belli değildi. Ama Batı Ordusu, yine de tüm olasılıkları dikkate almak zorundaydı.

8 Ekim günü Ali Rıza Paşa'nın yayınladığı ilk emir şöyle başlıyordu :

«Bugün Selanik'e gelinmiş, Rumeli Batı Ordusu Karargâhı teşkil edilmiş ve Tanrı'nın yardımına dayanılarak görevin gerektirdiği işlerin yapılmasına başlanmıştır.

Küçük Balkanlı devletlerin son zamanlarda

(*) Genelkurmay Harp Tarihi Başkanlığı: Balkan Harbi 3. cilt 1. kısım.

başladıkları düşmanca hareketler, bugün Karadağın harp ilan etmesiyle kendini göstermiştir. Bu nedenle, her kıta üzerine düşen görevi yapmak için çaba harcayarak yurtseverliğini göstermekte birbiriyle yarışmalı ve bu suretle anavatana karşı borçlu olduğu hizmeti şerefle yerine getirmelidir. (*)

Türk Genelkurmayının harekât planına göre, ters cephelerde savaşmanın sakıncasını ortadan kaldırmak için, Batı ordusu ilkin Kuzeyde Sırplara taarruz edecek, onları ezdikten sonra Güneye Yunan kuvvetlerine dönecekti. Bunun için başlangıçta kuvvetlerin çoğu Sırp cephesindeki Vardar Ordusunda toplanmıştı. Sırplara taarruz edilirken Yunan, Karadağ ve Ustruma cephesinde Bulgarlara karşı savunmada kalınacaktı.

Hesaplar, seferberliğin 15-20 gün içinde tamamlanacağına göre yapılmış, Batı Ordusu'nun 419.000 kişilik bir güce erişerek Sırp Ordusuna karşı bir üstünlük sağlayacağı varsayılmıştı. Ama hesaplar uymamış ve seferberliğin 18. günü başlayan savaş, Batı Ordusu'nu ancak yarı kuvvete ulaşmış bir halde bulmuştu. Üstelik bu yarı kuvvetteki askerin, seferberlik denen karmaşa içinde ya silahı, ya cephanesi, ya gereci eksikti. Hatta karnı bile tam doymuyordu, kılık kıyafeti tamam değildi. Sonra, komutanı bir yerden, birliği başka yerden gelip birbirlerini bulamamışlar bile vardı. Örneğin Karadağ Cephesi Komutanlığına atanan ihtiyar Mahmut Hayret Paşa, İstanbul'da yeni evlendiği için bir hafta izin almış ve cepheye hareketinden önce Karadağ Savaşı başlamıştı. (**)

Batı Ordusu Komutanı Ali Rıza Paşa'nın ise, Karadağ'da silahların patladığı gün, yani asıl Balkan Savaşı'nın başlamasından ancak 10 gün önce

---

(*) Genelkurmay Harp Tarihi Başkanlığı: Balkan Harbi 3. cilt 1. kısım.
(**) Fahri Belen: 1912-1913 Balkan Savaşı.

8 Ekim 1912'de Selanik'e gelerek göreve başladığını biliyoruz.

Kurmay yüzbaşı olarak bu savaşlara katılmış olan Mehmet Nihat, seferberliğin durumunu ve perişanlığını kitabında şu yalın sözlerle belirtir:

«Gerçi kâğıt üzerinde, hem de seferberliğin 14. gününde gerek Doğu Trakya, gerek Makedonya sınırlarının hepsinde ve muhakkak düşman ordularından üstün ordular yer almış görünüyordu. Bunun için mesela Rumeli demiryolunun günde 19 tren işleteceği, her iskelede her anda yığılan birlikleri ve saireyi taşımaya yeter vapur bulunacağı, mesela Erzurum'daki bir tümenin 14 gün içinde ve dörtbaşı mamur bir şekilde Trakya'da Lüleburgaz'a gelmiş olacağı hesaplanıyordu.

Halbuki hiçbir gerçek hesaba dayanmayan ve bütün bunların yapılması için de hiçbir tedbir alınmayan, hiçbir şey yapılmamış olan, her türlü zaman ve mekân (yer) kaydının dışındaki bu fikirler gerçek diye kabul edilmişti. Hazırlıklar hep esassız zan ve tahminlere dayandırılmıştı. Halbuki seferberlik için hesaplanan 14 günde, yapılan hesapların ancak dörtte birinin yapıldığını görmek felaketi ile karşılaşılmıştı.» (*)

KARADAĞLILARLA SAVAŞ

Ağustos 1912'de Bulgaristanla anlaşarak Balkan ittifakına katılan küçük Karadağ, plan gereği Osmanlı Batı Ordusu'nun bir kısmını üzerine çekmek için diğer Balkanlılardan 10 gün önce, 8 Ekim 1912'de Osmanlılara harp ilan etti.

Karadağ Kralı Nikola, harbin ilk günü başkent Çetine'deki saray balkonundan meydana top-

---

(*) Şevket Süreyya Aydemir: Makedonya'dan Orta Asya'ya Enver Paşa 2. cilt.

lanmış, sevinçten coşmuş kalabalığa şöyle sesleniyordu :

«Eski Sırbistan'daki mazlum kardeşlerimizden yükselen acı feryatlara daha uzun süre dayanamayız. Vatan sevgisi onların yardımına koşmamızı emrediyor bize. Yurtları Asyalıların saldırısına uğradığından beri, bütün Balkan halkları bu ittifakın gerçekleşmesini bekliyorlardı. Bu ittifakı ben de hep arzu etmişimdir.

Sırbistan, Bulgaristan ve Yunanistan halkları bu kutsal girişimde bizlerle birliktirler.»

Karadağ Ordusu 40.000 kişiyi ancak bulmaktaydı. Karşısındaki Türk Ordusu, harbin başlamasıyla birlikte hızla arttırıldı ve 48.000 kişiye yükseldi. Bu, bir bakıma Balkanlı ülkelerin isteğine uygundu. Ve gerçekten de bir kısım Türk kuvvetlerinin bu cepheye kaydırılması, asıl savaşların yapılacağı Sırp ve Yunan cephelerinin zayıf kalmasına yol açmıştı.

Türk Ordusu, Karadağlılara karşı Güneyde İşkodra Kolordusu, Kuzeyde Yeni Pazar girintisinde İpek Müfrezesi olarak düzenlenmişti.

Karadağ Ordusu hazırlıklarını daha önceden tamamladığından harbin ilanı ile birlikte üç kol halinde hududu geçerek hızla ilerlemeye başladı.

Kuzey kol, İpek Müfrezesi ile çarpışarak Berena ve İpek kentine doğru yürüdü. Cavit Paşa komutasındaki 23.000 kişilik İpek Müfrezesi ve daha Kuzeyde Bahtiyar Paşa komutasındaki 10.000 kişilik Türk kuvvetleri henüz harekete geçemeden baskına uğramışlardı. Birliklerdeki Arnavut gönüllüleri dağılıyor, Boşnak'lar da «Devlet bizi sattı» propagandası altında döğüşmek istemiyorlardı. Bölgedeki Melisor (Hıristiyan Arnavut)lar da silahlanmışlar, Karadağ Ordusunun yanında Türklere karşı savaşmaya başlamışlardı.

Cavit Paşa ile Bahtiyar Paşa kuvvetleri, 10 gün sonra asıl Balkan Savaşı'nın başlamasıyla büs-

TÜRK - KARADAĞ SAVAŞI VE SIRP, YUNAN YIĞINAĞI (8 Ekim 1912)

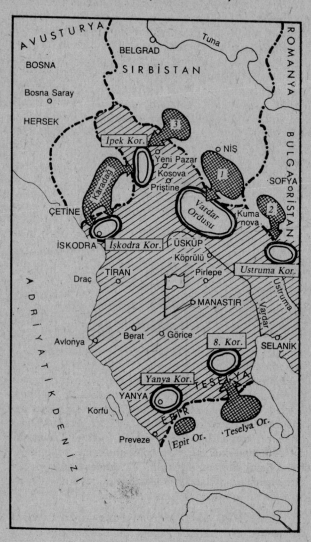

bütün zor duruma düştüler. Çünkü Üçüncü Sırp Ordusu'nun bir kısım kuvveti bu sefer arkadan ilerlemeye başlamıştı. Cavit Paşa kuvvetleri İpek Savaşı'nı kaybederek güneye doğru Vardar Ordusu üzerine çekilmiş, Bahtiyar Paşa kuvvetleri dağılıp gitmişti.

İpek'in 30 Ekimde Karadağlıların eline geçişi tüm Islav'larda büyük bir sevinç yaratmış ve her taraftan Kral Nikola'ya tebrik telgrafları yağmaya başlamıştı. İpek kenti eskiden beri, tarihi manastırları ile bir din ve kültür merkezi olarak, Islav'lar için kutsal bir kentti. Karadağlılardan bir gün sonra Sırp Ordusu da Doğudan gelerek kente girdi. 31 Ekim 1912 günü iki taraf askerleri coşku ile kucaklaştılar. (*)

Kuzeyde dağılan Bahtiyar Paşa kuvvetlerinden bir kısmı Karadağ ve Sırp Ordularına teslim olmuş, bir kısmı da (1.500 kişi), Saray Bosna'ya girerek Avusturyalılara iltica etmişti. Bunların başındaki komutan, Avusturyalılara, harbin ilanını ancak 36 saat sonra öğrenebildiğini söylemekteydi.

Karadağ Ordusunun kuzey kolu bu başarıları sağladığı sıralarda, diğer iki kolu da, İşkodra Gölü'nün iki tarafından İşkodra kentine doğru ilerliyordu. İşkodra'nın 30.000'i bulan nüfusunun 20.000'i müslümandı. Burayı hem Arnavutlar, hem de Karadağlılar kendi başkentleri olarak görüyorlardı. Şehir, evvelden beri Türkler tarafından tahkimli bir kale haline getirilmişti. Büyük kuvvetleriyle İşkodra'da bulunan Hasan Rıza Paşa komutasındaki kolordu 15.000 kişilikti. **«Bu orduda İstanbul nizamiyesi de vardı, Arnavut başıbozuk da, Asya'lı redif de, Afrika'lı zenci de. Asıl nizamiye ordusu 6.000 kişiydi. Çoğunluk Arnavut olan gönüllüler ve Esat Paşa'nın şehre sokmuş olduğu**

(*) Karadağ, şimdi Yugoslavya'yı oluşturan 6 federal devletten biridir.

yerli **Arnavut birlikleri, savaş sırasında giderek artarak 20.000'i bulacaktı.»**

20 Ekimde, yani Balkan harbinin başladığı günlerde, Karadağ kuvvetleri İşkodra kalesini kuşatmış bulunuyorlardı. Kuzeyde savaşı bitiren Karadağ kuvvetlerinden bir kısmı da İşkodra'ya gelmekteydiler.

Karadağ harbinin 18. günü 25 Ekimde bir Karadağ heyeti, kuşatılan İşkodra kalesi komutanı Hasan Rıza Paşa'ya, Karadağ kralı adına teslim olma önerisinde bulundular:

«Mukavemetiniz hayranlık uyandırıyor. Fakat gayretleriniz faydasızdır. Açlığa ve iklimin sertliğine dayanamazsınız. Teslim olun. Kırkkilise (Kırklareli) ve Kumanova'daki kardeşleriniz de teslim oldular.»

Buna Hasan Rıza Paşa'nın yanıtı şöyleydi:

«Bu kalede sahip benim. Ben sağ kaldıkça da kale teslim olmayacaktır.» (*)

Nitekim Karadağ kuvvetlerinin hemen hemen tümü ve daha sonra yardıma gelen Sırp kuvvetlerinin bütün gayretleri boşa gidecek ve bütün taarruzlar bir sonuç vermeyecekti. 3 Aralık 1912'de Çatalca'da Karadağ, Sırp ve Bulgarlarla ateşkes imzalandığında 40.000'nin üzerindeki Karadağ Ordusu ve 15.000 kişilik Sırp kuvveti kar ve çamur içinde İşkodra önlerinde hâlâ inatçı savunucularla boğuşup durmaktaydı. Karadağlılarla savaşın üzerinden hemen hemen 2 aya yakın bir zaman geçmişti. Buna rağmen İşkodra Türk kuvvetleri direniyor ve teslim olmuyordu. Diğer cephelerdeki onca yenilgilere rağmen savunucuların azmi bir türlü kırılamamıştı.

30 Ekimde İpek'in düşmesi ve Türk İpek Müfrezesinin iki düşman arasında kalarak dağılmasından sonra Karadağlılarla olan savaş, Türk Batı Ordusu için kaybedilmiş demekti. Üstelik, asıl

---

(*) Aram Andonyan: Balkan Harbi Tarihi.

Sırp orduları karşısındaki Türk Batı Ordusu'na bağlı Vardar Ordusu, İpek'in daha Karadağlıların eline geçmesinden 5 gün önce Kumanova Savaşı'nı kaybetmiş ve Güneye doğru çekilmeye başlamıştı. Yani yalnız Karadağ cephesinde değil, hemen yanıbaşlarındaki Sırp cephesinde de Türk orduları yenilmiş ve Makedonya ile Arnavutluğun kuzeyi şimdiden Karadağ ve Sırplıların eline geçmişti.

Ama Karadağ Ordusunun kuzey Arnavutluğu istilası ve dolayısiyle Adriyatik sahilinde bazı kentleri ele geçirmesi, Avusturya ve İtalya hükümetlerini de ayağa kaldırmıştı. İki devlet de Rus yanlısı Islavların Adriyatik sahillerine inmesini kendi yararlarına aykırı buluyor, kendi yanlıları Arnavutluğa bağımsızlık verilmesini istiyorlardı. Rusya ise Karadağlılardan yanaydı. Evvelden beri Balkanlarda gizli veya açık savaşan Germen - Islav ırkları bir defa daha karşı karşıya gelmişlerdi. Şimdi işin içinde bir de İtalya vardı. Balkan Savaşı'nın bir dünya savaşına sebep olacağı endişesi, Avrupa'daki tansiyonu yeniden yükseltmişti. Bir yanda Almanya, diğer yanda İngiltere ve Fransa arayı bulma telâşındaydılar.

Ve bu sıralarda Osmanlı Karadağ harbinden 10 gün sonra başlayan asıl Balkan Savaşı, Karadeniz ve Ege'den Adriyatik kıyılarına kadar yüzlerce kilometre karelik geniş bir alanda bütün hızı ile sürmekteydi. Bir yanda Bulgar, Sırp, Yunan Orduları, diğer yanda Türk orduları kan ve ateş arasında döğüşüp durmaktaydılar. Daha doğrusu, koca Osmanlı İmparatorluk ordularının küçük Karadağ kuvvetleri karşısında uğradığı yenilgi, daha büyük ve daha kanlı olarak diğer cephelerde de tekrarlanmaktaydı.

Böyle bir durumu beklemeyen Avrupalıların gözleri hayretle açılmıştı. Doğrusu bu denli kısa bir sürede ve bu denli büyük bir yenilgiyi hiç kimse tahmin edememişti.

Evet, bu facia, Trakya'da olduğu gibi Makedonya'da, Teselya'da, Epir'de, daha doğrusu bütün hudutlarda birbirini takip ederek ve sanki birbirlerini sürükleyerek kanlı bir dram halinde sürüp durmaktaydı. Balkan savaş alanları top, tüfek sesleriyle inlemekte ve yağmur çamur içindeki Rumeli topraklarında, görmeyenlerin tahmin edemeyecekleri bir facia yaşanmaktaydı.

YEDİNCİ BÖLÜM

BATI ORDUSU VE SIRPLARLA SAVAŞ

KUMANOVA SAVAŞI
(23-24 Ekim 1912)

Sırp Ordusu, Bulgar Ordusundan sonra en güçlü orduydu ve harp ilan edildiğinde seferberliğini bitirmiş, 182.000'i bulan askeri ile harekete hazırdı. Dış ülkelerdeki Sırplar da askere yazılmak üzere memleketlerine koşuyor, Avrupalı ve özellikle Rus gönüllüler de yardıma geliyordu. Hatta yalnız o kadar da değil, Rumeli'deki Osmanlı vatandaşı Sırplar da gizlice kaçarak Sırp Ordusu saflarına katılıyorlardı. Daha şimdiden bunlardan 8.500 kişilik bir gönüllü birliği bile oluşturulmuştu.

Savaş ilanı, Sırplılarda da büyük coşku ile karşılanmıştı.

Kral Petar yayınladığı bildiride: «Kardeşlerimiz için özgürlük ve daha iyi bir yaşantı, Sırbistan Krallığı için de daha iyi bir gelişme sağlamak üzere kahraman orduma kutsal savaşa başlamasını emrettim. Müttefiklerimizin kahraman orduları da bizimle beraber düşmana doğru yürüyorlar. Yüzyıllar boyunca aynı acıları çektiğimizden, hepimizin menfaati birdir. Ordum, kurtaracağı yerlerde ıHristiyan Sırplardan başka, Müslüman Sırplar ve Hıristiyan veya Müslüman Arnavutlar da bulacak. Mutlulukta da acıda da hemen her zaman onlarla ortak olmuşuzdur. Biz hepsine aynı özgürlüğü, aynı kardeşliği ve eşitliği götürüyoruz.» diyordu.

Ve 18 Ekim 1912'de, yani harbin ilk günü Sırp Orduları büyük bir coşku ile —diğer müttefikleri Bulgar ve Yunan Orduları gibi— Osmanlı hududunu aşarak üç kol halinde ilerlemeye başladılar.

Sırplar General Yankoviç komutasındaki Üçüncü Ordu'larıyla hem Karadağlılara yardım edecekler, hem de Priştine üzerinden Türk kuvvetlerinin batı cephesine taarruz edeceklerdi.

İkinci Ordu ise, Bulgar topraklarında ve çoğunluğu Sırp olmak üzere Sırp - Bulgar karışımı bir ordu halinde toplanmıştı. General Stepanoviç komutasındaki bu ordu, asıl kuvvetleriyle Türklerin Doğu kanadına taarruz edecek, bir kısım kuvvetiyle de Türk Ustruma Kolordusu'nu atarak Selanik ve Serez doğrultusunda ilerleyecek ve Ege sahiline inecekti.

Türk Batı Ordusu'na asıl darbeyi veliaht Aleksandr komutasındaki Birinci Ordu vuracaktı. Diğerlerinden daha kuvvetli olan 100.000 kişilik bu ordu ortada bulunuyordu ve Türk Vardar Ordusu'na cepheden taarruzla Kumanova'yı ele geçirecekti.

Türk Batı Ordusu ise, Kumanova dolaylarına, kuvvetlerinin en güçlüsü olan Vardar Ordusu'nu topluyordu. Plan gereğince bu kuvvetli ordu ile ilkin Sırp kuvvetlerine taarruzla onlar ezilecek, sonra geriye dönülerek Yunan kuvvetleri üzerine yürünecekti.

Halbuki harp ilan edildiği gün, Türk Batı Ordusu seferberliğini tamamlayamamış, 188.000'e varan kuvvetleriyle sefer gücünün ancak yarısına ulaşabilmişti. Üstelik, Sırplara taarruzu öngörülen Vardar Ordusu sefer görev yerlerine de varamamıştı ve büyük kısmı ile henüz yollardaydı. Vardar Ordusu Komutanı Halepli Zeki Paşa da ka-

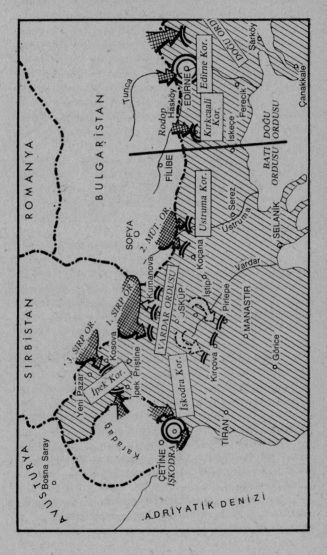

rargâhı ile birlikte yürüyüşteydi ve henüz birliklerini bile doğru dürüst tanıyamamıştı. Vardar Ordusu'nu oluşturan üç kolordu birbiri peşisıra hem Kumanova doğrultusunda ilerliyorlar, hem de bir kördöğüşü halini alan seferberliklerini tamamlamaya çalışıyorlardı. Herşey karışıktı ve devamlı yağan yağmur bu karışıklığı daha da arttırıyordu. Askere çağrılmış erler birliklerini bulamıyor, birlikler gidecekleri yerleri şaşırıyor, gürültü ve patırdı içinde gayesiz bir koşuşturma sürüp gidiyordu. Daha çarpışmalar başlamadığı halde, menzil örgütünün düzensizliği yüzünden, şimdiden açlık çekilmeye başlanmıştı.

Vardar Ordusu'nun Sırp hududuna doğru bu yürüyüşü, dinç bir ordunun savaşmak üzere düşmana doğru ilerleyişi değil de, sanki savaşta yenilip dağılmış bir ordunun düzensiz bir halde çekilişine benziyordu. Yani, Vardar Ordusu, daha savaşa giderken savaşı kaybetmiş gibiydi.

Bununla beraber harp ilanından iki gün sonra (*) 20 Ekimde Vardar Ordusu'nun en ilerideki 7. Kolordusu, Kumanova Kuzeyinde mevzilerine yerleşmişti. 22 Ekim akşamı 5. ve 6. Kolordular da Kumanova dolaylarına ulaşmışlardı. Batı Ordusu Komutanı Ali Rıza Paşa, bunca zor koşullara rağmen gene de taarruz kararından vazgeçmiş değildi. Halbuki bu arada iki tümenin Doğudan ilerleyen İkinci Sırp Ordusu'nu karşılamak üzere o cepheye sürülmesi, bir tümenin de Yunan tehlikesine karşı Manastır'da bırakılması sebebiyle Vardar Ordusu daha da zayıflatılmıştı. Hiç olmazsa İkinci ve Üçüncü Sırp orduları daha uzaktayken Kumanova önlerinde yalnız kalan Birinci Sırp Ordusu'na taarruz edilebilseydi o da bir başarı vadederdi. Ama plan uygulanamamış ve enaz iki gün kaybedilmişti. Bu durumda 65.000 kişi kalan Vardar

---

(*) Osmanlı devleti Sırplara 16 Ekim'de, Sırbistan ise Osmanlılara 20 Ekim'de harp ilan etmişti ama savaş, 18 Ekimde başlamıştı.

Ordusu ile 100.000 kişilik Birinci Sırp Ordusu'na taarruz etmek hiç de doğru değildi.

Fakat Batı Ordusu Komutanı Ali Rıza Paşa, herşeye karşın taarruz kararını geri almadı: Vardar Ordusu, diğer kuvvetlerin önünde ve uzakta yalnız başına kalmış Veliaht Aleksandr'ın ordusuna taarruz edecekti. Vardar Ordu Komutanı Zeki Paşa ise tereddüt içindeydi. Buna karşılık yapabileceği başka birşey de yoktu. Bağlı bulunduğu komutanın emrine uydu ve ordusuna 23 Ekim günü sabahı, Sırp Birinci Ordusu'na taarruz etmesini emretti.

Savaş alanına yanaşmakta olan birliklerin gecikmesi nedeniyle taarruz ancak öğleden sonra başlayabildi. Solda Fethi Paşa komutasında 7. Kolordu, ortada Cavit Paşa komutasındaki 6. Kolordu ,sağda Sait Paşa komutasındaki 5. Kolordu birlikleri, yorgunluklarına rağmen hayret uyandıran bir gayretle Sırp ordusu üzerine atıldılar. 500 yıl önce Sultan 1. Murat'ın Sırp egemenliğine son verdiği Kosova Ovası'nda yine iki ordu karşı karşıya gelmiş ve aralarında zorlu ve kanlı bir savaş başlamıştı.

Türk Ordusuna karşı ilerleyen Sırplar neye uğradıklarını şaşırmışlardı. Veliaht Aleksandr'ın iki tümeni gerilerdeydi. Komşu İkinci ve Üçüncü Ordularının savaş alanına yetişmeleri için ise en az iki günlük bir zaman lâzımdı. Veliaht'ın ordusu, bu beklenmeyen Türk taarruzu karşısında hiç de iyi durumda savılmazdı doğrusu. Aleksandr gerçi karşısındaki Vardar Ordusu'ndan daha kuvvetliydi ama bunu kendisi de bilmiyor, üstelik şaşırtıcı bu saldırı karşısında ezileceği korkusuna kapılıyordu.

Havanın sisli olmasına ve şiddetli bir yağmur başlamasına rağmen Türk cephe tümenleri hücumlarını sürdürdüler, fakat karanlık Sırp Ordusunun imdadına yetişti. Ertesi gün iki taraf arasında savaş yine bütün şiddetiyle başladı. Ama bugün Sırplar biraz kendilerini toplamışlar ve yer yer karşı taarruzlara başlamışlardı. İşte bu ikinci gün savaşının en kritik zamanında, 7. Kolordu'nun cephesindeki bir boşluk, savaşın kaderini belirledi. Bu boşluk, Üsküp Redif Tümeni'nin bölgesiydi. Ve şimdi insana olmazmış gibi gelir ama, çoğunluğunu Arnavutların oluşturduğu Üsküp Tümeni askerleri şiddetli yağmurdan korunmak için savaş durduktan sonra dün gece mevzilerini kendiliklerinden terketmişler, yakın köylere ve hatta Kumanova şehrine dağılmışlardı. Evet, sadece yağmurdan korunmak için koca bir tümen, cephesini boşaltmış ve gerideki evlere, birer dam altına gitmişti. Ertesi sabah komutanları tarafından birliklerin toplanması ve mevzilerine sevkedilmesi gecikmiş, bu boşluğu farkeden Sırplar öğleye doğru buradan girerek ilerlemeye koyulmuşlardı. Bu durum komşu birlikleri tehlikeye düşürdüğünden onlar da durmuş ve bazıları çekilmeye başlamışlardı. Yani dün ve bugün ilerleyen 7. Kolordu şimdi birden sarsılmış, duraklamış ve bir kısmı ile de çekilmeye başlamıştı. Halbuki aynı saatlerde sağındaki 6. ve 5. Kolordular başarılı şekilde ilerlemekteydiler.

Vardar Ordusu Komutanı Zeki Paşa'nın elinde bu boşluğu tıkayacak bir ihtiyat da yoktu. Ordunun Doğu kanadından Sırp İkinci Ordusu da hızla cepheye doğru sokulmaktaydı, ertesi gün ordu daha güç durumda kalabilirdi. Cephedeki 7. Kolordu'da çekilme belirtileri gittikçe ve süratle artmaktaydı. Bunun üzerine Zeki Paşa, öğleden sonra taarruzu durdurmak ve o gece çekilmek kararına vardı.

«Yetmişlik bir subayın hatıratı» adlı eserinde Rahmi (Apak) bu konuda şunları yazar:

«Kumanova ilerisinde Sırplarla ilk temas yapıldığı zaman, ilk çatışmada kuvvetli darbeler vurulmuştu. Akşama kadar muharebenin gidişi lehimize görünüyordu. Gece basınca bazı tümen komutanları ve komutanlar, muharebe sahasını terkederek Kumanova kasabasına rahat etmeye git-

198

tiler! Hatta bazı tümen komutanları, kendilerine tebliğ edilen paşalık rütbesinin alâmetlerini diktirmek için gece yarısı terzileri çağırtmışlardı. Redif alayı ve tümenleri ise, daha o gece dağılmışlardı.» (*)

Ordu Komutanının çekilme emrinden az sonra cephedeki bütün birlikler, akşamı beklemeden çekilmeye başladılar. Ve ne hikmettir bilinmez, bu çekilme kısa bir süre sonra bir kaçış, bir panik, bir bozgun halini aldı. Bozguna sebep olan Üsküp Redif Tümeni'nden sonra komşu 6. Kolordu'nun diğer Redifleri, yani yine Arnavutlardan oluşan Manastır Redif Tümeni de yüzgeri etmiş kaçıyordu. Bu durum kısa zamanda diğer birliklere de yayıldı ve bir paniktir başladı.

Vardar Ordusu, sanki Doğu Ordusu'nu aynen taklit etmekteydi. Çünkü Trakya'daki Doğu Ordusu, bir gün önce 23 Ekimde Bulgarlarla yaptığı Kırklareli Savaşı'nı kaybetmiş ve bugün karmakarışık bir halde Lüleburgaz hattına doğru kaçmaktaydı. Aynı çözülüş, aynı bozgun, hatta yağmur ve çamuruna kadar aynı güçlük sanki iki ordunun da ortak kaderiymişçesine birbirine tam bir benzerlik halindeydi. İki ordu da, daha doğru dürüst seferberliklerini tamamlayamadan kendilerinden üstün ordulara karşı aceleyle taarruza kalkışmış, fakat doğru dürüst bir savaş bile yapmadan bir-iki günde yüzgeri ederek kaçmaya başlamışlardı.

Hem de ne kaçış?!.

Bir gün önce Doğu Ordusu'nun Kırklareli'nde yaptığını, birgün sonra ondan yüzlerce kilometre uzakta Batı Ordusu'nun en güçlü birliği olan Vardar Ordusu Kumanova önlerinde aynen taklit ediyordu. Dün bu saatlerde Sırplara karşı coşkulu bir taarruza başlayan bu Vardar Ordusu askerleri, sanki aynı asker değildi. Yarbay Hafız

---

(*) Şevket Süreyya Aydemir: Makedonya'dan Orta Asya'ya Enver Paşa 2. cilt.

Hakkı'nın da yazdığı gibi, bozgun aniden, hatta hiç beklenmeyen bir zamanda gelmiş ve salgın bir hastalık, bir fırtına gibi göz açıp kapayıncaya kadar kısa bir zamanda tüm orduya yayılmıştı.

«Ricat (çekilme) borusunu duyar duymaz, askerler korkunç bağrışmalarla kaçmaya başladılar. Panik bütün orduya yayıldı. Ne nizam kaldı, ne disiplin. Subaylar, çılgına dönmüş erleri durdurmak ve ordunun genel çekilmesini bir düzene sokmak için yalvarıp yakarıyorlardı, ama nafile... Kaçanların çığlıkları bütün sesleri bastırıyordu. Birkaç dakika sonra, tüm ordu kaçıyordu. Patırdıyla... Silah, cephane, top, ne varsa muharebe meydanında bırakılıyordu. Bir çokları, topların beygirlerini çözüp sırtlarına atlayarak kaçıyorlardı. Geride kalanlar ise, beyaz bayrak çekerek teslim oluyorlardı.» (*)

Harbin ilanından hemen 5-6 gün sonra Doğu'da ve Batı'da Osmanlı ordularının peşpeşe bu yenilgileri, savaşın kaderini aşağı yukarı belirlemiş gibiydi. Bundan sonra İmparatorluk kuvvetleri artık bir daha belini doğrultamayacak ve çok değil bir ay sonra ateş kesilmesini istemekten başka çare bulamayacaktı.

Ve işte böylece, 24 Ekim akşamı, şiddetli bir yağmur altında Vardar Ordusu askerleri karmakarışık çekilmekte değil, kaçmaktaydı. Birlikler birbirine karışmış, emir ve komuta bütünüyle kaybolmuştu.

Bozgun başladıktan birkaç saat sonra cephenin 5 kilometre gerisindeki Kumanova kenti bir mahşer yerine dönmüştü. Bir görgü tanığı o günün akşamında Kumanova tren istasyonunun halini şöyle anlatmaktaydı :

«Özellikle yaralı vagonlarına yapılan saldırı hazin bir manzara arz ediyordu. Kaçan askerler yaralıları zorla vagonlardan çıkarıp atıyorlar, onların yerine kendileri giriyorlardı. Zavallılar ayak-

---

(*) Aram Andonyan: Balkan Harbi Tarihi.

lar altında kalıyor, merhametsizce eziliyorlardı. Feryatlarını dinleyen bile yoktu. Ve fakat hiç kimse hareket edemiyordu. Katarları düzene koyacak, yola çıkaracak kimse yoktu.

Sırplar istasyonun karşısındaki tepeler üzerinde görününce, bu acıklı manzara daha da feci hale gelmişti. Ne yapacağını bilemeyen bu insan sürüleri tüfek ateşi altında kırılmış ve kaçmaya başmıştı. Tarifi imkânsız bir velvele içinde, kadın ve çocukları çiğneyerek, yanlarında bulunan bütün eşyaları —silah, cephane, yiyecek, elbise, v.b.— Kumanova-Üsküp yoluna saça saça kaçıyor, kaçıyorlardı.» (*)

Bu mahşeri andıran kaçışın ertesi günü, 25 Ekim 1912 sabahı, Sırp ordusu Kumanova'ya girdi. Tren istasyonunda terkedilmiş 10 vagon yaralı Türk askeri Sırplar tarafından esir edildi. Kentte bunlar olurken «O sırada Sırp gönüllülerle çeteler, civardaki İslam köylerini talan etmekle ve buldukları Müslümanları öldürmekle meşguldüler.»

Trakya Türkleri gibi Makedonya sivil Türk halkı da, ordunun bu beklenmez bozgunu karşısında paniğe kapılmış, onlar da kaçmaya başlamışlardı. Ama, nereye?.. Onların Trakya Türkleri gibi canlarını kurtarabilecekleri gerilerinde bir İstanbul veya bir Anadolu yoktu. Dört bir yanları düşmanla çevriliydi... Ama, ümit işte; belki bir yerde bozgun durur ve onlar da güvene kavuşurlardı...

Kumanova Savaşı ancak iki gün sürmüş ve Vardar Ordusu düşman etkisinden çok kendi kendine dağılması yüzünden savaşı kaybetmişti. Vardar Ordusu'nun kaybı 4.500 kişiydi. Yani önemli değildi. Ama, birliklerin çözülmesi, emir komutanın kaybolması önemliydi. Ayrıca, Arnavutlardan oluşan Redif tümenleri aşağı yukarı elden çıkmış, Arnavutlar ve Boşnak erleri köylerine kaçmışlar-

_____

(*) Aram Andonyan: Balkan Harbi tarihi.

dı. Bu çekilişte Vardar Ordusu, ağır silah ve araçlarını ve 120 toptan 80'nini düşmana terketmişti. Sırpların kaybı da 4.595'i bulmaktaydı. (*)

Trakya'daki Doğu Ordusu'nun Kırklareli Savaşı'nı kaybettiğinin ertesi günü 24 Ekimde Başkomutan Vekili Nazım Paşa, Batı Ordusu'na gönderdiği telgrafta Batı Ordusu'ndan hem taarruzunu sürdürmesini, hem de Sofya doğrultusunda ilerleyerek Doğu Ordusu'nu da sıkışıklıktan kurtarmasını istemekteydi Başkomutan Vekilinin, Vardar Ordusu'nun bir gün önceki başarılı taarruzunun bugün bir bozguna dönüştüğünden haberi yoktu:

«Doğu Ordusu, Kırklareli ile Tunca arasından ilerleyen düşman (Bulgar) ordusu asıl kuvvetleriyle sonu bilinmeyen kesin bir muharebeye girmektense, Lüleburgaz-Pınarhisar genel istikametinde çekilmeye ve Anadolu'dan parça parça gönderilmekte olan kuvvetlerle takviye edildikten sonra düşmanın üzerine her yönden olduğu gibi Edirne müstahkem mevkiinden de şiddetle taarruz etmeye karar vermiştir. Şu halde, yakında demiryolunun kesilmesi nedeniyle Batı Ordusu ile Hükümet Merkezi arasında ulaşım yapılamaması düşünülebilir. Bizce Batı Ordusu'nun şimdiye kadar bilinen şecaat ve kahramanlığından beklenen şey, Selanik'i korumakla beraber, dün geriye atmayı başardığı Sırp Ordusunu tamamiyle yendikten ve yok ettikten sonra, Vardar Ordusu ve eli altında mevcut bütün kuvvetlerle Dubniçe-Köstendil hattına doğru (Sofya güneyinde) şiddet ve metanetle ilerlemesi ve Doğu Ordusu'nun Trakya'da yapacağı harekâtı kolaylaştırmaya çalışmasıdır.» (**)

Batı Ordusu Komutanı Ali Rıza Paşa, Sırp

(*) Genelkurmay Harp Tarihi Başkanlığı: Balkan Harbi 3. cilt 1. kısım.

(**) Genelkurmay Harp Tarihi Başkanlığı: Balkan Harbi 3. cilt 1. kısım.

cephesinde uğradığı şu yenilgi sırasında aldığı bu emirden şaşkına dönmüştü. 25 Ekim günü verdiği cevapta :

«Olayların akışına göre aslında ben de, İstanbul'la Batı Ordusu arasındaki ulaşımın kesileceği kanısında idim. Batı Ordusu dört cephede kendi yağı ile kavrulmak çabasında olduğu halde binlerce çıplak ikmal erine silah bulmak ve şu andan itibaren cephane ve silah isteğinde bulunan birliklere cevap verebilmek, belki de ordunun iaşesini sağlamakta âciz kalacağımı düşünerek azap duymaktayım.» demekte, Kumanova'nın düştüğünü, Vardar Ordusu'nun çekilmekte olduğunu açıkladıktan sonra, bu durumda Batı Ordusu'nun «Köstendil-Dubniçe hattına doğru ilerleyerek Doğu Ordusu'na yapacağı şanlı ve müstesna yardım görevini ne şekilde yapabileceği düşünülmeye değer...» diye hayretini belirtmekteydi. (*)

Bundan da anlaşılacağı gibi, Osmanlı yüksek komuta kademesinde «Bozgun» çoktan başlamıştı...

Kumanova yenilgisinden sonra 25 Ekimden itibaren Vardar Ordusu, 7. Kolordusu ile Üsküp'e, 5. ve 6. Kolordularıyla Köprülü'ye çekilmeye başladı. Ama o karışıklık içinde 6. Kolordu ikiye bölündü, kolordu karargâhı ve bir kısım kuvvet Köprülü yerine Üsküp'e gittiler.

Batı Ordusu Komutanı Ali Rıza Paşa, çekilen Vardar Ordusu ile Üsküp-Köprülü hattında durmayı ve burada savunmayı düşünüyordu. Ama Vardar Ordusu, Redif askerlerinin dağılmaları, Nizamiye birliklerinin kayıplara uğraması yüzünden çok zayıf düşmüştü. Üstelik şimdi Veliaht Aleksandr'ın ordusundan başka İkinci ve Üçüncü Sırp Orduları da karşılarındaki Türk kuvvetlerini atarak Üsküp üzerine yürümekteydiler.

(*) Genelkurmay Harp Tarihi Başkanlığı: Balkan Harbi 3. cilt, 1. kısım.

Üsküp'e çekilen 7. Kolordu Komutanı Fethi Paşa, Üsküp Redif Tümeni de tamamen dağılmış olduğundan, elindeki zayıf kuvvetlerle kenti savunamayacağını bildiriyordu. Üsküplüler de şehir dolaylarında bir savaş istemiyorlardı. Halk, yabancı konsoloslara başvurarak Sırpların kente girmelerini istediler.

Üsküp, 14. yüzyılda Balkanlarda Büyük Sırp İmparatorluğunu kuran Kral Duşan'a başkentlik yapmıştı, bu yönden de Sırplılar için büyük önem taşımaktaydı. Birinci Sırp Ordusu Komutanı Veliaht Aleksandr, zorlu savaşlarla kayıplar pahasına kenti almayı beklerken, Türk ordusunun çekildiğini ve şehrin kendisine teslim olmak istediğini öğrendiğinde kulaklarına inanamamıştı. Kumanova'dan sonra Üsküp'ün zaptı da ona nasip olmaktaydı. Harbin ilanından bir hafta gibi kısa bir süre sonra 26 Ekim günü akşama doğru Sırp Ordusu, Sırp bayraklarıyla donanmış şehre, bir kurşun atmadan, alkışlar arasında girdi.

Üsküp'ün kurtuluşu yalnız Sırplarda değil, bütün Islav ülkelerinde de büyük bir sevinç yaratmıştı. Avrupa da heyecanlanmıştı: Demek ki yalnız Bulgarlar değil Sırplar da başarılıydılar ve Osmanlı Ordusu her tarafta yeniliyordu.

Üsküp'ün terkedilişinden sonra, Köprülü'ye çekilen 5. ve 6. Kolordular da burada savunma olanağını kaybetmişlerdi. Zeki Paşa'nın emriyle 5. ve 6. Kolordular Pirlepe'ye çekildiler. Yani Türk Vardar Ordusu, hiç direnmeden kendiliğinden, Üsküp-Köprülü hattını bırakmış, daha gerideki Kırçova-Pirlepe hattına çekilmişti. Ama bu bozgun halindeki çekilişte, 4.500 kişilik savaş kaybının dışında Rediflerin kaçması sebebiyle Vardar Ordusu'nun 65.000 kişilik kuvveti 40.000'e inmiş, toplarının üçte ikisini yollarda bırakmıştı. Yani harbin ilanı üzerinden daha 10 gün geçmeden 28 Ekimde Batı Ordusu'nun büyük kısmını oluşturan Vardar Ordusu, kolu kanadı kırılmış, moralini yitirmiş, savaşa başladığı Kumanova'nın 200 kilometre kadar gerisinde yeni bir savunma mevzii tutmaya çalışmaktaydı.

Geçen günler içinde Batıdan ilerleyen Üçüncü Sırp Ordusu, zayıf kuvvetleriyle Karadağlılara yardım için Batı'ya ilerlerken, asıl kuvvetleriyle Vardar Ordusu üzerine Güney'e yürümekteydi. Priştine 23 Ekimde kaybedildi. Buradaki Tevfik Paşa kuvvetleri Kırçova'ya doğru çekildiler.

Doğudaki İkinci Sırp Ordusu ise zayıf kuvvetleriyle Ustruma Türk kolordusu üzerine —Serez ve Selanik doğrultusunda— Güney'e ilerlerken, asıl kuvvetleriyle Vardar Ordusu'na taarruz etmekteydi. Bu kuvvetler 25 Ekimde Koçana'yı, 29 Ekimde de İştip'i ele geçirdiler. Yani, Vardar Ordusu'nun Doğu ve Batısında da aynı çekilmeler, aynı kaçmalar, aynı dağılmalar birbirinin benzeri şekilde sürüp gitti; bozgun her tarafı sarmıştı.

Bu cephede bulunan Selanikli Bahri adındaki subayın anıları, bozgun konusunda bize ilginç örnekler vermektedir:

«Büyük ağırlıklarla, hafif topçunun cephane kollarının daha gerideki İştip istikametine hareketi emrolundu. İşte bu sırada 'Düşman süvarileri geliyor' sözleri askerler arasında yayıldı. Ağırlıkların bu geri gönderilişi de, bozulan manevi kuvveti sarstı. Yola düzülen ağırlıklarla, bir sürü asker de savuşmaya başladı. Bazan bir beygiri dört nefer (er), bir arabayı on nefer götürüyordu.

Hatta bu arada geri çekilme için emir verildiği sözleri de yayıldı. Halbuki böyle bir emir yoktu. Fakat artçı kuvvetten başka bütün birliklerin yerlerini terkederek İştip caddesine indikleri görülüyordu. Topçular da hayvanlarını koşarak yola düzülmeye hazırlanıyorlardı.

İşte o sırada ve karmakarışık yola dökülen düzensiz birlikler arasından birkaç el silah atıldı. Bu atılan birkaç el silah, oradaki beş altı bin kişilik kuvvetin bozgun işareti oldu. Düşman süvarisi geliyor feryatları ile alabildiğine koşmaya başlayan askerlerin etrafa korku yayan hareketleri, tekerlekleri dingillerine kadar sürülmüş tarlalara saplanan topların bata çıka götürülüşleri, ağırlıkların arasına karışan askerlerin alabildiklerine koşuşları, önü alınamayacak kadar korkunç bir bozgunun başladığını gösteriyordu. Artık söz, ayağa düşmüştü...» (*)

Bu paniğe engel olmak için subayların çırpınmalarının bir sonuç vermediğini anlattıktan sonra anılar şöyle devam eder :

«Hepimiz bir bela seli gibi akıp giden bu cereyana kapılmıştık. Düşman süvarisinin böyle az zaman için bizi izleyemeyeceğini, arkamızda artçı birliklerimizin bulunduğunu hem askerlere söylüyor, hem de onlara hiç bir tesir yapmayan bu sözlerimize rağmen biz zabitler (subaylar) de bu sele kapılmış, alabildiğimize onlarla birlikte kaçıyorduk.

Sekiz on metre genişliğinde olan Koçana-İştip şosesi, insan, hayvan, top ve cephane arabaları ile dolmuştu. Topçuların bütün hızları ile alabildiğine ezip, çiğneyip geçtikleri askerler ve hayvanlar alkan içinde yerlere serilmiş yatıyorlardı. Top tekerlekleri tarafından beyinleri ezilmiş askerlere, bacakları kırılmış hayvanlara sık sık rastlıyorduk.

Kaçış gittikçe şiddetleniyor, hızlanıyordu. Bir sıra geldi ki, ağırlıkları götürmekle görevli askerler, hayvanların üzerindeki beylik, yahut zabitlere mahsus eşvaları yerlere fırlatarak, hayvanlara atlıyor, kaçıyorlar, savuşuyorlardı. Yollarda terkedilen eşya, artık yolu kapayacak hale gelmişti. Diyebilirimki şose, bir bonmarşe halini almıştı. Pelerinler, battaniyeler, portatif karyolalar, manevra sandıkları, tüfekler, kasaturalar, cephane sandıkları, kırık arabalar ve sayısız eşya şoseyi doldurmuştu. Bir sürü insan ve hayvan, birbirlerine karışarak tam bir sürü halinde kaçıyor-

---

(*) Şevket Süreyya Aydemir: Makedonya'dan Orta Asya'ya Enver Paşa 2. cilt.

lardı. Öyleki, bu kaçanlar sürüsü içinde, sekiz saat olan Koçana-İştip yolunu üç saatte almıştık. Hatta askerlerin, hayvanların dörtte üçü İştip'te de eğlenmeyerek, İştip'e de uğramayarak, Köprülü yolunu tutmuşlardı. Ben eminim ki, tarih, böyle bir bozgun görmemiştir...» (*)

KUMANOVA'DAN SONRA

Sırp ordusu Bulgar ordusuna benzemiyordu. Trakya'da zaferden sonra Bulgarların tereddütlü ve ağır hareketlerine karşı, Makedonya'da Sırplar daha hızlı hareket etmekte ve Vardar Ordusu'nun peşini bırakmamaktaydılar. İşte bu hızla, yağmur ve çamurun hareketleri büyük ölçüde zorlaştırmasına rağmen, Sırp orduları savaşın başlamasından iki hafta sonra, Kasımın ilk günlerinde Türk kuvvetlerini takip ederek Kırçova-Pirlepe hattına dayanmışlardı.

Bu hattı savunmaya hazırlanan Vardar Ordusu zor durumdaydı. Buraya kadar kuvvetinin üçte birini kaybetmiş, bu yetmezmiş gibi bir de gerisindeki Yunan Ordusunun Manastır'a doğru ilerleyişi üzerine bir kolordusunu da bu tehlikeyi önlemek üzere Güney'e yollamıştı. Sırp başkomutanlığı da Doğudaki İkinci Ordu'nun iki Sırp tümenini bu cepheden alarak Edirne kuşatmasında Bulgar ordusuna yardım etmesi için Trakya'ya gönderiyordu. Bununla beraber her iki kuvvet arasında gene de büyük bir sayı farkı vardı.

Veliaht Aleksandr'ın Birinci Ordusu ile, 6. Kolordu'nun Yunan tehlikesini önlemek için Güneye gitmesiyle yalnız kalan 5. Kolordu arasında savaş, Pirlepe önlerinde 4 Kasım sabahı başladı. Sait Paşa komutasındaki 5. Kolordu askerleri cesa-

---

(*) Şevket Süreyya Aydemir: Makedonya'dan Orta Asya'ya Enver Paşa 2. cilt.

retle döğüşüyor ve mevzilerini bırakmıyordu. Ama 15.000'e inmiş kolordunun 50.000 kişilik Sırp ordusuna karşı yapabileceği birşey yoktu. Toplarının çoğunu kaybeden Türkler karşısında bol cephaneye sahip Sırp topçusu ezici bir ateş gücüne sahipti.

Çarpışmalar gece de sürdü. **«Taraflar vahşice döğüşüyorlardı. Sırplar her bir Osmanlı mevziini tek tek ve çok defa göğüs göğüse çarpışarak zaptetmek zorunda kaldılar.»**

Türk askeri, yavaş yavaş eski gücüne kavuşur gibiydi.

Ertesi gün akşama doğru 5. Kolordu Komutanı Sait Paşa çekilmek kararına vardı. Vardar Ordusu Komutanı Zeki Paşa bunu kabul etmiyor, savunmaya devam olunmasını emrediyordu ama, emir bir yerde etkisini kaybediyordu. Gece karanlığı basarken yorgun ve aç, cephanesi bitmek üzere olan asker kendiliğinden çözülmüş, Manastır yoluna inmiş, acı bir suskunluk içinde Güneye doğru çekilmekteydi. Sırplar bu iki günlük inatçı Türk savunması karşısında 3.000 asker kaybetmişlerdi. Türklerin kaybı ise 600 kişiydi. (*)

Daha Batıda Kırçova'daki 7. Kolordu ile General Yankoviç'in Üçüncü Ordusu'nun bir bölüm kuvvetleri arasındaki savaş, Pirlepe savaşının kaybedilmesinin ertesi günü, 6 Kasımda başladı. 7. Kolordunun asker sayısı 6.000'i ancak buluyordu. Buna rağmen Fethi Paşa komutasındaki kolordu birlikleri savunma mevzilerinde iki gün dayandılar. Ama Pirlepe'deki 5. Kolordunun çekilmesi karşısında Doğu kanatları tehlikeye düşmüştü. Vardar Ordusu komutanı Zeki Paşa, Fethi Paşa'ya çekilmesini emretti. Şimdi her iki kolordu, Manastır ve dolaylarında yeniden savunmak için Güneye doğru yollara düşmüşlerdi. Bundan beş gün kadar önce 2 Kasımda Trakya'da

---

(*) Genelkurmay Harp Tarihi Başkanlığı: Balkan Harbi 3. cilt, 1. kısım.

HARBİN 18. GÜNÜ CEPHELERDE DURUM
(6 Kasım 1912)

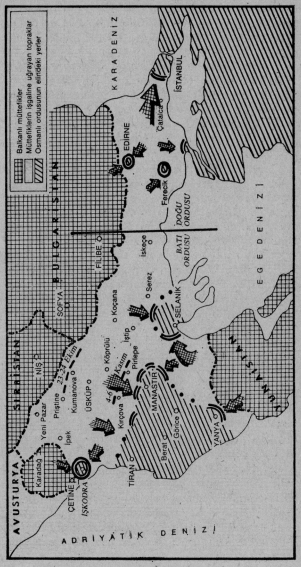

Doğu Ordusu da, Bulgarlara karşı Lüleburgaz savaşını kaybetmiş Çatalca'ya doğru çekilmekteydi. Orada da Redif askerleri dağılıyor, orada da çamurlu yollarda toplar terkediliyor, orada da aynı perişanlık yaşanıyordu. Arada bir fark vardı : Trakya'daki Doğu Ordusu'na Anadolu'dan —bölük pörçük de olsa— takviyeler gelmekteydi, silah ve cephane bütünlemesi —yetersiz de olsa— yapılmaktaydı. Batı Ordusu bütün bunlardan mahrumdu. Ne asker, ne silah, ne de başka bir yardım alması mümkün değildi. Ve gün gün daha zayıflamakta, her adım atışta biraz daha ufalmaktaydı.

Arnavut ve Boşnak Redif askerleri hemen hemen tümüyle kaçmış olduklarından kendi başına kalmış olan Türk askeri, Anadolu'dan çok uzaktaki Makedonya dağlarında, herşeye rağmen yine de döğüşüyordu. O yıl kış da biraz erken gelmiş ve Kasımın üçünden beri kar yağmaya başlamıştı. Vardar Ordusu'nun iki kolordusu, kışın soğuğu ile, karı ile, açlıkla boğuşarak 8 Kasımdan sonra yeni bir savunma savaşına hazırlanmak üzere Manastır'a doğru yollardaydılar. Askerin üstü başı perişandı. İyi beslenememek ve iyi giyinememekten donma olayları başlamıştı. Doğu Ordusu'undaki gibi bir kolera tehlikesi yoktu ama, dizanteri hastalığı yayılmakta ve kayıpları arttırmaktaydı.

Başlarında Velihatları olduğu halde Sırp Ordusu, 5 Kasımda Pirlepe'ye girdi...

Ustruma Kolordusu

Makedonya'nın orta yerlerinde, Manastır dolaylarında bunlar olurken, oralardan çok uzaklarda, Selanik Kuzeylerinde de savaşlar olmaktaydı.

General Stepanoviç komutasındaki Sırp ve Bulgar karması İkinci Sırp Ordusu, bir kısım kuvvetleriyle ustruma Nehri boyunca Ege sahillerine doğru inmekteydi. Bu kuvvetlerin karşısında Batı Ordusu'na bağlı Ustruma Kolordusu vardı. Kolordu Komutanı Ali Nadir Paşa'nın görevi, Harbin ilanı ile birlikte Bulgar hududunu geçerek karşısındaki düşmana taarruz etmek ve aynı tarihte Sırp Ordusuna taarruz edecek olan Vardar Ordusu'nun harekâtını kolaylaştırmaktı.

Ama diğer cephelerde olanlar burada da oldu: Harbin ilanı ile birlikte, seferberliğini bitiremeyen Ustruma Kolordusu, seferberliğini daha önceden gizlice yapmış, hazırlığını bitirmiş düşmanla burun buruna geldi. Diğerlerinde de olduğu gibi evvelce verilen emirler düzeltilmediği için, hazırlıklı ve üstün düşmana karşı girişilen taarruz bir sonuç vermedi. Ve hatta, tam bir taarruz yapmaya bile fırsat bulunamadan yenilgi ve çekilme başladı. İki taraf arasında yapılan bir iki savaş sonunda, Ustruma boyunca taarruz etmekte olan 7. Bulgar Tümeni ,harbin başlamasından on gün kadar sonra Serez kenti kapılarına dayandı. O günlerde Sırp kuvvetlerinden bir kol da, Vardar Nehri boyunca Selanik'e ilerlemekteydi. Yine aynı tarihlerde Ustruma Kolordusu'nun sağında Türk Doğu Ordusu'na bağlı Kırcaali Kolordusu da çekilmekte, Bulgar Rodop Tümeni Ege'ye doğru inmekteydi.

Ve hepsinden önemlisi, harbin ilanı ile birlikte Yunan savaş alanı da hareketlenmiş ve Yunan veliahdının komutasındaki Teselya Ordusu, Selanik'e doğru yürümeye başlamıştı. Yunan ordusu karşısındaki 8. Türk Kolordusu'nun çekilmesi sonunda da, hem Manastır yörelerindeki Vardar Ordusu hem de Ustruma Kolordusu iki kuvvet arasında kalmışlardı. Bundan da daha kötüsü. Yunan ordusunun araya girmesi yüzünden Batı Ordusu ikiye bölünmüş ve bunlar arasında bağlantı kopmuştu. Bunun üzerine Batı Ordusu Komutanı Ali Rıza Paşa, Ustruma Kolordusu'nu da 8. Kolordu emrine vererek ayrı bir grup oluşturdu. Grubun komutanlığına, 8. Kolordu Komutanı Hasan Tahsin Paşa'yı atadı ve ona Selanik ve çevresini savunma görevi verdi.

Özetle, 6 Kasım 1912'de, yani harbin ilanından ancak 18 gün geçmişken Batı Ordusu hiç de iyi durumda değildi.

Bir defa, Anadolu ile ne karadan ne denizden hiçbir bağlantısı kalmamıştı. Batı Ordusu'nun en büyük gücünü oluşturan Vardar Ordusu peşpeşe hem Kumanova hem de 10 gün sonra Kırçova-Pirlepe savaşlarını kaybetmiş, bozgun ve firarlar yüzünden yarı kuvvetine inmişti. Bu haliyle şimdi çekilmekte olduğu Manastır önlerinde savunup savunamayacağı da belli değildi.

İkincisi, Güneyden Yunan ordusu, karşısındaki 8. Kolorduyu atarak hızla Selanik'e doğru ilerlemiş, bu yüzden Vardar Ordusu ile Selanik bölgesindeki kuvvetler de birbirinden kopmuştu. Yani şimdi Batı Ordusu kendi içinde de ikiye bölünmüştü. Üstelik Vardar Ordusu, Karadağ ve Sırplılardan sonra bir de gerisinde beliren Yunan ordusunun yakın tehdidi altına girmişti. Vehasıl Batı Ordusu harbin daha üçüncü haftası bitmeden, her taraftan saldıran düşman kuvvetleri arasında dağınık, yenik ve parçalanmış haldeydi. Ama herşeye karşın yine de silahı elinden bırakmıyor, ecdad yadigarı son Rumeli topraklarını savunmaya çalışıyordu.

Ama ne zamana kadar?...

Şu kısa sürede o kadar can ve kan kaybetmişti ki... Anayurttan bu kadar uzakta, hiçbir destek almadan bunca güçlü düşmana karşı daha ne kadar karşı koyabilir, daha nice dayanabilirdi? Dört bir yanı düşman orduları ile çevriliydi. Düne kadar bir kardeş gibi yaşadığı Arnavutlar da şimdi ona sırt çevirmişti. Yani savunduğu toprakların bir kısım halkı da ona düşmandı.

Bu sıralarda İşkodra denen bir kent ise epeyi uzaklarda kalmıştı. Hasan Rıza Paşa komutasındaki bir avuç asker, üstün Sırp ve Karadağ kuvvetlerine karşı kaleyi cesaretle savunuyordu. Şu sıralarda tıpkı Şükrü Paşa Kolordusunun Edirne'yi Bulgarlara karşı savunduğu gibi.

O tarihte (6 Kasım 1912) Abdullah Paşa'nın Doğu Ordusu'nun da Ali Rıza Paşa'nın Batı Ordusu'ndan kalır yanı yoktu. Ali Rıza Paşa Ordusu'nun dört bir yandan kuşatılmış ve ikiye bölünmüş olmasına karşın, Abdullah Paşa Ordusu da iki savaşı kaybetmiş bozgun halinde Çatalca mevzilerine çekilmekteydi.

Ne olmuştu böyle koca Osmanlı ordusuna?

Buna hem içerdekiler, hem de dışardakiler inandırıcı bir yanıt vermekte herhalde çok zorluk çekiyorlardı.

SEKİZİNCİ BÖLÜM

BATI ORDUSU VE YUNANLILARLA SAVAŞ

SERFİÇE VE YENİCE SAVAŞLARI

Harbin ilanı, diğer Balkanlılarda olduğu gibi Yunanlılarda da çok büyük bir sevinç yaratmıştı. Başta Girit olmak üzere dış ülkelerden yığınla Rum, gönüllü olarak anavatana koşmaktaydı. Hatta bunlar arasında **«Garibaldi Alayı»** adında İtalyan gönüllüleri de vardı.

Yunan Kralı Yorgi, Yunanistan'ın Osmanlı İmparatorluğuna harp ilan ettiği 18 Ekim 1912 günü yayınladığı bildiride vatandaşlarına şöyle sesleniyordu:

«Barışı korumak için harcadığımız çabaların boşa gitmesi üzerine, vatana ve esir kardeşlerimize karşı kutsal görevlerimiz bizi silaha sarılmaya ve Türkiye'deki Hıristiyanların yüzyıllardır çektikleri ıstıraplara son vermeye zorluyor. Yunanistan bu savaşa Doğu'nun mazlum halklarının özgürlüğü ve hakları için girişmektedir.»

Ayrıca müttefik hükümdarlara yolladığı mesajlarda ise, işe bir **«Haçlı Seferi»** havası vermekten çekinmiyordu:

«Ordum, veliaht prensin komutasında sınırı geçerken, majestenizi dost ve müttefik olarak se-

lamlarım. Ortodoks halklarımız aynı şevkle, fedakârlık ve kardeşliğin çözülmez bağlarıyla birleşmektedirler. Elele vermiş dört milletin duaları Allaha doğru yükseliyor, yeni Haçlı Seferleri için O'nun yardımını niyaz ediyor. Allah, Ortodoksluğun kutsal davasını zaferle sonuçlandırsın, mazlum kardeşlerimizi kurtarsın.»

Yunanistan, Balkanlarda bağımsızlığa en erken kavuşanlardan biri olmasına karşın, kurulduğu 1829'dan beri geçen 83 yılda hiç de büyüyememiş, hatta 1897'de Osmanlılarla yaptığı savaşta yenilmiş ve Avrupalı büyüklerin araya girmesiyle canını zor kurtarmıştı. Fakat şimdi sıra kendisindeydi ve işte tam zamanıydı. O da diğer üç Balkanlının yanında savaşa girecek ve bu yağmada o da payına düşeni kapacaktı.

İşte bu sebepledir ki, Osmanlı hükümetinin diğer üç Balkanlıya harp ilan ettiği halde Yunanistan'a ilişmemesi, üstelik bazı ödünler vererek onu harbin dışında tutmak gayretleri bir sonuç vermemişti. Aynı sebepledir ki, 18 Ekimde henüz Sırbistan bile harp ilan etmemişken (20 Ekimde ilan edecekti) Yunanistan, Bulgaristan'la birlikte harbi başlatmakta hiç tereddüt etmemişti.

Yunanlıların diğer üç müttefikiyle, Hıristiyan Ortodoks olarak din birliği vardı. Buna karşın müttefikleri İslav ırkından oldukları halde, o değildi. İşte Yunan kralının müttefiklerine gönderdiği mesajda üstüne basarak «Ortodoks kardeşlerimiz» sözleriyle din konusunu işlemesinin nedeni buydu. Yunan kralı, diğer üç müttefikinin kendisini yabancı görmemelerini sağlamaya çalışıyordu.

Diğer müttefikleri gibi hazırlıklara daha önceden gizlice başladığından, Yunan ordusu seferberliğini iki gün önce tamamlamış, harbin ilanında hudut boylarındaki yerini almıştı bile.

120.000 kişilik Yunan ordusunun 80.000'i «Teselya Ordusu» adı altında Doğu'da toplanmıştı. Veliaht Prens Konstantin komutasındaki bu ordu,

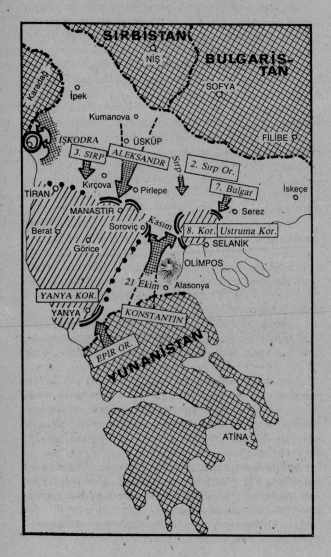

gecikmeksizin karşısındaki Türk ordusuna taarruzla Selanik'i alacaktı. (*)

15.000 kişilik diğer küçük kuvvet ise, **«Epir Ordusu»** adı altında Batı'da toplanmıştı. General Sabuncakis komutasındaki bu ordu, Yanya'ya yürüyecek asıl ordunun Batı yanını koruyacaktı.

Türk Ordusu da, Selanik ve Yanya doğrultularını savunacak şekilde iki grup halinde toplanmıştı.

Selanik yöresini, Hasan Tahsin Paşa komutasındaki 8. Kolordu savunacaktı. Hasan Tahsin Paşa'nın, karşısındaki Konstantin'in 80.000 kişilik ordusuna karşılık kuvveti ancak 15.000 kişiydi.(**)

Yanya'yı Esat Paşa'nın Yanya Kolordusu koruyacaktı. Bu cephede Türkler üstündü. General Sabuncakis'in 15.000 kişilik Epir Ordusu'na karşılık Türk kuvvetleri 20.000 kişiyi bulmaktaydı.

Geriye kalan 15.000 Yunan askeri de, Ege adalarını işgal etmek üzere harekete hazır tutuluyordu.

Ama iki ordu arasında önemli bir fark vardı: Biri seferberlik ve diğer hazırlıklarını bitirmiş, diğeri seferberliğini tamamlayamamış ve fenersiz yakalanmıştı.

Yunan genelkurmayının kuvvetinin çok büyük kısmını Selanik harekâtına ayırmasının sebebi belliydi. Selanik, Bulgarlarla Yunanlılar ara-

---

(*) Veliaht. Prens Konstantin bu tarihten beş ay kadar sonra 18 Mart 1913'de, babası kral Yorgi'nin Selanik'de bir Rum tarafından suikast sonucu öldürülmesi üzerine Yunan tahtına oturacak ve 7 yıl sonra başlayacak Türk Kurtuluş Savaşı'nda Yunan kralı olarak yeniden karşımıza çıkacaktı.

O sırada başbakan olan Venizelos da, Türk Kurtuluş Savaşı'nda yine başbakan olarak karşımıza çıkacaktır. Yunan ordusunun İzmir'e çıkartılması, tamamen Venizelos'un gayretleri sonucu gerçekleşmişti.

(**) Genelkurmay Harp Tarihi Başkanlığı: Balkan Harbi 3. cilt, 2. kısım.

sında bir çekişme konusuydu. İki taraf da kent üzerinde hak iddia ediyordu. Beş ay önce gizli Bulgar-Yunan anlaşmasında da toprak bölüşülmesi konuşulmadığı için, savaşın başladığı gün bile, Selanik'in kaderi belli olmamıştı. Hatta Sırplar da Ege Denizi'ne inmek peşinde koşmakta olduklarını saklamıyorlardı. Öyleyse Yunan ordusu, bir an önce, Bulgar ve Sırp ordusu gelmeden Selanik'i ele geçirmeliydi. Yunanistan, 20.000 kişilik Bulgar'a karşılık 40.000'i bulan Rum'un yaşadığı ve Ortodoks kilisesinin eski beşiği olan Selanik kentini kimseye bırakmaya niyetli değildi.

Ve harbin ilan edildiği 18 Ekim 1912 günü, Yunan ordusu hızla ve hırsla ileri atıldı.

Yunan Teselya Ordusu harbin ikinci günü, zayıf Türk örtme kuvvetlerini atarak, hududun 40 kilometre uzağındaki Alasonya kentine ulaşmıştı bile.

«Yunanlılar gece vakti girdiler Alasonya'ya. Şehirde minarelere çıkan altı hoca, düşmanı tüfek ateşi ve lanetle karşıladı. Bu, kaçamamış olan tüm Müslümanların kurban gittikleri bir katliama bahane oluşturdu. En çok vahşeti, yakın köylerin Rum sakinleri gösterdiler. 1897'deki şiddet hareketlerinin öcünü almak için şehre girdiler, katliamdan sonra bütün İslam evlerini tahrip ettiler, ya da yaktılar. Tüm şehir, gece sabaha kadar, muazzam bir yangın manzarası oluşturdu. Oysa, Türkler çekilirken kimseye bir zarar vermemişlerdi.» (*)

8. Kolordu ile Veliahtin Teselya Ordusu arasındaki ilk büyük çarpışma, harbin üçüncü günü 21 Ekimde Serfiçe Güneyinde meydana geldi. O gün sabahtan başlayan savaş kısa sürdü, fakat kanlı oldu. Akşam Hasan Tahsin Paşa, kuşatılmadan kurtulmak için kolordusuna çekilde emri verdi. Ama Yunanlıların yakın baskısı yüzünden bu çekilme kısa zamanda bir firar halini aldı. Bu-

---

(*) Aram Andonyan: Balkan Harbi Tarihi.

rada da, daha ilk savaşta ve daha ilk gün, askerde bir bozgun havası belirmişti. Subaylar ve komutanlar birliklerine sahip olamıyorlar, asker emir ve komuta tanımıyordu. Fakat, büyük çaba sonunda birlikler yine de toparlandı ve düzen geri getirildi.

Plan gereğince kolordu Manastır üzerine çekilecekti. Halbuki Batı Ordusu Komutanı Ali Rıza Paşa, 8. Kolordu'nun Selanik doğrultusunda çekilmesini ve her ne pahasına olursa olsun Selanik'i savunmasını emretti. Kolordu Komutanı Hasan Tahsin Paşa ,kuvvetlerini Kuzeye, Selanik'e doğru çekmeye başladı.

Yunan öncüleri, 23 Ekimde Serfiçe'ye girdiler.

Ve, beş gün önce Alasonya'da olan katliam, bir kere daha yaşandı.

«Alasonya'daki Müslümanların Rumlar tarafından katli haberi kaçaklar tarafından Serfiçe'ye ulaştırılınca, şehrin Müslüman halkı galeyana gelmiş, onların öcünü almak için daha önce tutuklanmış olan 70 Rumu öldürmüşlerdi. Şehre girip durumu gören Yunanlılar, ellerine geçirdikleri Müslümanları boğazladılar. Bütün İslam semt ve evleri talan edildi ve yakıldı. Sabaha kadar süren zafer şenlikleri, feci katliam ve yangın sahnelerine karıştı.» (*)

Bu katliam, bu soygun, daha doğrusu bu «Soykırım» yeni değildiki... Yüzyıllar öncesi başlamış sürüp geliyordu ve daha ne kadar süreceği de belli değildi. Şu anda bile birikmiş kin ve hınçlarıyla Karadağlısı, Sırbı, Bulgarı ve Yunanlısı Türke saldırmakta, eski efendilerine karşı yüzyıllardır duyduğu aşağılık hissinin intikamı ile yakıp yıkmakta, insanları öldürüp durmaktaydı. Aynı günlerde Kumanova'da, Kırklareli veya başka sınır boylarında kimbilir buna benzer nice kanlı ve feci olaylar olmaktaydı. Ordular bir yandan,

---

(*) Aram Andonyan: Balkan Harbi Tarihi.

çeteler diğer yandan, yerli halk ise bir başka taraftan kinlerini kusmak için fırsat bulmuşlardı.

Ve Konstantin'in ordusu bu hızla Selanik'i Batıdan örten Yenice önlerine ulaştı. Konstantin ordusunun bu hızlı ilerleyişi Batı Ordusu'nu ikiye bölmüş oluyordu. Vardar Ordusu ve diğer kuvvetler Manastır bölgesinde Batıda, 8. Kolordu ile Ustruma Kolordusu Selanik bölgesinde Doğuda kalmışlardı. Yani, harbin daha üçüncü haftası başlarken Batı Ordusu dört cephede yenilgi üstüne yenilgiye uğramış —İşkodra'da kuşatılanları saymazsak bile— ikiye bölünmüş, her parçası bir tarafta kalmıştı.

Bu arada Ustruma Kolordusu da, Sırp-Bulgar karması Müttefik İkinci Ordusu karşısında Güneye, Selanik'e doğru çekilmekteydi. Batı Ordusu Komutanı Ali Rıza Paşa, kendisinden uzak düşen bu iki kolorduyu bir komuta altında birleştirmeyi uygun bulmuş ve her iki kolorduyu 8. Kolordu Komutanı Hasan Tahsin Paşa'nın emrine vermişti.

İki hafta gibi kısa bir zamanda, kendilerinin bile beklemediği bu kolay zaferler karşısında şaşkına dönen Balkanlı müttefik orduları da coşmuştu. Her biri daha fazla toprak kapmak için artık düşene kalkana bakmaksızın ileri atılıyordu. Çünkü silah zoru ile alınan yerlerin alanın elinde kaldığı, savaşla bir yere girenin barışla çıkarılmasının çok zor olduğu tarihi bir gerçekti.

Yenice Savaşı 1 Kasımda başladı.

Hasan Tahsin Paşa, Ustruma Kolordusu'ndan bir tümen alarak Yenice savunmasını kuvvetlendirmişti. Yunan ordusu, 8. Kolordu'nun büyük kuvvetlerle tuttuğu Yenice Gölü Güneyine değil de, gölün Kuzeyindeki zayıf mevzilere yüklendi. Güneyden Kuzeye kaydırılan iki tümen yetişinceye kadar Türk Kuzey cephesi yarılmıştı. Bu tümenlerin gecikmesi ve dolayısiyle Yenice Savaşı'nın kaybına yol açan sebep ise, duyanları hayretler içinde bırakan bir şeydi: Kolordu emrinde bildirilen tümenlerin hareket saati, **«Öğleden evvel»** yerine yanlışlıkla **«Öğleden sonra»** yazılmıştı. Evet, küçük bir kelime hatası (!) ve bir savaşın kaybı...

İkinci gün Kuzeyde başlayan bu çekilme, Güneydeki büyük kuvvetleri de tehlikeye düşürdü. Gerideki Vardar Nehri köprülerinin Yunanlıların eline düşmesi halinde bütün kolordu imha veya esir olabilirdi. Hasan Tahsin Paşa çekilme emrini verdi. Akşama doğru başlayan çekilme, bundan önce diğer yerlerde de görüldüğü gibi, kısa zamanda bir kaçışa, bir bozguna dönüştü. Herkes karmakarışık bir sürü halinde Vardar köprülerine koşmaktaydı. Bu telaş ve karşılıkta Türk birlikleri geçtikten sonra Vardar köprüleri bütünüyle tahrip edilememişti. Konstantin ordusu bu köprülerden hızla geçerek Selanik'e doğru taarruzunu sürdürdü.

Yenice Savaşı'nda 8. Kolordu 1.000 şehit vermiş, 14 topu da düşmana bırakmıştı.

Doğuda Ali Nadir Paşa komutasındaki Ustruma Kolordusu, bir tümenini 8. Kolordu emrine gönderdiğinden daha da zayıflamış ve kuvveti 5.000 kişiye inmişti. Karşısındaki 7. Bulgar Tümeni ise kendisinin beş katı kuvvetinde, 25.000 kişiydi. Ali Nadir Paşa, Bulgar hududundan beri geriliye geriliye geldiği bu tepelerde, elindeki bir avuç kuvvetle düşmana karşı direnme gayretindeydi. Ama Bulgarlar, Selanik yarışını kazanmak hırsıyla dur-durak vermeden saldırı üstüne saldırı tazelemekte ve Ustruma Kolordusu'na hiç aman vermemekteydiler. Müttefik İkinci Orduya bağlı Sırp kuvvetleri Bulgar tümeninin batısından yürüyorlardı ama, daha uzaklarda kalmışlardı.

Selanik'e en yakın olan Yunan ordusuydu. 4 Kasımda Doğu'dan gelen Bulgarlar Selanik'e 50 kilometre, Batı'dan yürüyen Yunanlılar 20 kilometre uzaklıktaydılar. Ve bu amansız koşuyu, gece-gündüz demeden, yorgunluğa bakmadan ilerleyen Yunan ordusunun kazanacağı artık belli olmuştu. Yenice Savaşı'nı kaybeden 8. Kolordu da şimdi elinde kalabilen 20.000 kişiyle, kendisinin dört misli kuvvetindeki 80.000 kişilik Konstantin ordusu önünde Selanik'e doğru çekilmekteydi.

Yunanlılar bununla da yetinmediler. Batıdan ilerleyen ordu ile koordineli olarak 5 Kasımda Selanik doğusundaki kıyılara çıkartma yapıp şehri iki taraftan sıkıştırmaya başladılar. Bu sıralarda Averof zırhlısı başta olmak üzere denizden de kıyılardaki Türk tahkimatını bombardıman ediyor ve kente denizden gelebilecek her türlü yardımı engelliyorlardı. Bir Yunan muhribi de 5/6 Kasım gecesi Selanik limanındaki Türk savaş gemisi Fethi Bülent'i batırmıştı. Bereket ki, 31 Mart olaylarından sonra Selanik'de üç buçuk yıldır sürgünde bulunan Sultan Abdülhamit, 1 Kasımda Lorelei adındaki bir Alman gemisiyle İstanbul'a kaçırılmıştı. (*)

SELANİK'İN KAYBI

Berliner Tageblatt adlı bir Alman gazetesinin savaş muhabiri, o günlerin Selanik'i için gazetesine şunları yazıyordu :

«Kalabalık asker ve kaçak kafileleri hazin, acınacak bir durumdaki şehre hücum ediyor. Türk ordusu şehrin sokakları önünde düşmanı bekliyor, fakat erler arasında ancak birkaç subay bulunuyor : Büyük kısmı bırakıp gitmiş. Lime lime elbiseler giymiş, tam bir moral çöküntüsü içinde bulunan kaçak askerlerin ardı arkası kesilmeyen geçişi, Napolyon'un Rusya çekilişini andırıyor. Her tarafta cesetler ve at leşleri var. Dün 50 kaçak, açlık ve soğuktan öldüler. Şehrin durumu pek

---

(*) Abdülhamit İstanbul'da, öldüğü 1918 yılına kadar, Beylerbeyi Sarayı'nda yine göz altında bulundurulacaktı.

222

yürekler acısı. **Askerlerden başka 50.000 göçmen, aileleriyle beraber sokaklara doluşmuşlar. İnsan bu sefalet kafilelerini seyrederken korkunç bir izlenim ediniyor. Zavallı erler dileniyor, açlıklarını haykırıyorlar.» (*)**

5 Kasımda Selanik Valisi Nazım Bey ve kentin 17 ileri geleninin imzalarıyla gönderilen bir yazı ile, Hasan Tahsin Paşa'dan şehrin yakınında savaş yapılmaması isteniyordu. Paşa da karamsardı. Toplarının çoğunu, askerlerinin bir kısmını, moralini yitirmişti. Her taraftan kuşatılmış 25.000 askerle, 100.000'i aşan Yunan ve Bulgar ordularına karşı döğüşmenin boşuna kan kaybı olacağını düşünüyordu.

7 Kasımda top sesleri Selanik'ten duyulmaya başlamıştı. Herkes dehşet içindeydi.

«Şafak sökerken İngiliz ve Fransız savaş gemileri görüldü limanda. Arka arkaya Avusturya, Alman, İtalyan ve Rus gemileri de limana girip demirlediler.» Avrupalı büyükler, şehirdeki kendi vatandaşlarını ve bankalarını, iş yerlerini bir karışıklık anında korumak için önlem alıyorlardı.

«Bu kararsız ve tehlikeli durumdan kurtulmak için Selanik'in sivil makamları ile kordiplomatik, şehri teslim etmeyi düşünmeye başladılar. Çünkü Tahsin Paşa, bırakalım tüm müttefikleri, sadece Yunanlıların ileri harekâtını bile durduracak durumda değildi. Şehrin tepelerinden Osmanlı askerlerini ricat (çekilme) halinde görünce, bu yönde ilk adımı şehrin belediyesi attı. Sonunda Tahsin Paşa da onayladı teslim olma fikrini. Elinde ne kuvvet vardı, ne top, ne cephane. Sağanak hiç durmuyor, geceleri asker neredeyse çamurun içinde yatıyordu.» (**)

7 Kasımda Tahsin Paşa ile Yunan Veliahti Konstantin arasında, yabancı konsoloslar aracılığı ile başlayan teslim görüşmeleri, 8 Kasım akşa-

---

(*) Aram Andonyan: Balkan Harbi Tarihi.
(**) Aram Andonyan: Balkan Harbi Tarihi.

mı sonuçlandı. Buna göre teslimden sonra Osmanlı askerleri şehir dışında yerleştirilecek ve hiçbiri harp esiri sayılmadığından serbestçe dolaşabileceklerdi. Silah ve cephane de bir yere depo edilecek ve harbin sonunda gerek asker ve gerekse silah ve cephane memleketlerine gönderilecekti.

8 Kasım 1912 günü akşamı, Selanik cephesindeki Türk ve Yunan kuvvetleri arasında ateş kesildi ve 9 Kasım sabahı Yunan öncüleri hiçbir direnişle karşılaşmadan, bir tek kurşun bile atmadan, ellerini kollarını sallayarak Selanik'e girdiler. 470 yıl sonra ilk defa bir yabancı asker şehre, Yunanca adıyla Thessaloniki'ye ayak basmaktaydı.

Times savaş muhabiri, gazetesine şunları yazıyordu :

«Hiçbir kadim Atina ordusu, Atina'ya dönüşünde, Yunan ordusunun Selanik'de karşılandığı kadar gürültülü coşkunlukla karşılanmış değildir. Helenler için büyük bir gündü bu. Hayalleri gerçekleşiyordu. Sabah, şehrin Rumları ve Musevilerin yarısı Veliahtin karargâhına gittiler. Rumlar komutanın elini öpüyor, çeşitli armağanlar getiriyorlardı. On günden beri Osmanlı ordusu içinde yaşayan bir kimse, birdenbire Yunan askerlerinin arasına girince, hemen farkı görüyordu. Yunan askerleri iyi giyinmişlerdi, itinalıydı. Toplar pırıl pırıldı. Süvarinin hiç eksiği yoktu. Piyadeler sıcacık elbiseler giymişlerdi.

Yunan ordusunun şehre gireceği öğleden sonra duyuldu. Şehir baştanbaşa Yunan bayraklarıyla donanmıştı.

Efzunların süvari kuvveti sokağın önünde görünür görünmez bir sevinç çığlığı koptu kalabalıktan. Dilber Rum kızları balkonlardan sonbahar gülleri serpiyorlardı geçen askerlerin üzerine, 'Zito' sesleri yeri göğü inletiyordu. O kadar kalabalık vardı ki, askerler insan seli arasından teker teker geçmek zorunda kalıyorlardı. Heyecanlı hitabeler, nutuklar birbirini izliyordu. Göstericilerden binlercesi, fes taşıyan Osmanlı uyruklulardı. Bunların arasında, Türklerin daima en sadık tebaaları olarak bildikleri Yahudilerden de yüzlercesi vardı.

Müslümanlar ise evlerine kapanmışlar, olup bitenler hakkında hiçbir fikir yürütmüyorlardı. Birkaç Osmanlı askeri, düşmanlarının sevincine aldırmadan ötede beride gayesiz dolaşıyorlardı. Ve şehrin içinde nizam ve asayişin korunmasına hâlâ silahlı Türk polisleri nezaret ediyordu.» (*)

Rum coşkunluğunun doruk noktasına varmasının bir sebebi de, Ortodoks kilisesinin en büyük azizlerinden birinin o gün yortusu olması idi. Rumlar camii hemen Ayios Rimitrios kilisesine çevirrerek ayini orada yaptılar...

9 Kasımda Yunanlılar, başta Hasan Tahsin Paşa olmak üzere 1.000 subay ve 25.000 eri esir aldılar. 70 top ve sayısız silah, araç ve gereç de ellerine geçti. Ve kısa sürede Yunanlılar teslim protokolunu unuttular. Selanik'de serbest bırakılmaları gerekli askerler, Yunanistan'ın çeşitli yerlerine harp esiri olarak dağıtıldılar. Hasan Tahsin Paşa hariç, büyük rütbeli subaylar Atina'ya gönderildiler ve harp esiri işlemi gördüler. Silahların ise, aylar sonra barış yapıldığında geriye verilmediğini söylemeye gerek bile yok.

Selanik'in alınışı, Yunanistan'da ve Yunan yanlısı Avrupa'da büyük sevinçle kutlandı. Yunan Teselya Ordu Komutanı Konstantin'den bir gün sonra, 11 Kasımda Yunan Kralı Yorgi de Selanik'e geldi ve coşkulu törenlerle karşılandı. Kralın geldiği günün akşamı, geç kalan 7. Bulgar Tümeni de Doğu'dan gelerek şehre girdi. Kuzeyden ilerleyen bir Sırp kolu da ertesi gün şehre ulaştı. Şimdi her üç müttefik asker de, bu herkesin gönlünde yatan kente gelmiş, birer semte yerleşmiş-

---

(*) Aram Andonyan: Balkan Harbi Tarihi.

lerdi. Fakat Selanik'in fatihi Veliaht Konstantin'-di ve onun da bu zafere kimseyi ortak etmeye niyeti yoktu. Sadece gönülleri olsun diye bir Bulgar alayı ile bir küçük Sırp birliğinin şehirde kalmasına izin verdi, diğer Bulgar ve Sırp kuvvetleri şehri terkedeceklerdi.

Osmanlılara gelince, gerek şehrin kaybı ve gerekse iki kolordunun ve şehrin savunmadan teslim oluşu Türk ordusu ve halkı üzerinde büyük moral çöküntüsü yaratmıştı. 9 Kasım 1912 tarihinde artık ne bir Selanik, ne 8. Kolordu ile Ustruma Kolordusu vardı.

Selanik, on yıl sonra Türk Kurtuluş Savaşı' nı gerçekleştirecek olan Mustafa Kemal'in doğduğu bu güzel şehir, bir bakıma Osmanlı İmparatorluğunun ikinci başkenti sayılıyordu.

Türk Batı Ordusu —ikiye bölünmesi yetmiyormuş gibi— Doğudaki grubunu da artık kaybetmişti. Batıdaki Vardar Ordusu ise bugünlerde Pirlepe Savaşında yenilmiş, Manastır üzerine çekilmekteydi. Başka bir deyişle Ali Rıza Paşa'nın Batı Ordusu, Rumeli topraklarının yarısından çoğunu gerisinde bırakmış, dağılmış, tükenmiş, neredeyse bir avuç askerinin ötesinde silinip gitmişti.

Trakya'daki Doğu Ordusu ise, aynı günlerde Meriç'in iki yakasındaki Doğu ve Batı Trakya'ları düşmana terketmiş, Çatalca önlerinde İstanbul'u savunmak telaşındaydı.

Eğer Vardar Ordusu'nun elindeki küçük bir bölgeyi saymazsak Osmanlı orduları, İstanbul'un burnu dibine kadar tüm Avrupa topraklarını kaybetmiş bulunuyordu. Halbuki daha harbin başlaması üzerinden ancak 20 gün geçmişti. Bu kısa sürede olanlar doğrusu akıl alır gibi değildi. Sanki kuvvetli ve ani bir fırtına gelmiş, tarihten gelen adı ile heybetli görünen koca Türk ordusunu neredeyse silip süpürmüştü. Ve bu işe herkesten daha çok şaşan küçük Balkanlıların orduları ise, şimdi Türklerden boşalan ovaları ve dağları kendi silah şakırtıları ile doldurmuşlardı. Önlerinde artık onları önleyecek bir kuvvet de göremiyorlardı.

Selanik'e savaşmadan girilmesine rağmen, o körolası kin duygusu yine sağduyuyu yendi. Kent yakınındaki barut deposunun bir gece bilinmeyen bir sebeple patlaması yüzünden yeni kanlı olaylar meydana geldi. 15 Yunan askerinin öldüğü bu olayda, ortalığa, deponun Türk askerleri tarafından patlatıldığı söylentisi yayılmıştı. Şehirde büyük karışıklık çıktı ve katliam başladı.

Kölnische Zeitung gazetesi muhabiri şunları yazıyordu :

«Selanik'deki Ayia Sofia camii üzerinde haç yükseliyor yeniden. Yeni fatihler haçı diktiler, ama nerede Hıristiyanlık ve insanlık belirtileri? Haç, merhametin sembolüdür, ama Rumlar kanla lekelediler onu. Talan, katliam, ırza geçme, korkunç oranlara yükseldi. Çeteler yakın köylerdeki Müslümanlara yapmadıklarını komadılar. Çok sayıda göçmen açlıktan ya da süngüyle öldü. Yunanlıların beslemeyi kabul ettikleri silahları alınmış Osmanlı askerlerinden çoğu keza açlıktan öldu.» (*)

Bir başka yazar da o günlerin Selanik'ini şöyle anlatmaktaydı :

«Osmanlı İmparatorluğunun ikinci başkenti olan bu şehirde hüzünlü ve buruk bir bayram kutlandı. Bütün camiler, göçmenler ve askerlerle dolu olduğundan bayram namazı ancak iki camide kılındı. Ne top atıldı, ne de resmi kabul yapıldı. Esir askerler ve hatta subaylar önemsiz sebeplerle öldürülüyorlardı. Birçok Müslüman ileri geleni Pire'ye sürülmüştü. Şehrin dışında yollar, öldürülen göçmenlerin cesaretleriyle doluydu.» (**)

Bu baskı ve kırımdan Yahudiler de kurtulamadı. Yüzyıllar önce İspanya'dan kovulan Yahu-

---

(*) Aram Andonyan: Balkan Harbi Tarihi.
(**) Aram Andonyan: Balkan Harbi Tarihi.

dilerin çoğu Osmanlılara sığınmış, bunların bir kısmı da Selanik'e yerleştirilmişti. Kısa zamanda ticareti ellerine geçiren Yahudiler iyi Osmanlı vatandaşı olmuşlardı. 1912'lerde 150.000'i bulan şehir nüfusunun yarısını Yahudiler oluşturmaktaydı. Zaferle şehre giren Konstantin askerleri ve Rum çeteleri, yerli Rumların katılmasiyle ortaklaşa, Türklerden başka Yahudileri de öldürdüler, mağaza ve evlerini yağma ettiler. Çünkü Yahudiler Rum ekonomisi için bir tehlike, Rum tüccarları için bir rakiptiler.

Bu arada Bulgarlar Selanik yarışını kaybetmişlerdi. Selanik önlerindeki 7. Tümenlerini, Yunan gemilerine bindirerek Trakya'ya gönderdiler. Yunanlılar gemilerini seve seve vermişlerdi.

MANASTIR SAVAŞI

9 Kasım 1912'nin o karlı günlerinde Yunan Teselya Ordusu'nun Selanik'e girdiği ve Hasan Tahsin Paşa komutasındaki 8. Kolordu ile Ustruma Kolordularının tümüyle teslim olduğu sırada, Türk Batı Ordusu'nun kalanı da Manastır etrafında toplanmaya çalışıyordu. Üç-dört gün önce bu cephedeki Vardar Ordusu, üstün Sırp ordusu karşısında savunmaya çalıştığı Kırçova-Pirlepe Savaşı'nı da kaybetmişti.

Şu kısa sürede ne olduğunu bile doğru dürüst anlayamadan boyuna çekilmek zorunda kalan Vardar Ordusu askerleri şaşkındı. Şu kar ve çamur içinde, hem önünde hem ardında düşman vardı. Üstüste gelen yenilgiler nedeniyle asker, hem ümidini hem de moralini yitirmişti. Arnavut ve Boşnak Redif askerlerinden sonra yerli Türk askerlerinden oluşan Rediflerin de ilk fırsatta firar ederek silahıyla veya silahını atarak köyünün yolunu tutmasının sebebi de buydu.

Ama geriye kalanlar, bu kaçaklardan temizlendikçe, safradan kurtulmuş gibi daha bir durmuş ve oturmuş hale gelmekteydiler. Az ve öz...

Fakat koşullar o kadar kötü, olanaklar o kadar kısıtlıydı ki, bu az ve öz insanların cesaret ve kahramanlıkları, başarı için yetecek gibi değildi. Ama yine de «Mehmet», tarihin daima tanıklık ettiği o tükenmez sadakat ve itaatiyle sessiz ve sabırlı, elde silah döğüşmeye devam etmekteydi.

Kırçova-Pirlepe savaşından üç gün sonra, 11 Kasımdan itibaren Vardar Ordusu ve Karadağ cephesinden çekilebilen kuvvetler, Makedonya'nın elde kalan son büyük şehrini savunmak için tertiplenmeye başlamışlardı. Manastır, yüzyıllardır Osmanlı fetih ordularına ev sahipliği yapmış bu büyük kent, şimdi son savaşına hazırlanmaktaydı.

Ama Vardar Ordusu için bu sefer de bir başka tehlike gün yüzüne çıkmıştı: Kuzeye doğru yürüyen Yunan Ordusu... Gerçekten de harbin başlamasıyla birlikte hızla Selanik doğrultusunda ilerleyen Konstantin ordusu, Kuzeyde Sırplara karşı döğüşen Türk Vardar Ordusunu geriden tehdit etmeye başlamıştı. Hele 8. Türk Kolordusunun Selanik üzerine çekilerek Manastır yolunu açık bırakması bu tehlikeyi daha da arttırmıştı. Veliaht Konstantin için —ikiye bölünecek kadar kuvveti çok olmadığından— o günlerde iki uygun hareket tarzı vardı : Ya Manastır'a, ya Selanik'e doğru yürümek... Konstantin haklı olarak Selanik doğrultusunda ilerleyince, bu sefer kendi açık yanını Manastır'dan gelecek Vardar Ordusu tehlikesine karşı korumak üzere, takviyeli 5. Tümenini Manastır'a doğru sürmüştü. Bu tümen, karşısındaki zayıf Türk birliklerini atarak Manastır'a doğru ilerleyince, Batı Ordusu Komutanı Ali Rıza Paşa, Vardar Ordusu'nun 6. Kolordusunu Kırçova-Pirlepe cephesinden alıp geride beliren bu tehlikeyi önlemek için görevlendirmişti.

6. Kolordu Komutanı Cavit Paşa, Kumanovà Savaşından kayıplar vererek çıkmış 9.000 yorgun

askeriyle devamlı yağan sağnak yağmur altında, Manastır üzerinden düşmana doğru ilerledi. Albay Matiopolo komutasındaki Yunan 5. Tümeni de, 6. Kolorduya yakın güçteydi. İki kuvvet 5 Kasımda Manastır ile Selanik'in orta yerindeki Soroviç kenti yakınlarında karşılaştılar. 6-7 Kasımda iki gün süren kanlı bir çarpışmada 5. Yunan Tümeni yenilerek bozgun halinde çekilmek zorunda kaldı. Yunanlılar bu savaşta 3.000 kişi kaybetmiş ve kaçarken 9 top ve yığınla araç gereç terketmişlerdi. (*)

6. Kolordu bu sırada Batı Ordusu komutanından **«Cepheyi zayıf kuvvetlere bırakarak acele Manastır'a dönmesi»** emrini almıştı. Çünkü o sırada 6. Kolordu'nun olmayışı nedeniyle büsbütün zayıflayan Vardar Ordusu, Kırçova - Pirlepe savaşını kaybetmiş, Manastır üzerine çekilmekteydi ve 6. Kolordu Sırplarla yapılacak olan Manastır Savaşı'na mutlaka yetişmeliydi. 6. Kolordu, Selanik-Manastır demiryolundan yararlanarak dört gün içerisinde tekrar Vardar Ordusu emrine girmiş ve Manastır cephesindeki yerini almıştı. Şimdi Manastır boylarında belki de son savaşına hazırlanan Vardar Ordusu (5., 6., 7. Kolordular) ve ona katılan diğer küçük birliklerin toplam asker sayısı ancak 39.000'i buluyordu.

Toplarının çoğunu bundan önceki savaşlarda kaybetmiş, cephanesi tükenmek üzere, bölgeden yiyeceğini zar zor sağlayabilen ve çoğu zaman aç, üstü başı perişan, içinde uyuyabileceği bir çadırı bile olmayan, yırtık çarığı ile kara ve çamura basan 39.000 kişi...

25 gün önce harp başladığında ortalama 110.000 kişilik Vardar Ordusu ile 13.000 kişilik İpek Kolordusu'ndan arta kalan 39.000 kılıç artığı... Çoğu kaçan Arnavut, Boşnak ve Makedonyalı yerli Türk Redifleri ve bir kısmı savaşta kay-

---

(*) Genelkurmay Harp Tarihi Başkanlığı: Balkan Harbi 3. cilt, 2. kısım.

bedilen 110.000 kişilik ordudan sonra elde kalabilen 39.000 kişi...

Buna karşılık Manastır üzerine yürüyen Sırp ordusu, Türk ordusunun neredeyse iki misli kuvvetinde ve 70.000'nin üzerinde. Kumanova ve Kırçova-Pirlepe savaşlarının zaferiyle sevinçli, Üsküp ve Köprülü başta olmak üzere bir sürü yeri topraklarına katmış, Batıdaki Üçüncü Ordusu'nun bir kısım kuvvetiyle Adriyatik Denizi'ne (Draç), Doğudaki Sırp-Bulgar karması İkinci Ordusu ile Ege Denizi'ne (Selanik) doğru yürüyen coşkulu bir ordu... Topu, tüfeği, cephanesi tamam, bütünlemesi yerinde, sağlam ve dinç bir kuvvet...

Batı'da Adriyatik'e doğru ilerleyen tümenleri hariç, General Yankoviç'in Üçüncü Ordusu, Türk artçıları ile döğüşe döğüşe 14 Kasım 1912'de Manastır Kuzeyindeki Türk ordusu ile karşı karşıya geldi. Şimdi Manastır Savaşı başlıyordu ve bu savaşın Makedonya'nın kaderi üzerindeki önemini herkes bilmekteydi.

Batı Ordusu Komutanı Ali Rıza Paşa 14 Kasımda orduya yayınladığı emirde şunları söylüyordu:

«Türk ordusunun Manastır çevresinde, Tanrı'nın yardımiyle Sırplarla yapacağı muharebe, yalnız ordunun değil, milletin de şansına ve kaderine hükmedecektir. Tanrı korusun bir yenilgi, elde kalabilen silahları, Manastır depolarındaki birçok cephane ve mevcut araba, hayvan, diğer askeri eşya ve iaşe kaynaklarının düşman eline geçmesine sebep olacaktır. Oysa, yenmek ve zafer, her şeyin dışında ordunun Kumanova'da uğradığı yenilgiyi giderecek ve Türk ordusunun Plevne kahramanlarının öz evlatları olduklarını isbat edecektir.» (*)

Gerçekten de Manastır'da olduğu gibi Batı Ordusu'nun bazı merkezlerinde yığınla silah ve di-

_____

(*) Genelkurmay Harp Tarihi Başkanlığı: Balkan Harbi 3. cilt, 1. kısım.

ğer malzeme dururken, bir kısım askerler, akıl almaz bir yoksulluk içinde kalmışlardı. Yani iş bilmezlik ve plansızlık yüzünden zaman zaman varlık içinde yokluk çekilmekteydi.

O savaşlara katılan Yüzbaşı Selanikli Bahri, anılarında şunları yazar:

«Balkan Harbi'nde birçok yere, daha barış zamanında çok miktarda erzak depo edilmişti. Bazılarına da, seferberliğin ilanından sonra depo edildi. Buna rağmen ordu, harekât esnasında hesapsız sıkıntılar çekti, açlıklara uğradı. Çünkü bunlar bu depolardan gerekli yerlere sevkedilememişti. Mesela Kumanova muharebesi sahasında bu böyle oldu.

Halbuki Kumanova'dan çekilirken istasyonda vagonlarla un, arpa, fasulye, pirinç terkedildi. Bunların hepsi Sırpların eline geçti.» (*)

Yine aynı subay bu konuda bir başka örnek daha verir:

«Koçana düşmeden önce, Selanik'ten geçilerek İştip'e sevkedilen 1.400 nefer (er) kışla meydanında :

— Bize silah verin,

diye ağlayıp feryat ediyorlardı. Selanik, bunlara silah, elbise vermeden hepsini buraya sürmüştü. İştip'de ise tek silah, tek kat elbise yoktu. Bu vaziyet karşısında hepsi de güçlü kuvvetli bu 1.400 Anadolu çocuğu, bu hale sebep olanlara lanetler okuyarak, aç, çıplak ve silahsız, geriye doğru yollara düşmüşlerdi.

Halbuki bunlardan birer silahı esirgeyen Selanik Kumandanı Kara Tahsin Paşa, Selanik'i hiç tüfek patlamadan Yunanlılara terkedince, Selanik debboylarında saklanan 89.000 Mavzer tüfeğini düşmana teslim etmişti. (**)

(*) Şevket Süreyya Aydemir: Makedonya'dan Orta Asya'ya Enver Paşa 2. cilt.

(**) Şevket Süreyya Aydemir: Makedonya'dan Orta Asya'ya Enver Paşa 2. cilt.

15 Kasımda Türk ve Sırp orduları arasında Manastır Kuzeyindeki ileri mevzilerde başlayan savaş, 16, 17 ve 18 Kasım günleri kanlı ve ölümcül bir boğuşma halinde sürdü. Taarruz ve karşı taarruzlar arasında iki taraf da zaman zaman zor saatler yaşadılar. Askerler yarı bele kadar çamur ve batak içinde döğüşmekteydiler.

Bu savaşta Vardar Ordusu askerleri, o tarihten gelen savaşma yeteneklerine yeniden kavuşmuş gibiydiler. O bozgunlar, o disiplinden uzak şuursuz hareketler gitmiş, yerini bilinçli bir görev anlayışı almıştı. Sanki Manastır önlerinde döğüşen bu asker, Kumanova'daki, Pirlepe'deki aynı asker değildi.

Fakat neylersiniz ki, o mikrobu, o kötü alışkanlıkları bütünüyle yok etmenin imkânı yoktu. Ve o hastalık kendini, savaşın dördüncü günü yeniden göstermekte gecikmedi.

O gün sol kanattaki Cavit Paşa'nın 6. Kolordusu başarılı bir karşı taarruzla Sırpları geriye atarken, komşusu 7. Kolordunun cephesi, hiç umulmayan bir sırada yarılıverdi. Çünkü ön hatlardaki bir Redif alayı, o geceki yağmurdan korunmak için kendiliğinden ve sessiz sedasız gerideki köylere dağılmış ve mevzilerini boş bırakmıştı. Güya geceki yağmurdan korunacaklar, sabah tekrar geleceklerdi. Bundan önce Kumanova'da ve daha başka yerlerde olduğu gibi!...

Sırplar, o gece bu boşluktan girdiler.

O savaşlara teğmen olarak katılan Fahri (Korgeneral Fahri Belen)'nin yazdığına göre, Redif alayındaki arkadaşını geceleyin görmeye giden bir subay, alay mevzilerinde Sırpça konuşmalar duyunca işin farkına varır ve hemen koşarak gerideki kolordu karargâhına haberi ulaştırır.

«Fethi Paşa çadırında kürküne sarılarak otlar üzerinde uyuyordu. Kendisini uyandırdık. Subay olayı anlattı. Fethi Paşa: 'Böyle şey olamaz. Bir alay cephesi nasıl boş kalabilir?' dedi. Oysa ki Balkan Savaşı'nda Redifler yağmurlu havalarda cepheyi terketmeyi âdet edinmişlerdi.

Sabah yaklaştı. Yoğun bir sis vardı. Sis açılır açılmaz birkaç yüz metre ilerimizde büyük Sırp kuvvetleri meydana çıktı. Dağ topçu taburunun ateşi, ihtiyattaki 56. Alayın süngü hücumuna başlaması ile ileri ve geri hareketler oluyordu. Bu mahşere Kolordu Komutanı Fethi Paşa da katıldı.

Kolordu karargâhı meydanda yoktu. Fethi Paşa ateş altında bana, Cavit Paşa'dan kuvvet isteğinde bulunan bir yazı not ettirerek imzaladı. Ben bu yazıyı Kajani Doğusunda bulunan Cavit Paşa' ya götürdüğüm zaman saat 10.00 olmuştu.»

Teğmen Fahri, bu yazıyı Cavit Paşa'ya götürdükten sonra dönerken, Fethi Paşa'nın cenazesi ile karşılaşır :

«Yolda birkaç atlı ile bir at arabasına rastladım. Arabanın önündeki subay Fethi Paşa'nın emir subayı idi. Arabada da Fethi Paşa'nın cenazesi vardı. Paşa, avcı hattında (Öndeki piyadelerle beraber) savaşırken şehit olmuştu.» (*)

7. Kolordu'nun bu beklenmeyen çekilişi diğer kolordulara da etki yapar, şimdi bütün birlikler kuşatılma tehlikesi ile karşı karşıyadırlar. Vardar Ordusu Komutanı Zeki Paşa, 18 Kasım akşamı çekilme emri verir. Dört gün üç gece süren Manastır Savaşı yine yenilgi ile sona ermiştir.

Journal gazetesi muhabiri, o günler için gazetesine şunları yazacaktı :

«Çok kanlı ve amansız geçtiğini daha önce yazmış olduğum Kumanova ve Pirlepe muharebeleri, büyük Manastır meydan muharebesi yanında önemini kaybediyor. Türkler, burada Plevne savaşçılarının efsanevî cesaretini ve kahramanca inadını gösterdiler ve Avrupa haritasından silinmeden önce, tam ve kesin yenilgilerine rağmen, şan ve şeref tacına lâyık olabildiler.

(*) Fahri Belen: 1912-1913 Balkan Savaşı.

MANASTIR SAVAŞINDAN SONRA GÜNEY ARNAVUTLUK'A ÇEKİLEN BATI ORDUSU
(23 Kasım 1912)

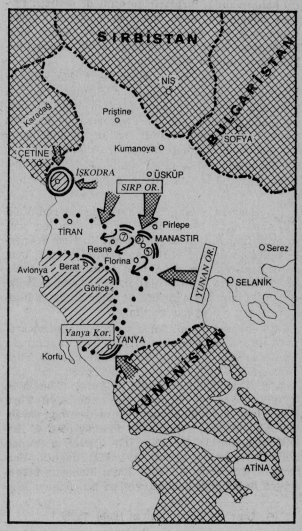

Manastır'daki Türk subay ve erlerinin talihsiz cesareti önünde eğiliyorum. Onlar, yenme ümidi beslemeksizin, aslanlar gibi döğüştüler. Onların kahramanlığı Sırpların şerefini de arttırır. Pirlepe zaferinden sonra ikinci defa olarak karşılarında öyle bir düşman buldular ki, askeri bilgi bakımından kendilerinden aşağı ise de, cesareti bakımından onların dengiydi.» (*)

6. ve 7. Kolordular Resne'ye, 5. Kolordu da Florina'ya çekilmeye başladılar. Sırplar, Türkleri yakından takip ediyorlardı. Bundan önce görüldüğü gibi çekilme, yine bir kaçışmaya ve bozguna döndü. Yine herkes canının derdine düşmüş, şuursuz bir insan seli halinde yollara dökülmüştü.

Bu günlerde Selanik'i almış olan Yunan Teselya Ordusu da Manastır'a doğru ilerlemekteydi.

9 Kasımda Selanik'i savaşsız ele geçiren Veliaht Konstantin, üç günlük bir dinlenmeden sonra ordusunu Batıya doğru sürmüştü. Hem Manastır önlerindeki Sırp ordusuna yardım edecek, hem de Makedonya'dan daha bazı topraklar kapacaktı. 12 Kasımda hareket edildi. İki tümen Selanik' de bırakılmış, altı tümenle üç doğrultuda Manastır'a doğru yürüyüşe geçilmişti.

16 Kasımda, yani Türk ve Sırp orduları arasında Manastır savaşlarının en kızgın gününde, Yunan ordusu da büyük bir tehlike halinde Türk ordusunun Güney kanadında belirmişti. On gün önce 6. Türk Kolordusu'nun 5. Yunan Tümeni'ni bozguna uğrattığı Soroviç önlerinde zayıf Türk kuvvetleriyle güçlü Yunan ordusu arasında savaşlar oldu. Manastır cephesine dönmüş olan 6. Kolordu'nun geride bıraktığı 17. Tümen'in Yunan ilerleyişine engel olması mümkün değildi. Batı Ordusu Komutanı Ali Rıza Paşa, Manastır bölgesinden bulabildiği bazı kuvvetleri bu cepheye koş-

---

(*) Aram Andonyan: Balkan Harbi Tarihi

turuyordu. Bu kuvvetler görevlerini fazlasıyla yaptılar ve Yunanlıları tam üç gün oyaladılar. Bu arada da, yani 19 Kasımda Manastır Savaşı bitmiş, Türk Batı Ordusu Batıya doğru çekilmeye başlamıştı. Eğer Konstantin daha hızlı hareket edebilmiş olsaydı, Türk kuvvetleri Kuzeyden Sırp ordusu, Doğudan Yunan ordusu arasında kalarak imha edilebilirdi.

18 Kasım günü ve gecesi Batıya ve Güney Batıya giden yollar ve patikalar, karmakarışık çekilen Batı Ordusu'nun ayakta kalabilen son askerleriyle doluydu. Komutanları Fethi Paşa'yı kaybeden 7. Kolordu ve Cevat Paşa'nın 6. Kolordusu Resne'ye, Sait Paşa'nın 5. Kolordusu ise Florina' ya doğru çekilmekteydi.

Savunma ne kadar kahramanca ve düzenli yapıldıysa, çekilme de o kadar korkakça ve o kadar düzensiz yapılıyordu. Şu, artık bütün acı gerçekliğiyle gün yüzüne çıkmıştı: Türk askeri düşmanla göğüs göğüse çarpışmayı biliyordu da, çekilmeyi bir türlü beceremiyordu. Daha «Çekilme Borusu»nu veya komutunu duyar duymaz, sanki dünyanın sonu gelmiş gibi birden değişiyor ve hemen paniğe kapılıyordu. Birbirini etkileyerek başlayan kaçış nedeniyle kısa sürede şuursuz bir insan kalabalığı oluşuyordu. Artık o andan itibaren asker, askerlikten çıkmış, emir ve komuta dinlemeyen bir asi gibi önüne geleni çiğneyerek kendi canını kurtarmaktan başka birşey düşünmez olmuştur.

İşte şimdi de aynı hâl bir kez daha yaşanmaktaydı :

«Herkes silahını atıp kaçıyordu, nereye olursa. Daha sonra Sırp ve Yunan çeteleri tam anlamıyla insan avına çıktılar o dağlarda. Kurşunlarına hedef olan Osmanlı askerlerini aman vermeden katlettiler. Bir çoğu kendiliğinden Manastır'a inerek silahlarını verdi, teslim oldu. Muharebe meydanlarından kaçamayanlar 18 Kasımda

Manastır'da teslim oldular. O gün muzaffer Sırp ordusu şehre girdi.» (*)

Bu savaşta Vardar Ordusu 3.500 ölü, yaralı ve 3.000'nin üzerinde esir vermişti. Başta Manastır Redif Tümeni olmak üzere elde kalabilen diğer Redif askerleri de dağılıp gitmişti. Araçsızlık ve düzensizlikten yeterince kullanılamayan Manastır askeri depolarındaki sayısız silah, cephane, araç, gereç, yiyecek de düşmana bırakılmıştı. Ayrıca 21'i mevzilerde, 29'u yollarda olmak üzere 50 top kaybedilmişti. Sırpların kaybı ise Türklerinkinden fazlaydı : 8.000 kişi.

Manastır Savaşı, Batı Ordusu'nun Makedonya'daki büyük çaplı son savaşı olarak kabul edilir. Bundan sonra düşman içinde yalnız başlarına kalan Yanya ve İşkodra savaşçılarının kahramanca sürdürdükleri kent savaşları ve Vardar Ordusu' nun o tarihten sonra Sırp ve Yunanlılarla yapacağı dağınık birkaç çarpışma dikkate alınmazsa, Batı Ordusu artık güçlü bir kuvvet olmaktan çıkmış ve savaş dışı kalmıştı.

Bir aya sığan kısa bir sürede, Meriç ve Ustruma'dan Arnavutluk hudutlarına kadar tüm Makedonya kaybedilmiş, yani Avrupa Türkiyesi haritadan silinmişti. 200.000'e yaklaşan koca bir ordu, Karadağ-Sırp-Yunan ve biraz da Bulgar kuvvetleri karşısında üç-dört cephede döğüşmüş, fakat bir varlık gösteremeden yuvarlanıp gitmişti. Zaten daha 20 gün içinde, Selanik kuvvetleri, Manastır kuvvetleri olarak birbirinden kopuk iki parçaya bölündüğünde işin acı sonu görünmüş gibiydi. Selanik kuvvetlerinin kendiliklerinden yüz kızartıcı bir şekilde teslim olması, Manastır kuvvetlerinin de moralini yitirmesine neden olmuştu. Buna rağmen âdeta son bir şeref kavgası veren Manastır kuvvetleri yine de dört gün boyunca dayanmış, ama Sırp ordularının gücü ve Yunan or-

_____

(*) Aram Andonyan: Balkan Harbi Tarihi

dusunun üzerine yürümesinden sonra çekilmekten başka çare bulamamıştı.

Evet, şimdi artık ne Kumanova, Üsküp ne Manastır, Selanik, ne Serez ile Kavala vardı ve ne de bir Türk Batı Ordusu... O güzelim Makedonya'dan geriye, kentlerinde ve kırlarında yanan ve yıkılan Türk evleri, sağ kalabilen perişan Türk ve diğer Müslüman insanlar kalmıştı. Yani, yüzyıllar süren ve nice cana mal olan Osmanlı saltanatından geriye harabe ve yangınlardan başka kalan birşey yoktu.

Manastır boylarında Batı Ordusu'nun son askerleri Sırplarla son büyük savaşını yaparken, aynı günlerde (16-17 Kasım) Türk Doğu Ordusu da Çatalca önlerinde Bulgar taarruzlarına karşı başkentini savunmaya çalışıyordu. Doğu Ordusu, Bulgar hücumlarını bu son mevzilerde kıracak ve ilk defa Bulgarları göğüsleyip durduracaktı ama; Batı Ordusu, yenildiği Manastır Savaşı'ndan sonra Adriyatik kıyılarına doğru çekilmesini sürdürecekti.

O günleri cephe boylarında yaşayan bir subay sonradan yayınladığı anılarında şunları yazacaktı :

«Manastır Savaşı da ancak dört gün sürdü. Dördüncü gün bozulduk. Dördüncü gün akşam üzeri bozguna uğramış kaçıyorduk. Halbuki kaçtığımız Güney istikametinde ve ancak 30 kilometre ileride Yunan ordusu bize doğru geliyordu.

Biz meçhul akibetimize doğru gidiyorduk.

Her tarafta terkedilmiş toplar, devrilmiş arabalar, baştanbaşa perişanlık, dizlere kadar çamur, soğuk, yağmur ve karanlık...

Hepimiz ve Mehmetçik'ler bu şartların ortasında kaçmaya, daha doğrusu yürümeye çalışıyoruz.

Halbuki Batı Ordusu komutanımız, bize Manastır'ın ikinci Plevne olacağını söylemişti. Hatta bir de beyanname veya tebliğ dağıtılmıştı. Bunda Manastır Savaşı'nın Rumeli'nin akibetini tayin edeceği, buradan bir adım geriye çekilinmeyeceği, aslanlar gibi savaşacağımız ve bunlara benzer neler yazılmıştı? Halbuki hemen bozulduk.

Özetle biz, muharebenin ne olduğunu, nasıl yapılacağını bilmiyorduk. Biz muharebeyi, Balkan Harbi'nden sonra öğrendik.» (*)

Evet Rahmi (Apak) doğru söylüyordu. Her bakımdan geri bıraktırılmış, görüşü, anlayışı eski, modern savaş usullerine yabancı ordu, savaşı ve savaşmasını bilmiyordu. Fakat bundan sonradır ki, aynı ordu silkinip kendisine gelecek, Alman askeri heyetinin de yardımıyle ve Enver Paşa gibi genç ve aydın komutanların düzenlemeleriyle daha bir başka güce ancak bundan sonra kavuşacaktı. Balkan Savaşı'ndan bir yıl sonra başlayan Birinci Dünya Savaşı'nda Osmanlı silahlı kuvvetleri, Balkan Savaşı'nın ordusu ile kıyaslanamayacak bir kimlikle tam dört yıl, dokuz cephede modern ordularla başabaş döğüşecekti.

Ama daha o günlere vakit vardı ve şimdi Makedonya'da döğüşen kuvvetler, savaşı kaybetmişlerdi. Böylece 18 Ekimde başlayan Balkan Savaşı, herkesin hayretten açılan gözleri önünde ancak bir ay kadar sürmüş ve 18 Kasımda koca Osmanlı ordularının feci yenilgisiyle sona ermişti.

Sona ermişti, çünkü bundan sonra Makedonya'da bir Batı Ordusu artık yok sayılabilirdi ve Doğuda, daracık bir Çatalca mevziine sığınmış Doğu Ordusu'nda ise, iki savaş ve iki bozgundan sonra, taarruz güç ve kuvveti kalmamıştı. Ve, bütün bunların sonunda da artık Avrupa'da Türk toprağı yoktu. Viyana'dan başlayan bir gerileme ve çözülme, gide gide 250 yıl içinde artık son noktasına ulaşmış ve Avrupa'daki 500 yıllık Osmanlı egemenliği tarihe karışmıştı.

Manastır Savaşı'nı kazanan Sırp ordusu, başlarında Sırp Veliahtı Aleksandr olarak savaşın otu-

_____

(*) Rahmi Apak: Yetmişlik bir subayın hâtıratı.

240

zuncu günü, 19 Kasım 1912'de büyük bir törenle Manastır'a girdi. Kent, Sırp bayraklarıyla donanmış, Müslümanlar dışında bütün halk sokaklara dökülmüştü. Türkler ve Arnavutlar evlerine kapanmış, dükkânlarını kapatmışlardı. Ertesi gün ordusu başında Selanik'den Manastır üzerine yürümekte olan Yunan Veliahti Konstantin de şehre ulaşacak ve Sırp Veliahti Aleksandr tarafından gösterişli bir şekilde karşılanacaktı.

Şimdi Batı Ordusu'nun döküntüleri Batı'ya, Güney Arnavutluk'a doğru çekiliyorlardı. Çünkü sığınacakları başka yer kalmamıştı. Orada, kıyılarda belki bir köprü başı kurarlar ve harp bitinceye kadar kendilerini savunabilirlerdi. Batı Ordusu'nun dağınık birliklerinin arkasından yürüyen Sırp orduları 21 Kasımda Resne'yi aldılar. Resne, o sıralarda Batı Ordusu'nun askerleri arasında cephede savaşmakta olan **«Hürriyet Kahramanı»** Binbaşı Niyazi'nin doğum yeri olarak meşhurdu.

Ve 20 Kasımda beklenen oldu: Arnavutlar o gün bağımsızlıklarını ilan ettiler. Bir Osmanlı milletvekili olan Arnavut İsmail Kemal, başa geçmiş ve Arnavutluk'un bağımsız bir millet olduğunu bir bildiri ile tüm dünyaya duyurmuştu. Harbin başlangıcında Karadağ ve Sırp orduları tarafından işgale uğrayan Kuzey Arnavutluk'dan sonra şimdi de Güney Arnavutluk Sırp ve Yunan tehdidi altına girmişti. Artık beklenecek zaman değildi, Avrupalı büyüklerin çoğu da bağımsız bir Arnavutluktan yana idiler. Osmanlı ordusu da, bağımsız bir Arnavut hareketini kuvvetle bastıracak güçten yoksundu.

Halbuki Arnavutlar, hiç olmazsa geçici bir süre Türk Batı Ordusu'nun yanında yer alsalardı, bu Balkan istilasına mani olabilirlerdi veya en azından çok zorlaştırırlardı. Ama onlar bir türlü kesin bir tavır takınamadılar, hem gönüllü milisleriyle Sırp, Karadağ ve Yunanlılara karşı döğüştüler, hem de yüzyıllardır aynı millet gibi omuz omuza bir arada oldukları Türklere karşı düşmanlıklarını sürdürdüler.

22 Kasımda Ohri düştü ve işte bu karışık hava içinde Sırp ordusu, 28 Kasımda Arnavutluk'un merkezi Debre'ye de girdi.

O tarihe kadar Adriyatik sahillerinden uzakta tutulan Sırpların, Kuzey ve Güney Arnavutlukta Adriyatik'e inmesi, o bölgede menfaatleri olan Avusturya ve İtalyanları harekete geçirdi. Şimdi Avusturya'nın Ege'ye yayılma yollarının önü kesilmişti. Yani, ezeli Islav-Germen kavgasında Islavlar avantajlı duruma giriyorlardı. Avusturya'nın tüm uyarıları boşa gitmiş ve Sırp Kralı Petar ordularını Adriyatik sahillerine doğru yürütmekten çekinmemişti.

Avusturya seferberlik ilan etti. Sırpların büyük koruyucusu Ruslar da seferberliğe başladılar. Zaten ne zamandır iki gruba ayrılmış Avrupa, şimdi bir dünya savaşı tehlikesiyle karşı karşıyaydı: Savaş başladı başlayacaktı. Fakat Avusturya'nın müttefiki Almanya olsun, Rusya'nın müttefikleri İngiltere, Fransa olsun, bir savaşa şimdilik taraftar değildiler. Alman İmparatoru Kayzer Wilhelm, o günlerde ziyaretine gelen Avusturya veliahtına «Fazla gürültü ediyorsun. Hem de benim kılıcımla...» diyerek, şu sıralarda bir savaş istemediğini kesinlikle belirtiyordu. Diğerleri de Rusları yatıştırdılar. İki taraf arasında görüşmeler sonunda «Bağımsız bir Arnavutluk» konusunda anlaşmaya varıldı. Buna göre Sırplar ve Karadağlılar en kısa zamanda işgal ettikleri Arnavutluk topraklarını boşaltacaklardı.

Bu arada Yunan Veliahti Konstantin ise, hiç de durmak niyetinde değildi. Selanik'ten gelen Yunan birlikleri o hızla Filorina'ya girdiler ve Güneydeki Türk kuvvetlerini Arnavut dağlarına doğru sürdüler. Ama o kış kıyamette, dağlık ve yolsuz Arnavutluk arazisinde fazla ilerleyemediler. Çünkü yer yer Batı Ordusu artçılarının direnişine Arnavut gönüllülerinin karşı koyması da ekleniyordu. Halbuki daha Güneyde Yunan toprakları, yani Yanya ve çevresi hâlâ Batı Ordusu' nun işgali altındaydı.

Veliaht Konstantin, beş tümenlik kuvvetinin üç tümenini Güney Arnavutluk hudutlarında Türk Batı Ordusu karşısında bırakarak, iki tümeniyle Selanik'e dönmek üzere yola koyuldu. Bu kuvvetle Selanik'den deniz yoluyla Yanya cephesine gidecekti.

Konstantin'in Selanik'e doğru hareket ettiği 3 Aralık 1912 günü, Çatalca'da sekiz gündür sürdürülen ateşkesme görüşmeleri sonuçlanmış, Sırp ve Karadağlılar adına da hareket yetkisi olan Bulgarlarla Osmanlılar arasında Ateşkes Anlaşması imzalanmıştı.

Ve Balkanlar'da silahlar susmuştu. Ama Yunanlıların buna uymaya hiç niyetleri yoktu. Çünkü onlar daha çok şey istiyorlardı: Yanya'yı da kurtaracaklar, daha da ilerilere gideceklefdi. Harp başladığından beri Ege'de, İtalyanların işgalindeki —Oniki Ada hariç— Bozcaada, Gökçeada (İmroz) içinde olduğu halde tüm adaları almaları bile onları doyurmamıştı. Averof zırhlısı başta, donanmaları, Osmanlı donanmasından daha güçlüydü. Ona dayanarak belki Gelibolu ve hatta kimbilir belki İzmir'de Anadolu kıyılarına çıkabilirler ve bazı ek kazançlar sağlayabilirlerdi. Eski Yunan medeniyeti hayranı Avrupalı devletlerin desteği, onlara güç ve cesaret vermekteydi.

DOKUZUNCU BÖLÜM

ATEŞ KESİLMESİ VE TEKRAR SAVAŞ

BARIŞ GÖRÜŞMELERİ VE
BABIÂLİ BASKINI

Barış görüşmeleri, ateşkesten 14 gün sonra 16 Aralık 1912'de Londra'da başladı. Londra'ya Yunan delegeleri de gelmiş ve toplantıya girmişlerdi. Osmanlı delegesi, haklı olarak, Yunanistanla ateşkes imzalanmadığını, bu nedenle onlarla barışın konuşulamayacağını ileri sürdü. Fakat büyük devletlerin ve Balkanlıların baskısı sonucu, Yunanlıların da katılmasını kabul zorunda kaldı. Yunanistanla Osmanlıların harp halinde olması, Balkanlıların işine gelmekteydi. Çünkü Yunan donanması, Osmanlıların ateşkesilmesinden yararlanarak Makedonya'daki Batı Ordusu'na yardım göndermelerini engelliyordu.

Görüşmelerde Balkanlı müttefikler, askeri zaferlerinin de verdiği avantajla, Osmanlı delegelerinin önerilerini hiç dikkate almıyor, kendi dediklerini zorla kabul ettirmeye çalışıyorlardı. Büyük devletler ise, her zamanki gibi, Balkanlılardan yana idiler. İngiltere, Fransa, Almanya, Rusya, Avusturya, İtalya büyük elçileri de, 17 Aralıktan itibaren resmen kendi aralarında toplanmaya başlamışlar ve görüşmeler boyunca bazı kararlara vararak bunun uygulanması için baskılarını arttırmışlardı.

Balkan ülkeleri ve büyük devletlerin istekleri şunlardı :

Tekirdağ'ın Doğusundan Karadeniz kıyısında Midye'nin Doğusundaki Malatra Körfezi'ne çizilecek bir hattın Doğusu (yani Çatalca Yarımadası) ile Gelibolu Yarımadası Osmanlılara bırakılıyor; bunun dışındaki tüm Avrupa toprakları Balkanlı müttefiklere terkediliyordu. Bundan başka Osmanlılar, tüm Ege Adaları'ndan ve Girit Adası üzerindeki bütün haklarından da vaz geçecekti.

Kısaca ve özetle, İstanbul Osmanlılara bırakılmaktaydı ama, onun dışındaki topraklar, yani tüm Türkiye Avrupası elinden alınmaktaydı.

Koşullar Osmanlılar için çok ağırdı. Avrupalı büyük devletler «Savaş nasıl sonuçlanırsa sonuçlansın, Balkanlar'daki statünün değişmeyeceği» konusundaki sözlerini çoktan unutmuşlardı. Çünkü, henüz harbin başlamadığı o günlerde böyle bir sonuç hiç kimsenin aklına bile gelmiyor, çoğu devletler hatta bir Osmanlı zaferi bekliyorlardı.

Başbakan Kâmil Paşa, Osmanlı başdelegesi Mustafa Reşit Paşa aracılığı ile bu ağır koşulları yumuşatmaya boşuna uğraştı. Hükümet, Edirne'nin kesinlikle kendilerinde kalmasını, Makedonya ve Arnavutluk'un kendisine bağlı özerk eyaletler haline getirilmesini, Ege'deki adalara dokunulmamasını istemekteydi.

Çetin görüşmeler uzadıkça Osmanlı Delegesi Reşit Paşa, hükümetten aldığı talimat gereğince, yavaş yavaş geriledi. Girit'ten çoktan vazgeçilmişti. Sonra sırasiyle Makedonya, Arnavutluk ve Meriç Batısı (Batı Trakya) da bırakıldı; hatta İmroz ve Bozcaada dışındaki Ege Adaları da bırakıldı. Ama Edirne ve Doğu Trakya kesinlikle elimizde kalmalıydı.

Balkan devletleri ve Balkanlıları kendi taraflarına çekmeye, onlara yaranmaya çalışan büyük Avrupa ülkeleri, kendi koşullarında ısrar ediyorlardı. İş çıkmaza girmişti. Osmanlı hükümetinin bu koşulları kabul etmesi olanaksızdı. Bu nedenle görüşmeler, başladığının üçüncü haftasında, 6 Ocak 1913 günü kesildi.

Halbuki Balkanlılarla Osmanlılar arasında başlayacak yeni bir savaş tehlikeli olabilir ve barut fıçısı üzerinde oturmakta olan Avrupa'ya da sıçrayabilirdi. Avrupalı büyükler (İngiltere, Fransa, İtalya, Rusya, Almanya, Avusturya) on gün sonra 17 Ocakta Babıâli'ye ortak bir nota vererek ondan, Londra Konferansındaki koşulları derhal kabul etmesini istediler. Büyüklere göre aksi halde yeni bir savaş, Osmanlı devletini daha da güç bir duruma sokabilirdi.

İşin aslı aranırsa, gerçekten de durum kritikti. Bütün kozlar Balkanlıların elindeydi. Bir defa, hemen hemen tüm Rumeli'yi zaten silah zoru ile almışlardı. Askeri alanda olduğu gibi politik alanda da, Avrupalı büyüklerin desteği ile, üstünlük onlardaydı. Üstelik şimdi İstanbul ve hatta Anadolu bile tehlikede sayılırdı. Avrupa basınında, Yunan ordusunun Ege kıyılarına çıkmak için hazırlandığı, Bulgarların Gelibolu'yu veya Güney Marmara kıyılarını istila niyetlerinden bahsedilmekteydi. Böyle bir tehlike nasıl önlenecekti? Batı Ordusu hemen hemen tümüyle elden çıkmıştı, Doğu Ordusu ise ağır kayıplara uğradıktan sonra, Anadolu'dan aldığı takviyelerle Çatalca ve Gelibolu'da zorlukla tutunmaya çalışmaktaydı. Bunun dışında elde yeterince kuvvet de yok sayılırdı.

Bunlardan başka Anadolu ve Suriye huzursuzdu, yeni ayaklanmaların eli kulağındaydı. Memleket de kötü durumdaydı. Hazinede para kalmamış, ekonomi neredeyse durma noktasına gelmiş ti. Üstelik İttihat ve Terakki ile Hürriyet Ve İtilaf Partisi arasındaki çekişme doruk noktasına varmıştı. İttihatçılar, Kâmil Paşa Hükümeti'nin İtilafçıların elinde bir oyuncak olduğunu ve şimdiki utanılacak durumun bütün günahının İtilaf Partisi'ne ait bulunduğunu ileri sürüyorlardı. İstanbul kaynıyordu...

Kâmil Paşa Hükümeti, bu dış ve iç baskılar karşısında şaşkındı. Bütün Rumeli'nin ve özellikle Edirne'nin kaybına razı olmak çok zordu ve çok sorumluluk gerektirirdi. Ama yapacak birşey de yoktu; millet meclisi ne zamandır dağılmıştı. Kâmil Paşa'nın isteği üzerine Padişah Mehmet Reşat, «Saltanat Şurası»nı toplantıya çağırmayı kabul etti. Kâmil Paşa, hiç olmazsa sorumluluğu paylaşmak istiyordu.

Avrupalı büyüklerin notasından beş gün sonra 22 Ocakta Saltanat Şurası halinde toplanan memleketin ileri gelen asker ve sivil kişileri de barış koşullarını kabulden başka çare bulamamışlardı. Maliye Bakanı memleketin ekonomik ve mali yönden perişanlığını, Dışişleri Bakanı Noradunkyan ise savaşın yeniden başlaması halinde Rusya'nın da harbe katılması olasılığını anlatıyorlardı. Saltanat Şurası Edirne'yi bırakıyordu ama, şu ayrıcalığı istiyordu: Edirne Türklerine dini ve sosyal bazı haklar verilmeliydi.

Babıâli Baskını

Evet, Osmanlı Tarihine «Babıâli Baskını» diye geçen olay, işte tam bu günlerde gerçekleşti. Hem de tepeden inme ve ancak bir avuç insanla ve güpegündüz...

Takvimler, 23 Ocak 1913'ü göstermektedir; yani Saltanat Şurası toplantısının ertesi günü. O gün Kâmil Paşa hükümetini toplamış, Saltanat Şurası'nın dünkü kararını bir de hükümet olarak görüşüp Balkanlılara ve Avrupalı büyüklere «Olur» cevabını vereceklerdir. Ve artık gerçeğin

247

acı yüzü bütün çıplaklığı ile ortadadır: Türkler İstanbul kapılarına kadar tüm Avrupa'dan sökülüp atılmışlardır. Bir zamanların Avrupa ortalarına kadar yayılmış Muhteşem İmparatorluğu erimiş, bitmiştir. 1354'de Süleyman Paşa'nın Bolayır'da Avrupa'ya ayak bastığından beri geçen tam 559 yıl sonra bugün, yine aynı yerlerde Türk egemenliği son bulmuştur. Şimdi düşman İstanbul'un ve Çanakkale'nin burnu dibindedir. Akdeniz'den sonra Ege Denizi de elden çıkmıştır. Yenilgi kesin, çöküş korkunçtur ve herşey bitmiştir...

Hürriyet Kahramanı ve İttihat ve Terakki'nin önde gelen liderlerinden Kurmay Yarbay Enver ve diğer arkadaşları Trablusgarp'dan 1 Ocak 1913'de, yani yeni yılın ilk günü Türkiye'ye dönmüşler, İtalyan savaşından sonra ayaklarının tozu ile Balkan Savaşı'na koşmuşlardı. Kurmay Binbaşı Mustafa Kemal, Fethi ve diğerleri de vapurla veya bulabildikleri araçlarla değişik yollarla memleket savunmasına yetişmişlerdi. Enver İstanbul'da kurulmakta olan 10. Kolordu'nun Kurmay Başkanı, Fethi (*) Gelibolu'daki Mürettep Kolordu'nun Kurmay Başkanı, Mustafa Kemal de bu Kolordunun Harekât Şube Müdürüdür.

Yemen'de bulunan Genelkurmay Başkanı Ahmet İzzet Paşa da İstanbul'a gelmiş ve komutayı ele almıştır.

Fakat bu subaylar geç kalmışlardı. Memlekete geldikleri yeni yılın ilk günlerinde Balkan Savaşı büyük bir yenilgi ile bitmiş, bir ay önce 3 Aralıkta ateş kesilmiş, 15 gün önce de Londra'da barış görüşmeleri başlamıştı. Ve işte şimdi de Saltanat Şurası'nın Balkanlıların bütün isteklerini kabul ettiği söylentileri ortalığa yayılmıştı. Seksenlik ihtiyar Kâmil Paşa Hükümetinin elinde memleket tam bir çöküntüye gitmekteydi.

(*) Fethi (Okyar): Kurtuluş Savaşı'ndan sonra Başbakan.

Millete İkinci Meşrutiyet'i, yani hürriyeti' getirmek için çekilen bunca eziyet bunun için miydi? İttihat ve Terakki bunun için mi kurulmuş, Abdülhamit boşuna mı iktidardan uzaklaştırılmıştı? Genç subayların başı çektiği ve yurdun bir ucundan diğerine kadar yeni ümitler uyandıran hareketin sonu böyle feci mi olacaktı? Tüm bunlara sebep, İttihat Ve Terakki'nin bir türlü iktidarı bütünüyle ele alamavışıydı. Gerçekten de İttihat Ve Terakki, seçimlerde meclis çoğunluğunu ele geçirmesine rağmen nedense tam iktidar olamamış, ne renkte olduğu belirsiz hükümetler memleketi yönetmeye devam edip gitmişlerdi. 1908'den beri dört yıl boşuna geçirilmiş, Hürriyet ve İtilaf Partisi gibi eskiye bağlı tutucu bir muhalefetin ortalığı bulandırmasına boşuna seyirci kalınmıştı.

Öyleyse?..

Öyleyse, bütün bu ikircikli ve kararsız tutum bir tarafa bırakılacak, silah zoru ile de olsa iktidar ele geçirilecekti. İmparatorluk ölmek üzereydi, memleket elden gidiyordu.

23 Ocak 1913 günü Kâmil Paşa Hükümeti Babıâli'de (şimdiki İstanbul Vilayet binası) toplantı halindedir. Kır bir ata binmiş Yarbay Enver, yanında İttihat Ve Terakki'nin silahşör subayları Yakup Cemil, Mustafa Necip, Mümtaz, Sapancalı Hakkı olduğu halde Başbakanlık önüne gelir.

40 kişilik bir ihtilalci grup da bu sırada oradaki yerini almıştır. İttihat ve Terakki'nin ateşli hatibi Ömer Naci ve Partinin önde gelen liderlerinden Talat (Paşa) da oradadırlar. Enver, yanında silahşorlarıyla başbakanlığa girer. Polis ve Başbakanlık Muhafız Taburu görevlileri hiçbir harekette bulunmamıştır. Bu arada girenlere karşı koymaya çalışan bazı subay ve polisler, silahşorlar tarafından vurulur. Hükümet toplantısını bırakıp silah seslerine koşan Harbiye Nazırı Nazım Paşa da vurulanlar arasındadır. Hani Balkan Savaşı'nın Başkomutan Vekili meşhur Nazım Paşa, silahşor Ya-

kup Cemil'in kurşunlarıyla vurulmuş ve orada hayatını kaybetmiştir. (*)

Toplantı salonuna giren Enver **«Millet sizi istemiyor, istifa ediniz»** diye Kâmil Paşa'nın istifasını ister. Paşa'nın elinden aldığı yazılı istifa ile kapıdaki bir otomobile atlayarak Dolmabahçe Sarayı'na koşar. İhtiyar Padişah Mehmet Reşat tarafından derhal huzura alınmıştır. Padişah, Kâmil Paşa Hükümetinin istifasını kabul ettikten başka, Yarbay Enver Bey'in diğer önerisini de itirazsız kabul ederek, hükümeti Mahmut Şevket Paşa'nın kurmasına razı olur. Bütün bunlara karşı Padişahın tepkisi, sadece **«Pekiyi, öyle olsun, hayırlı olsun gibi birkaç sözden ibaret»**tir. (**)

Şimdi dört yıl önce 31 Mart ayaklanmasını bastırmak üzere Selanik'den hareketle İstanbul üzerine yürüyen **«Hürriyet Ordusu»**nun ünlü komutanı Mahmut Şevket Paşa'nın başkanlığında, tamamen İttihatçılardan oluşan bir hükümet iş başına gelmiştir.

Halk bir buçuk ay gibi kısa bir sürede başına gelenlerden zaten şaşkındır. Birbiri peşisira ve büyük bir gürültü ile üstüne abanan karabasanın etkisinde afallamıştır.

Nasıl afallamasın ki?..

İşin aslını bilmediği için o kadar güvendiği koca Osmanlı ordusu, daha dün denecek kadar yakın bir zamanda kurulan küçük Balkanlı ordular karşısında utanç verici yenilgilere uğramış ve kof bir ulu ağaç gibi devrilip gitmişti. Atalarının kanlarını dökerek onca savaşlar sonunda kazandıkları

(*) Babıâli baskınında, Nazım Paşa, kendisinin ve başbakanın emir subayları, bir koruma komiseri ve baskını gerçekleştirenlerden Mustafa Necip adındaki subay içlerinde olmak üzere 13 kişi ölmüştü.

(**) Şevket Süreyya Aydemir : Makedonya'dan Orta Asya'ya Enver Paşa 2. cilt.

topraklar bir hamlede elden çıkmış, düşman nere-
deyse İstanbul'un surlarına dayanmıştı. Şimdi de
bunun onaylanması isteniyor, Saltanat Şurası ol-
sun, Kâmil Paşa Hükümeti olsun bunu kabulle-
niyorlardı. İyi ama hiç olmazsa Sinan'ın Selimi-
ye'siyle, onca tarihi eserleriyle taşından toprağı-
na kadar yüzyıllardır Türk olan Edirne kurtarıla-
maz mıydı? Hani, neredeyse elini uzatsa Topka-
pı'ya değecek kadar, nefes alışları şehirden duyu-
lacak kadar başkentin burnu dibindeki bir Bul-
gar'ı, Türk'ün aklı almıyordu. Bu ona, aşağılan-
mak gibi, hakaret gibi geliyordu. Olacak iş miydi
bu?.. Yeni iktidar herhalde buna razı gelmeyecek,
Edirne ve Meriç Nehri'ne kadar olsun bir kısım
toprakları kurtaracaktı. Makedonya'daki İşkodra
ve hatta Yanya gibi Edirne de henüz ordumuzun
elinde değil miydi?..

Evet, yeni hükümetle birlikte millette yeni
bir ümit uyanmıştı. Muhalefet sinmiş, basın ve
halk yeni iktidara alkış tutmaktaydı ama, bunu
Balkanlılara ve Avrupalı büyüklere anlatmak hiç
de kolay değildi. Nitekim Mahmut Şevket Paşa'-
nın iktidara geldiğinin haftasında, 30 Ocak 1913'de,
Edirne'nin Osmanlı toprakları içinde kalmasını
kapsayan önerisi reddedilecek ve barış umudu yeni-
den çıkmaza girecekti. Balkanlılar ve Avrupalılar,
değil Edirne'yi bırakmak, kendilerinin saptadığı
hattın biraz daha gerisindeki Midye-Enez çizgi-
sine bile razı değillerdi.

Ve bütün bunların sonunda beklenen oldu :
Bulgarlarla ateş kesilmesinden iki ay sonra, 3 Şu-
bat 1913'de Çatalca cephesinde yeniden savaş baş-
ladı. Yunanlılarla ateşkes anlaşmasına varılmadı-
ğından, onlarla savaş zaten sona ermemişti ve
Makedonya'da çarpışmalar sürüyordu.

Çatalca'da Türk-Bulgar mevzilerinde top ses-
lerinin duyulması ile birlikte Balkan ufuklarını,
ne getireceği belirsiz tehlike dolu kara bulutlar
doldurmuştu. Herkes ve Avrupa, yeniden gerilim-
li bir ortama girdi...

BULGARLARLA YENİDEN SAVAŞ
VE ŞARKÖY ÇIKARMASI

En azından Edirne'yi kurtarmak gibi bir iddia ile iktidara gelen Mahmut Şevket Paşa Hükümetinin bunun dışında bir çözümü kabul etmesi olanaksızdı. Bulgarların ise, savaş yeniden başlarsa Edirne'yi er geç düşürmek, sonra orada kalan kuvvetlerini ve daha da önemlisi Edirne kuşatmasında kullandıkları ağır topları Çatalca'ya getirerek Türk savunmasını yarıp İstanbul'a ulaşmak gibi bir umutları vardı.

Yeniden savaş Sırpları pek ilgilendirmiyordu. İyi kötü alacağını almıştı. Karadağlılar da, nasıl olsa İşkodra'yı —barış yoluyla olmasa bile— savaşarak ele geçirecekti, dolayısıyla onun da yeni savaştan beklediği pek birşey yoktu.

Yunanistan'a gelince, o zaten silahı bırakmamıştıki. Hâlâ Osmanlı ordusunun elinde bulunan Yanya'yı ve Epir topraklarını kurtarmak ve eğer yapabilirse biraz da Güney Arnavutluk'tan bazı yerler kapmak için uğraşmaktaydı. Öyleyse müttefiklerin Osmanlılarla yeniden savaşmaya başlaması onun yararınaydı.

Bulgar Hükümeti 2 Şubat 1913'de, Osmanlı Hükümetine ateşkesin sona erdiğini bildirdiği saatlerde, Bulgar Kralı Ferdinad orduya yayınladığı bildiride **«Yeni bir zafer için hazırlanınız. Düşmana ve bütün dünyaya gösteriniz ki, Bulgar vatanı daha büyük saygıya layıktır.»** diyordu.

Fakat durum, Balkan Savaşı'nın başladığı üç buçuk ay öncesine göre bir hayli farklıydı. Türk Ordusu Çatalca hattını pekiştirmiş ve Anadolu'dan aldığı takviyelerle oraya sağlam şekilde yerleşmişti. İki tarafı denize dayalı 30 kilometrelik bu dar cepheyi Bulgarların yarması oldukça zordu. Nitekim daha o zamanlar, yani ateş kesilmesinden önce 17 ve 18 Kasım 1912'deki Bulgar taarruzları bile başarı sağlayamamış ve Çatalca mevzileri yarılamamıştı.

Güneyde Gelibolu Yarımadası'ndaki Türk cephesi yine iki yanı denize dayalı ve Çatalca cephesinden bile dar bir mevziydi. Bolayır Mevzii denen bu yere de Türk ordusu sağlamca yerleşmişti. Üstelik iki aylık ateşkes süresi içinde Türk ordusu, her iki cepheye de bir hayli kuvvet yığmış ve sayı olarak Bulgar ordusundan 50.000 kişilik bir üstünlüğe erişmişti. Edirne bölgesindekiler hariç, Çatalca ve Gelibolu'da 150.000 kişilik Bulgar ordusuna karşılık Türk ordusunun kuvveti 200.000 kişiyi bulmaktaydı.

Birinci ve Üçüncü Bulgar Orduları, yine Çatalca cephesindeydiler. Yeni açılan Gelibolu cephesinde ise Bulgarlar yeni bir ordu kurmuşlardı. Dördüncü Ordu adını alan bu kuvvet, Üçüncü Sırp Ordusu emrinde Makedonya'da Türk Ustruma Kolordusu'na taarruzla Serez ve Selanik'e inen 7. Tümen ile, Batı Trakya'daki Türk Kırcaali Kolordusu'nu tutsak ederek Gümilcine'ye varan 2. Tümen ve bir süvari tümeninden oluşturulmuştu.

İkinci Bulgar Ordusu ise, iki Sırp tümeniyle takviye edilmiş olarak Edirne kuşatmasını sürdürmekteydi. Şükrü Paşa komutasındaki 40.000 kişilik Edirne Kolordusuna karşılık, kuşatıcı kuvvetlerin sayısı 120.000'i bulmaktaydı. Tüm kuvvetler de dikkate alındığında, Trakya'daki Türk ve Bulgar orduları, sayı olarak aşağı yukarı denk sayılabilirdi. Bilindiği gibi, sayının fazla bir değeri yoktu. Asıl önemli olan silahlar, araç ve gereç, bütünleme olanakları, eğitim ve özellikle moral gibi diğer faktörlerdi. Ve bunların, kısa zamanda üstüste feci yenilgilere uğramanın utancı içindeki Türk ordusunda çok zayıf olduğu bir gerçekti. Çatalca'da olsun, Gelibolu'da olsun, Şubatın soğuğu ve çamurunda daracık cephelerde güçlü Bulgar mevzilerini yarmak, bu yorgun, bu eğitimsiz, bu ağır topçudan ve araç gereçsizlik nedeniyle hareket yeteneğinden yoksun ordu ile başarılması olacak iş miydi?

Babıâli Baskını'ndan sonra işbaşına gelen Mahmut Şevket Paşa Hükümeti bütün gücü ile kolları sıvamış, orduyu güçlendirmeye çalışıyordu. Baskında öldürülen Başkomutan Vekili Nazım Paşa'nın görevine getirilen ve henüz Yemen'den dönen Ahmet İzzet Paşa, karargâhını Çatalca cephesinde Hadımköy'de kurmuş gece gündüz uğraşıyordu ama, bu öyle kısa zamanda yapılacak iş değildi ki...

Fakat zaman da, bir yandan Türkler aleyhine çalışıyor sayılırdı. Evet, hazırlıkları arttırmak için günler gerekliydi ama, Edirne ne olacaktı? Savaşın haftasında ana kuvvetlerden ayrı düşen ve üç aydır kuşatma altındaki kent, aç, susuz, hergün biraz daha eksilen cephane ile üstün kuvvetlere karşı daha ne kadar dayanabilirdi? Edirne'nin düşmesi, durumu tamamen aleyhimize çevirirdi. Sonra, Türk kamuoyu da sabırsızdı. Yeni hükümetle uyanan umutlarla bir an önce Edirne üzerine zafer yürüyüşü bekleniyor, ordunun başarıları için hemen harekete geçilmesi isteniyordu. Doğrusu, haksız da sayılmazlardı...

Şarköy Çıkarması

İşte «Şarköy Çıkarması» olayı bu ortam içinde doğdu...

Abdülhamit'e karşı İkinci Meşrutiyet'i gerçekleştiren, bir baskınla hükümet devirip hükümet kuran genç Yarbay Enver Bey'in önayak olduğu bu plana göre, İstanbul'daki kendisinin kurmaybaşkanlığını yaptığı 10. Kolordu denizden Şarköy kıyılarına çıkarılacak, Gelibolu cephesindeki kuvvetler de karadan taarruz edecekler ve bu cephedeki Bulgar kuvvetleri ezilerek Edirne üzerine yürünecek. Şayet harekât istenilen şekilde gelişmezse bile, Bulgar kuvvetlerinin bir kısmı bu cep-

DOĞU ORDUSU VE ŞARKÖY ÇIKARMASI
(8 Şubat 1913)

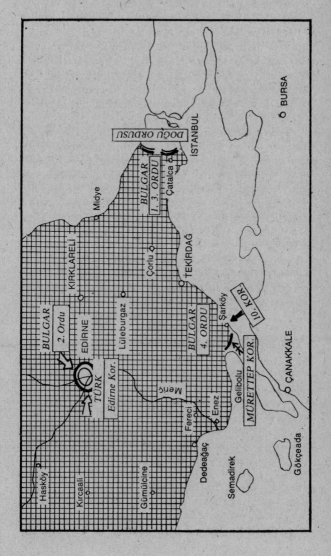

heye çekilerek Edirne'nin yükü azaltılacak ve kamuoyunun istekleri bir ölçüde yerine getirilmiş olacaktı.

Ateşkesin bozulduğu günün haftasında planın uygulaması başlar...

Enver Bey'in kurmaybaşkanlığını yaptığı Hurşit Paşa komutasındaki 10 Kolordu, iki Nizamiye tümeni ve iki alaylı bir birlikten kuruludur. İstanbul'dan gemilere bindirilen ilk çıkarma birlikleri, 8 Şubat günü Şarköy kıyılarına ulaşırlar ve saat 11.00'e doğru sahile ayak basarlar. Aslında, çıkarma sabahın erken saatlerinde ve ilk aydınlıkla birlikte baskın şeklinde başlayacaktır ama, gemilere binmekte gecikildiği için bu saate kalınmıştır. Kötü raslantı, deniz de dalgalıdır. Üstelik asker hem eğitimsizdir, hem de denize alışık olmadığından çoğunu deniz tutmuştur. Buna rağmen savaş gemilerinin desteğinde çıkarma yine de başarılı olur. Hiçbir düşman direnişi ile karşılaşmayan ilk birlikler kıyıya ulaşırlar ve bir köprübaşı tutarlar. Hiç böyle bir hareket beklemeyen Bulgarlar tam bir baskına uğramışlardır.

Binbaşı Fethi Bey'in kurmaybaşkanlığını, Binbaşı Mustafa Kemal'in harekât şube müdürlüğünü yaptığı Fahri Paşa komutasındaki Mürettep Kolordu da, sabah erkenden Gelibolu cephesinden taarruza başlamıştır. Kolordu, 27. Tümen ve Mürettep Tümen'den kuruludur. Kuzeyde Şarköy'de çıkarmanın başladığı saatlerde 27. Tümen de düşman ilk hat mevzilerini ele geçirir. Türk savaş gemileri, Marmara'dan bu taarruzu desteklemekte ve toplarıyla taarruzun yolunu açmaktadır.

Ama az sonra işler tersine döner. 27. Tümen Komutanı Mustafa Paşa, yarılan düşman gediğine ihtiyat alayını sürmekte geç kalmış, bu arada 7. Bulgar Tümeni kendisini toplarımıştır. Hesapta olmayan bir sisin bastırması ile başlayan Bulgar karşı taarruzu, daha çoğu Arap erlerinden kurulu 27. Tümen cephesinde karışıklığa sebep olur. Sonra çekilme başlar ve kısa sürede iş bozguna döner. Bu bozgun Batıdaki diğer birlikleri de etkiler. Az önce başarı ile gelişen harekât, şimdi bir yenilgiye dönmüştür. Bunun üzerine Kolordu Komutanı Fahri Paşa eski mevzilere çekilme emri verir. Halbuki bu sıralarda, 10. Kolordu'nun Şarköy çıkarması başarı ile devam etmektedir. Bugünkü savaşta Mürettep Kolordu'nun ölü ve yaralı olarak kaybı 3.232 kişiyi bulmuştur.

Akşama doğru Hadımköy'deki karargâhında durumu öğrenen Başkomutan Vekili Ahmet İzzet Paşa, Mürettep Kolordu'nun bu başarısızlığı karşısında, yalnız başına kalan Şarköy çıkarma kuvvetlerini bir maceraya atılmaktan korumak ister ve çıkarma kuvvetleri komutanı Hurşit Paşa'ya emir vererek, çıkan birliklerin geriye alınmasını emreder. Kurmay Başkanı Enver Bey ise harekâta devam düşüncesindedir. Onun etkisiyle Hurşit Paşa çıkarmayı sürdürür.

Ertesi gün, 9 Şubat sabahı, çıkarma kuvvetinin, yani 10. Kolordu'nun yarısı kıyıya çıkmıştır. Henüz bir düşman hareketi yoktur ve çıkarma devam etmektedir. Ama beri yandan da, ortada çelişkili ve askerliğe sığmayan bir durum vardır: Bir kolordu komutanı kendi kurmay başkanının etkisinde kalarak başkomutanın emrini dinlememekte, kendi başına buyruk hareket etmektedir.

İşe Başbakan ve Harbiye Bakanı Mahmut Şevket el koyar. Çıkarmanın derhal durdurulmasını ve çıkan birliklerin gemilere alınmasını emreder. Halbuki o gün Gelibolu cephesindeki Bulgar 7. Tümen'i, Mürettep Kolordu'nun yeni bir taarruzunu bekleyerek, gerisindeki Şarköy çıkarmasına kuvvet ayıramamış, daha gerilerde ihtiyattaki Bulgar kuvvetleri ise Şarköy'e parça parça ulaştığından bir harekete girişememişlerdir.

Fakat yarın, öbürgün?... O zamanın koşullarında çıkarma kuvvetlerini yeni birliklerle desteklemek, silah, cephane ve diğer bütünlemelerini sağlamak güçtü. Gelibolu'daki Mürettep Kolordu' nun düşman cephesini yararak çıkarma kuvvetleri ile birleşmesi gerçekleşemezse, geriden gelmekte olan düşman ihtiyat birlikleri karşısında yalnız başlarına kalan çıkarma kuvvetlerinin yokolma tehlikesi vardı.

Çıkarma kuvvetleri komutanı, başbakanın kesin emri üzerine çıkarmayı durdurdu ve kıyıdaki birliklerin gemilere alınmasına başlandı. Allahtan ki Bulgarlar, hâlâ bölgeye yeterli kuvvet yetiştirememişlerdi ve yetişenler de hareketsiz kalmışlardı. Bu sebeple çıkarma birlikleri o gün ve ertesi gün, hiçbir zorlukla karşılaşmadan kıyıyı boşalttılar ve gemilere bindirilerek —İstanbul yerine— Gelibolu'ya çıkarıldılar.

Sonuç kuşkusuz yeni bir yenilgi, veya daha hafif deyimiyle bir başarısızlıktı. Görünüş oydu ki, Türk ordusu bu haliyle henüz taarruz gücü kazanamamıştı.

İyi ama ne olacaktı? Kollarını kavuşturup oturmak da bir çözüm değildi. Türk Doğu Ordusu, hiç olmazsa bir şeyler yapmış olmak için «Taarruzi Keşif» denen bazı hareketlere girişti. Bulgarlar, Çatalca cephesinde kuvvetli artçılar bırakarak 15-20 kilometre geriye çekilmişlerdi. Niyetlerinin, Türk ordusunu zamanından önce bir taarruza teşvik ederek mevzilerinden çıkarmak, sonra da büyük bir karşı taarruzla Çatalca mevzilerini de yarıp İstanbul'u ele geçirmek olduğu anlaşılıyordu. Bununla birlikte Ahmet İzzet Paşa, yine de bir kısım kuvvetle Bulgar artçılarını atarak ilerledi. Büyük Çekmece Batısında kuvvetli bir ileri mevzi tuttu. Bu arada irili ufaklı bir sürü çarpışma ile ilerili gerili hareketler oluyordu.

Yenden savaşın başlamasından bir buçuk ay sonra 17 Martta, Çatalca cephesinde bir taarruz denemesi daha yapıldı. Bütün cephede girişilen bu harekât sonunda yeniden geriye dönüldü. Bulgarlar hâlâ yenilemeyecek kadar kuvvetli idiler. Şimdi artık iki taraf da birbirine taarruzdan çekiniyordu. Bulgarların kesin bir saldırıya girişmeden önce Edirne'nin düşmesini bekledikleri anlaşılmaktaydı.

EDİRNE'NİN DÜŞÜŞÜ

Bulgarlarla savaş, artık tatsız bir **«Mevzi Savaşı»**na dönmüştü. Bu arada 6 Martta, Yanya Yunanlıların eline düştü. Bu, Şarköy yenilgisinden sonra sarsılan moralin büsbütün çökmesine neden oldu. Ama Edirne ve İşkodra henüz dayanıyordu.

Son taarruzdan beş gün sonra 22 Mart 1913' de Mahmut Şevket Paşa Hükümeti, Bulgar Hükümetine yeniden ateşkesilmesini önerdi; ama Bulgarlar bunu reddettiler. Üstelik o güne kadar savunmada kalan Bulgar ordusu, girişimi eline alarak, 24 Marttan itibaren Çatalca cephesinde bazı ciddi taarruzlara girişti. İki taraf arasında kanlı çarpışmalar oldu.

Ve işte o günlerde, 26 Mart 1913'de, Edirne' nin teslim olduğu haberi duyuldu. Gerçi işi yakından bilenler için beklenmez değildi ama, yine de duyanlarda şok etkisi yapmıştı. Memleket bir mateme büründü, hiç kimsenin ağzını bıçak açmıyordu.

Evet, halkı ile askeri ile kahraman Edirne Kalesi, aç susuz, son lokmasına ve son kurşununa kadar dayanmış ve sonunda acı kaderine razı olmuştu. Zaten kale, yanan ve gündengüne eriyen bir mum gibiydi. İlk savaşta, kendisinden enaz iki kat kuvvetli olan General İvanof'un İkinci Bulgar Ordusu'na karşı bir buçuy aya yakın dayanmıştı. Şükrü Paşa 40.000 kişilik ordusuyla 100.000' lik kuvvetleri karşısında tutmuş, o uğursuz Kırklareli Savaşı'nda, sonra o Lüleburgaz Savaşı'nda bozguna uğrayan Türk Doğu Ordusu'nun yükünü hiç olmazsa azaltmıştı. Çünkü, Edirne ve çevresini savunan kuvvetleriyle, Bulgarların arkasında kocaman bir çıban gibi durmakta, ordularının hızını ve yolunu kesmekteydi. Yalnız bununla da yetinmemiş, Edirne savunması onca acı içinde dertli gönüllere biraz su serpmiş, yıkılan moralleri biraz ayakta tutmuştu. Askerin olsun, Türk halkının olsun anılarında «Doksan üç Harbi»nin, yani 1877-1878 Osmanlı-Rus Savaşı'nın Plevne'sini yeniden uyandırmış, millet için yeniden bir ümit ışığı olmuştu. Edirne nasıl Pevne'yi anımsatıyorsa, Şükrü Paşa da bir Gazi Osman Paşa çağrışımı yapıyordu.

Edirne, gerçekten de hem Türkler hem de Bulgarlar için, bir askeri harekâtta büyük önem taşıyordu. Tunca, Meriç, Arda su yolları ve vadilerinin birleştiği bir yerdeydi. Bulgaristan ile Anadolu'yu birleştiren demiryolu ve karayolları burada düğümleniyordu.

Bundan önceleri de Edirne, Balkanlar veya Anadolu yolları üzerindeki önemi sebebiyle hep dikkatleri üzerinde toplamıştı. Nitekim Sultan 1. Murat 1362'de Edirne'yi aldıktan sonradır ki, Osmanlı orduları buraya dayanarak Balkanlara yürümüştü. Edirne, ondan sonra da Kuzeye ve Avrupa içlerine yapılan seferler için, Osmanlı fetih ordularına önemli bir üs vazifesi görmüştü.

Daha sonra, İmparatorluğun gerileme döneminde 1828-1829 Osmanlı-Rus Savaşı'nda Edirne' ye Rus ordularının girmesinden ve barış yoluyla kurtarılmasından sonra, şehrin bir kale olarak savunmaya hazırlanması düşünüldü. Doksan üç Harbi'nde Edirne bir defa daha Rusların eline düşünce, artık işin savsaklamaya tahammülü olmadığı anlaşıldı. Şehrin kurtuluşundan sonra tahkimat daha da arttırıldı. Fakat mali olanakların kısıtlı olması nedeniyle savunma düzeni yine de yeterli düzeye çıkarılamadı. İşte Balkan Savaşı başladığında Edirne savunması tamamlanmaya muhtaçtı ve özellikle toplar eski ve adi ateşliydi.

Edirne savaşı da, daha harbin ilk günü, yani 18 Ekim 1912'de, Edirne Kuzeyinde hudut çarpışmaları şeklinde başlamıştı. Şükrü Paşa komutasında Edirne Kolordusu, Kırklareli hattında tertiplenen Abdullah Paşa komutasındaki Türk Doğu Ordusu'nun sol omuzbaşını oluşturuyordu.

Savaşın ilk günleri Şükrü Paşa kolordusu, kale içine kapanmadı. Doğu Ordusu'nun Kırklareli hattından başlayarak Bulgar ordusuna yönelttiği taarruza o da kendi bölgesinden katıldı. 23 Ekimde bu taarruzun başarılı olamayıp Doğu Ordusu' nun Lüleburgaz hattına doğru çekilişi üzerine, Şükrü Paşa kolordusu da kent etrafındaki savunma mevzilerine çekilmek zorunda kaldı. General İvanof komutasındaki 100.000'lik İkinci Bulgar Ordusu Edirne'yi yavaş yavaş kuşatmaya başladı. 30 Ekimde, yani savaşın 13. günü Edirne'den İstanbul'a son tren hareket etmiş, bu tarihten sonra Edirne tam bir Bulgar kuşatması altına düşmüştü. Tam 155 gün, yani 5 ay sürecek olan bir kuşatma. Kuşatmanın başladığı 30 Ekimden 5 gün önce, Türk Batı Ordusu Makedonya'da Sırplara karşı Kumanova Savaşı'nı kaybetmiş, Türk Doğu Ordusu ise, Bulgar ordusu ile iki gün sonra yenileceği Lüleburgaz Savaşı'na başlamıştı.

General İvanof, geçen günler içinde, trenlerle yurtiçinden kale toplarını getirterek bombardıman ve taarruzlarını sıklaştırmaytaydı. Üstelik daha önce yapılan Sırp-Bulgar askeri anlaşması gereği, iki Sırp tümeni de —Kumanova savaşından sonra— trenle Edirne'ye taşınmaya başlanmıştı. General Stepanoviç komutasındaki 20.000 kişilik bu Sırp kuvveti, ağır toplarını da beraberinde getiriyordu.

Kuşatmanın 15. günü Sırplar Edirne önlerindeki yerlerini almışlardı. Şimdi Şükrü Paşa kolordusu, kendisinden sayı olarak 3 misli, fakat ateş gücü olarak en aşağı 6 misli kuvvetli bir düşmanla karşı karşıyaydı. Bu düşman istediği tarafı dövüyor, kuvvetini istediği tarafa yığıp oradan taarruz ediyor, istediği zaman duruyor, istediği zaman savaşı başlatıyordu. Topları daha büyük çaplı, daha yeni ve bol cephaneliydi. Düşman ordusu her türlü bütünlemesini rahatlıkla yapıyor, iyi besleniyor, iyi bakılıyordu.

Ama, ya Şükrü Paşa askerleri?..

Onlar, düşmanlarının tam zıttı koşullar altındaydılar: Kuvvetçe az, silahça daha zayıf, cephane ve başka bütünleme imkânlarından mahrumdular.

Ama, dayandılar... 1912 yılı Ekim ayına ve kar çamur içinde geçen Kasım ayının zorluklarına, düşman taarruzlarına göğüs gerdiler. **«Doğu Ordunuz İstanbul'a çekildi; ordunuzda bulaşıcı hastalık çıktı, Yaver Paşa** (Kırcaali Kolordu Komutanı) **10.600 kişiyle esir edildi. Direnmenin bir yararı yok, şehri teslim ediniz.»** diyen bildirilerin uçaklarla şehir üzerine sık sık atılmasına, bozguncu çeşitli propagandalara rağmen, direndiler... Ve, 3 Aralıkta yapılan ateşkese kadar 45 gün mevzilerini korumayı başardılar...

Fakat ateş kesilmesi, onlara bir yarar sağlamadı. Evet, Bulgar ve Sırp saldırıları durmuş ve silahlar susmuştu ama kuşatma yine devam ediyor ve yine ne bir ekmek, ne de bir mermi kendilerine ulaşmıyordu. Sonra, kentte askerlerden başka yarısı Müslüman olmayan 75.000 kişilik sivil halk da vardı. (35.000 Türk, 18.800 Rum, 2.100 Bulgar, 4.000 Ermeni, 13.700 Yahudi, 1.400 diğerleri) (*) Bunlar da asker gibi yiyecek, içecek, ilaç v.b. isterlerdi.

Hele, 3 Aralık ateşkes anlaşması gereği olarak Çatalca ve Gelibolu bölgesindeki Bulgar ordularına yiyecek taşıyan katar katar trenlerin Bulgaristan'dan gelerek İstanbul'a doğru peşpeşe gitmeleri, yiyecek sıkıntısı çeken asker ve halk üzerinde pek kötü bir etki uyandırmıştı. Öyleya, bu ne biçim ateş kesilmesiydi ki, bir taraf askeri

---

(*) Genelkurmay Harp Tarihi Başkanlığı: Balkan Harbi 2. cilt, 3. kısım.

ve siviliyle, çocuğu, ihtiyarı ve hastasıyla aç susuz, ilaçsız yaşam savaşı verirken, diğer taraf çoluk ve çocuğuna da değil, askerine vagon vagon yiyecek yolluyordu. Hem de gözleri önünden geçirerek...

Sonuç alınamayan Londra barış görüşmelerinden sonra 3 Şubat 1913'de savaşın yeniden başlamasına kadar geçen iki aylık süre, Edirne askeri ve halkı için ıstıraplı olmuştu. O soğuk 1912 Aralık'ı ile 1913 Ocak ayı, günden güne artan bir yokluğu ve sefaleti de peşinden getirmişti. İyi beslenememek ve kötü yaşam koşulları nedeniyle donma olayları artmış, 18 Aralıktan itibaren de erler arasında kolera ve tifo salgın hastalıkları görülmeye başlamıştı. Bu arada firarlar ve düşman tarafına sığınmalar da artma eğilimi göstermekteydi.

3 Şubatta Osmanlı ve Balkanlılar arasında savaşın yeniden başlaması ile birlikte, Edirne yeniden ağır topçu bombardımanı ve zaman zaman düşman gece baskınları ve gündüz taarruzlarıyla pençeleşmeye başlamıştı. Bu da bir aydan fazla sürdü. Zaman zaman kanlı savaşlardan sonra bazı mevziler düşman eline geçiyor, fakat karşı taarruzlarla ve süngü savaşlarıyla kaybedilenler yine alınıyordu. Ama cesaretin ve kahramanlığın da bir sınırı vardı. Mart ayı ortalarına doğru artık direnmenin sonuna gelinmişti. Hergün biraz daha kısılarak idare edilmesine karşın yiyecek, tükenme noktasına dayanmış, cephane azalmış, moral nerdeyse çökmüştü. Hele kendilerini kurtarmak için Doğu Ordusu'nun giriştiği Şarköy harekâtının başarısızlığa uğramasından sonra bir kurtuluş ümidi de hemen hemen kalmamış gibiydi. Bulgar uçakları, Mahmut Şevket Paşa Hükümetinin dinsiz olduğunu belirten bazı propaganda broşürleriyle halkın ve askerin moralini bozmaktaydı.

Düşman taarruzları sıklaşmıştı. 24 Mart 1913'de, yani kuşatmanın 154. günü, savunmanın Doğu kanadında çöküntü başladı. Bulgar İkinci Ordu Komutanı General İvanof, bazı ihtiyatlarını bu cepheye kaydırarak ertesi günü tüm gücüyle yüklendi. Kaleyi kuşatan diğer cephelerde de taarruz başladı. Türk askeri yine direniyordu. Bulgar ve Sırp ordusu o gece de baskın ve hücumlarını sürdürdü. Ertesi gün, yani 26 Mart günü sabahı Topyolu ve Kafkas Tabyaları düşman eline geçmiş, Doğu kanat çökmüştü.

Şükrü Paşa'nın 26 Mart sabahı erken saatlerde başkomutanlığa gönderdiği rapor şöyleydi:

«**Şimdi saat 07.00'dir. Cevizlik, Ayvazbaba ve Taşocakları hattı susmuş ve savunucuları yüzgeri etmiştir. Düşman o mevzileri ele geçirmiştir. Doğu cephesinin çok kısmıyla irtibat yoktur. Tahribata başlanıldı. Telsiz telgrafın da tahrip edileceği arz olunur.**» (*)

O saatlerde mevziler bölgesinde ve kentte yer yer korkunç patlamalar işitiliyor ve yangınlar görülüyordu. Saat 07.00'de Hızırlık Tabyası telsiz telgraf direğine beyaz bayrak çekilmiş ve silahlar susmuştu. Birlikler emir gereğince alay sancaklarını, tümen flamalarını, evrakları yakıyor; silah, araç ve gereçlerini tahrip ediyorlardı.

Savunuculardan az sonra, saat 09.45'de düşman da ateşi kesmişti.

«**Bu sırada şehirde büyük bir insan kalabalığı toplanmıştı. Cephelerden kaçan veya terhis edilerek gelen erler meydanda, sokak aralarında grup grup toplanmışlar, bir kısmı da disiplinsiz bazı hareketler göstermekteydi. Şehirde bulunan Hıristiyan halksa, Türkün kötü gününü sevinçle karşılıyordu. Artık öç alma zamanı gelip çatmıştı. Hemen işe başladılar: Türk mahallelerine hücum ederek mala, cana ve ırza saldırdılar. Bu mahallelerin dar sokaklarından zaman zaman kadın çığlıkları ve**

(*) Genelkurmay Harp Tarihi Başkanlığı: Balkan Harbi 2. cilt, 3. kısım.

iniltileri işitilmekteydi. Kıyık Mahallesi'nde bulunan komutan evleri de tüm talan edilmişti.» (*)

Saat 10.20'de Bulgar öncüleri şehre girdiler.

İkinci Bulgar Ordusu Komutanı General İvanof da öğleden sonra, Bulgar Kralı Ferdinand ise ertesi gün, Hıristiyan halkın coşkun gösterileri arasında kente girmişlerdi. Kral Ferdinand, şerefine düzenlenen geçit töreninden sonra Şükrü Paşa'ya kılıcını geri verdi. Ertesi gün Şükrü Paşa ile birlikte, Kale Komutanı İsmail Paşa ve Topçu Komutanı Rifat Paşa ve bütün esir subaylar Sofya'ya gönderildiler. Esir erler ise, Edirne Sarayiçi'nde, Bulgaristan'daki kamplara gönderilinceye kadar, daha bir ay alıkondular. Bu sürede erlerin bir kısmı hastalanmış ve kötü koşullar içinde ölmüştü.

Savaşın ilk gününden, Edirne'nin düştüğü 26 Mart 1913'e kadar, Edirne Kolordusu yaralı ve şehit olarak 13.000 kişi kaybetmiş ve 28.500 kişi de Bulgarlara esir düşmüştü. Bulgarların kaybı ise, ölü ve yaralı olarak 16.000 kişiyi, Sırplarınkide 1.915 kişiyi bulmaktaydı.

Edirne'nin kaybedildiği günlerde, diğer cephelerde, varlığı ve yokluğu pek belli olmayan bir Balkan Savaşı sürüp duruyordu. Çünkü, sanki «İşte savaşılıyor» desinler diye yapılan bir itiş-kakıştan başka ortada birşey yoktu; o da yalnız Çatalca ve Gelibolu'da ve sadece Bulgarlarla Osmanlılar arasında. Ve bir de İşkodra'da...

Türk Doğu Ordusu, Bulgarlar karşısında Çatalca'da İstanbul'u, Gelibolu Mevzilerinde de Çanakkale Boğazı'nı savunuyordu. Batı Ordusu ise, Makedonya Savaşı'na veda etmişti; Güney Arnavutluk'da açık hapishane hayatı yaşıyor, savaşın sona ermesi ve memlekete döneceği günü bekliyordu. Savaşın başladığı günlerden geriye kalan Osmanlı topraklarını, tek başına sadece bir şehir tem-

_____

(*) Genelkurmay Harp Tarihi Başkanlığı: Balkan Harbi 2. cilt, 3. kısım.

sil eder gibiydi: İşkodra... Savaşın ilk gününden
beri Karadağ ve Sırp ordularına karşı akıl almaz
bir güçle direnen İşkodra... Evet, savaşa etkisi
bakımından bir Edirne ile kıyaslanamazdı, gelecek
barış görüşmelerinde fazla bir ağırlığı da olmazdı
ve çok uzaklardaydı ama, yine de büyük bir teselliliydi işte...

Evet, 26 Mart 1913'de, bütün milletin kalp çarpıntıları içinde daha da dayanması için dua ettiği,
ümit bağladığı ve Avrupa'daki topraklarının tümüyle elden çıktığı şu acılı günlerde kahramanlı
ğı ile övündüğü Edirne teslim olmuştu. Yirmi gün
önce 6 Martta Yanya'nın kaybından sonra, Osmanlı İmparatorluğu'na İstanbul'dan önce başkentlik
yapmış Edirne'nin kaybı, millette olduğu gibi, iki
ay önce bir darbe ile iktidara gelen İttihat Ve Terakki için de büyük yıkıntı olmuştu. Muhalefet
yavaş yavaş başını doğrultmakta ve sesini yükseltmekteydi. İttihat Ve Terakki Hükümeti Mahmut Şevket Paşa'nın sıkıntısı, yalnız içeriden gelen bu homurtular da değildi, şimdi cephesindeki
Bulgar tehlikesi de korkutucu boyutlara ulaşmıştı. Sırpların memleketlerine dönecekleri kabul edilse bile, Edirne'deki 100.000'i bulan General İvanof
Ordusu'nun ve kuşatmadaki ağır topların Çatalca
önlerine getirilmesi olasılığı, Başkomutan Vekili
Ahmet İzzet Paşa'nın uykularını kaçırmaya başlamıştı.

MAKEDONYA SAVAŞININ DEVAMI
YANYA'NIN KAYBI

Yunanlılar, 3 Aralık 1913 ateşkes anlaşmasına
katılmadıkları için, Makedonya'da bir Osmanlı -
Yunan Savaşı zaten sürüp durmaktaydı. Velihat
Konstantin'in 80.000'lik ordusu Selanik'i aldıktan
sonra Makedonya'da savaşan Sırplıların yardımına
koşmuş, bu büyük savaşı kaybedip, Güney Arna-

vutluk'a doğru çekilen Türk Batı Ordusu'nun peşine takılmıştı. Ama Batı Yunanistan, vani Epir bölgesi hâlâ Türk işgalindeydi. Konstantin şimdi oraya dönmüştü. Manastır bölgesinde Türklere karşı üç tümenini bırakmış, iki tümeniyle Selanik üzerinden Yanya önlerine gelmişti.

Daha savaşın ilk günlerinde kendisi Selanik doğrultusunda giderken Yanya cephesinde harekâta katılan Sabuncakis komutasındaki Epir Ordusu, Esat Paşa komutasındaki Türk Yanya Kolordusu karşısında pek bir varlık gösterememişti. Bununla birlikte General Sabuncakis, yine de Preveze'yi almış ve Türk kuvvetlerini Yanya'ya doğru biraz geriye atmıştı.

Manastır'dan sonra Velihat Konstantin, Epir Ordusu Komutanlığını da alarak Yanya önlerine ulaştığı 24 Ocak 1913 tarihinde, General Sabuncakis kar ve çamur içinde birşeyler yapabilmek için boşuna uğraşıp durmaktaydı.

Yanya, barış zamanında savunma için hazırlanmış, kuvvetle tahkim edilmiş, 109 topla korunan bir kale kentiydi. Toplar eski ve adi ateşliydi, tahkimat taş değil topraktan yapılmıştı ama, gene de o günün koşullarına göre zorlu bir savunma mevzii kabul edilebilirdi. Esat (Bülkat) Paşa, 20.000'e yaklaşan kuvvetiyle Yanya cephesini sağlam şekilde tutmaktaydı. Kendisi gibi değerli bir asker olan kardeşi Kurmay Yarbay Vehip Bey de Yanya kalesi komutanlığını yapmaktaydı.

Türk Doğu ve Batı Orduları'nın her tarafta yenilip dağıldığı günlerde Esat Paşa'nın kolordusu, sanki hiç birşey olmamış gibi, elde silah kavgasını sürdürmekteydi. Başka cephelerde Sırplar, Bulgarlar, Karadağlılarla ateş kesilmiş, Londra'da barış görüşmeleri yapılmış, İstanbul'da Babıâli Baskınları olmuş, yeni hükümet kurulmuş, Bulgar, Sırp, Karadağ'la savaş yeniden başlamış, onları bunlar hiç ilgilendirmiyordu. Çünkü 18 Ekim 1912'de başlayan Yunan savaşı, hiç ara vermeksizin hâlâ devam etmekteydi.

Ama işte Konstantin'in iki tümenle çıkıp bu cepheye gelmesi, Yunanistan'dan bazı kuvvetlerin de takviye olarak yetişmesi, şimdi durumu bir hayli ağırlaştırmıştı. Yunanlıların, kesin bir taarruz için hummalı bir çalışma içinde oldukları belliydi.

Gerçekten de Yunanlılar bu sırada Yanya cephesinde 60.000 kişilik bir kuvvet toplamışlardı. Her türlü bütünlemesini yapmış, silah ve cephanesi bol, zinde bir ordu. Buna karşılık Esat Paşa kuvvetleri de, Batı Ordusu tarafından elden geldiğince takviye edilmekteydi. Bu sebeple asker sayısı 26.000'e ulaşmıştı. Ama bunun 5.000'i hasta ve yaralı olarak savaşdışıydı. Buna göre Türk kuvvetleri, asker sayısında üç misli, ateş gücü bakımından ise en az beş misli güçlü bir düşmanla karşı karşıyaydı. (*)

1913 yılının bu kış kıyametinde, Rumeli'nin bu son toprakları üzerinde Osmanlılarla Yunanlılar arasında kaçınılmaz bir savaşın başlamak üzere olduğu belliydi.

Ve işin ilginç yönü, her iki komutan, yani Esat Paşa ile Yunan Veliahti Konstantin yakın iki arkadaştılar. Berlin Harp Akademisi'nde aynı sınıfta okumuşlar ve birbirleriyle yakın dostluk kurmuşlardı. Ve şimdi de kader, bu iki arkadaşı karşı karşıya getirmişti.

Konstantin taarruza girişmeden önce, 30 Ocak 1913 günü **«Yanya Osmanlı Ordusu Başkomutanı Esat Paşa Hazretlerine»** bir yazı ile başvurdu. Boşuna kan dökülmemesi için Yanya Ordusu'nun teslim olmasını istiyordu. Çünkü düşüncesine göre kuşatma altındaki kuvvetlerin uzun süre dayanması veya kurtulması olanaksızdı.

«İnsanlık ve medeniyet adına, kati taarruzdan önce, birçok kahramanların kanlarını akıt-

(*) Genelkurmay Harp Tarihi Başkanlığı: Balkan Harbi 3. cilt, 2. kısım.

maktan korumak ve aynı zamanda şehrin kapılarında verilecek bir muharebeden sonra ortaya çıkacak tahribattan şehri kurtarmak için zatı devletlerine teklif ediyorum. Yanya'nın zaptı için gerekli önlemleri aldım. Görüce'deki ordum, ordunuzun kesin esirlikten kurtulma ümidini ortadan kaldırmaktadır. Öte taraftan, Londra Konferansı' nın başından beri, hükümetinizin Trakya ile Adriyatik Denizi arasındaki topraklardan vazgeçtiğini, kuşkusuz duymuşsunuzdur. Bu nedenle Yanya şehri, Osmanlı Hükümeti için her yönden yitirilmiştir. Bu durumda, şehrin savunması için ısrara sebep görmüyorum. Eğer bu husus, silahın şan ve şerefi için ise, kati taarruzdan önce şehir orduma teslim edildiği takdirde, ordunuzu bütün şan ve şeref-i harbiyesiyle, silahları ve askeri eşyasıyla şehirden çıkmasına ve uygun bir noktaya nakledilmesine müsaade etmeye hazırım. Aynı zamanda, Müslümanların din, can ve mallarına saygı gösterileceğine kefil olurum.

Kahramanlık ve cesurluğuna rağmen, ordunuz herhalde kaçınılmaz bir surette esirliğe veya yok olmaya mahkûmdur. Yanya'nın kaybedilişi zatı devleti için bir sorumluluk sebebi olmayacaktır. Çünkü hükümetiniz her surette Yanya'dan vazgeçmiştir ve ben de bütün güçlüklere rağmen şehri ele geçirmek için sarsılmaz bir kuvvet ve istek taşıyorum...»

Buna, Esat Paşa'nın «Yunan Ordusu Başkomutanı, Isparta Dükü Konstantin Cenaplarına» verdiği cevap ise olumsuzdur :

«Prens Cenapları,

İnsanlık ve medeniyet adına yapılan asil teklifleri, aynı önem ve titizlikle inceledim. Derin saygılarımla bildiririm ki, cesur ordunuzun her ciddi teşebbüsüne karşı Tanrı'nın yardımıyla Yanya'yı savunmak için gerekli önlem ve araçlar mevcuttur.

Askeri şeref ve namusun, bir kalenin savunucularına yüklediği görevin amacı, tek bir ere, tek bir atıma kadar uygulamada ısrar edileceğine inanıldığından dolayı, özellikle teşekkürlerimi belirtirim. Ancak, zatı asilaneleri gibi, ben de bir görev almış, her ne pahasına olursa olsun onun yapılmasına ve bitirilmesine karar vermiş ve azmetmişimdir. Cesur ordunuzla çarpışmayı sonuna kadar sürdürmek, şerefim gereğidir. Dökülen ve dökülecek olan kanlardan dolayı, insanlık ve medeniyet, beni ve ordumu kınamaz. İlahi adalet, bu sorumluluğu savaşa sebep olanlara yükler. Yüksek nezaketinize teşekkür eder, derin saygılarımın kabulünü rica ederim.» (*)

Yunanlılar böyle bir red cevabı beklemiyorlardı, doğrusu. Öyle ya, üç ay önce Selanik'de ne iyi olmuştu. Selanik Kuvvetleri Komutanı Hasan Tahsin Paşa, Yunan Teselya Ordusu Komutanı Prens Konstantin'i hiç üzmemiş ve 25.000 kişilik ordusuyla 9 Kasımda savaşsız teslim olmuştu.

Ama, şimdi?.. Öyle anlaşılıyordu ki, Yanya Komutanı Esat Paşa, bir Hasan Tahsin Paşa değildi, döğüşecekti.

Yanya şehri, Türk Batı Ordusu iki buçuk ay kadar önce Manastır Savaşı'nı kaybedip Güney Arnavutluk'a doğru çekildiğinden beri, kendi kaderine terkedilmişti. Herhangi bir yardım ve destek alamıyordu ve hemen hemen her yandan kuşatılmıştı. Ama buna rağmen işte, İkinci bir Selanik olmayı reddediyordu.

Fakat Yunan ordusu, hemen bir taarruza başlayacak durumda değildi. Konstantin ordusunu yeterli görmüyor, zamansız bir hücum sonucu uğrayabileceği bir yenilgiden çekiniyordu. Bu sebeple de Konstantin, Şubat ayı boyunca kuşatmayı sağlamlaştırdı, topçu bombardımanını arttırdı ve yurtiçinden takviye almayı hızlandırdı. Sonunda, Konstantin, ordusunun hazır olduğu kanısına vardı ve 4 Martta Yunanlılar korkunç bir topçu ate-

---

(*) Genelkurmay Harp Tarihi Başkanlığı: Yanya savunması ve Esat Paşa.

şiyle bütün gün Türk mevzilerini döğdüler. 5 Martta Konstantin ordusunun piyadeleri hücuma geçti.

Savaş, kanlı fakat kısa sürdü. Yine Rediflerin ve Arnavut gönüllülerin çözülüp paniğe kapılmalarıyla mevzi sarsıldı, direnekler peşpeşe düşmeye başladı. Bunda, savunma kuvvetlerinin gıdasızlık yüzünden bitkin oluşlarının ve cephane azlığının da etkisi vardı.

6 Martta Esat Paşa, teslimden başka çare kalmadığını anlamıştı. Artık, dört buçuk aylık Yanya savunması son bulmaktaydı. İnsanüstü direniş, kalan enerjiyi de tüketmiş; askerler son mermilerini atmış, son lokmalarını bitirmişlerdi.

Teslim teklifi, şehirdeki Rus, Fransız, Avusturya, Romen konsolosları eliyle yapılmıştı.

Ateş kesildi ve Yunan ordusu 6 Mart 1913 günü Yanya'ya girdi. 9 Ekim 1431'den beri 482 yıldır Hükümet Konağı'nda dalgalanan Türk bayrağı indirilerek yerine Yunan bayrağı çekildi. Ertesi gün karargâhı ile kente gelen Konstantin, Esat Paşa ve diğer subayların kılıçlarını kabul etmedi. Esat Paşa'ya, «Kahramanların kılıcı alınmaz» diyordu.

7 Mart 1913'de artık ne Yanya Kolordusu ve ne de Yanya vardı. Çatalca önlerinde Bulgarlarla tekrar savaşın başlamasından ve Şarköy çıkarmasından aşağı yukarı bir ay sonra Yanya yenilgisi, Mahmut Şevket Paşa Hükümetini çok sarsmıştı. Onca korkunç bozgunlar ve yenilgiler arasında bunalmış Türk'e, Edirne, İşkodra ve Yanya savunmaları teselli ve ümit vermekteydi. Bu üç kale şehir, bir avuç kahramanla, zafer kazanmış düşman orduları karşısında kahramanca direniyor, teslim olmuyordu. Bu önemli kentlerin Türk ordusunun elinde bulunuşu, ateş kesilmesinde olsun, barış görüşmelerinde olsun, hükümete hatırı sayılır bir avantaj sağlamaktaydı.

Fakat, tarihte hangi kale sonuna kadar dayanabilmişti ki?.. Bir yardım almadan dayanmanın sırrı bulunamamıştı. İşte Yanya dört buçuk ay dayanmış ve sonunda silahını bırakmıştı. (Edirne de 20 gün sonra, 26 Martta teslim olacak, geriye yalnız başına İşkodra kalacaktı. Onun silah bırakması ise Edirne'den sonra bir ay daha sürecek ve 23 Nisan 1913'de bu son kale de kaderine razı olacaktır.)

Yanya'nın ele geçirilmesi Yunanistan'da, Selanik'in alınmasından daha büyük sevinç yaratmış, bütün kentler günlerce çan sesleriyle çınlayıp durmuştu.

Yanya Kolordusu'nun kaybı, 6.000'i hasta ve yaralı olmak üzere, 4 paşa, 16.000 esir, 4.000 şehit ve kayıptı. Ancak 5.000 asker, top ve araç gereçlerini bırakarak kuşatmadan sıyrılabilmiş ve Kuzeye çekilerek bir avuç Batı Ordusu döküntüleri arasına katılabilmişlerdi. (*)

Yanya kalesini ele geçiren Konstantin, Kuzeve, Arnavutluk'a doğru ilerleyişini sürdürdü. Şimdi karşısında zayıf ve dağınık Türk artçı kuvvetlerinden başka bir güç kalmamıştı.

18 Martta Tepedelen'i de alan Konstantin, kısa zamanda Güney Arnavutluk hudutlarına kadar tüm Epir'i Yunan topraklarına kattı. O sıralarda karargâhı ile birlikte Tepedelen'de bulunan Batı Ordusu Komutanı Ali Rıza Paşa ve Vardar Ordusu Komutanı Zeki Paşa, hızla şehri boşaltarak daha kuzeye çekildiler. Konstantin'in Yanya cephesine gitmeden önce General Damianos komutasında Manastır bölgesinde bıraktığı üç tümenlik kolordu, bu arada Görice ve çevresini de ele geçirmişti. O bölgeyi tutmakta olan Batı Ordusu'nun 6. Kolordusu, Yunan ilerleyişine karşı bir süre dayandıktan sonra, çekilmek zorunda kalmıştı. Kolordu Komutanı Cevat Paşa'nın, kendisinden altı misli kuvvetli olan General Damianos karşısında yapabileceği başka birşey yoktu.

(*) Genelkurmay Harp Tarihi Başkanlığı: Yanya savunması ve Esat Paşa.

YANYA VE EDİRNENİN DÜŞMESİNDEN
SONRA TARAFLARIN DURUMU
(2 Nisan 1913)

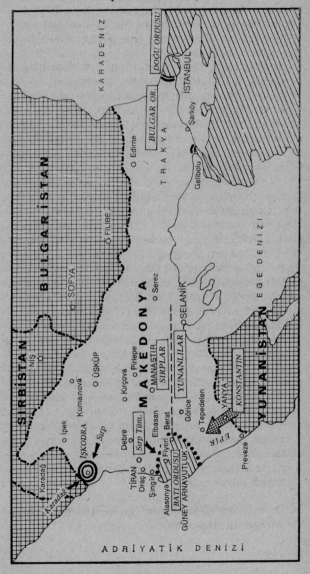

Londra Konferansında Avrupalı büyükler, Arnavutluk'un bağımsızlığını tanımış olduklarından, Yunan orduları Arnavutluk topraklarına girmeyi şimdilik uygun bulmayarak hudutta durdular.

Alacaklarını, hatta fazlasını almışlardı ama, Yunan istila hırsı bir türlü doymak bilmiyordu. Bunun için bölge halkına baskı yapmaya ve imza toplamaya başladılar. Bundan maksat, bundan sonra yapılacak barış görüşmelerinde kuvvetli olmak ve daha fazla toprak kazanmaktı. Bunu kabul etmeyen ve imza vermeyi reddeden 64 Arnavut ileri gelenini Yanya'ya davet ettiler ve yolda öldürdüler, yüzlerce Arnavut hapsedildi. Diğer yandan da Rum çeteleri, halka işkence ve baskı yapmayı sürdürmekteydiler.

Ve o sıralarda, yani Veliaht Konstantin'in son Yunan topraklarını da Batı Ordusunun elinden kurtararak zafer yürüyüşü ile Tepedelen'e girdiğinin ertesi günü, 19 Mart 1913'de Yunan Kralı Yorgi'nin, Selanik'de bir suikast sonucu öldürüldüğü duyuldu. Suikastçi sağ olarak yakalanmıştı. Bunun ilkin bir Bulgar olduğu sanıldı, kısa bir süre sonra Bulgar değil bir Müslüman olduğu söylentisi yayıldı. Selanik karışmıştı. Rumlar büyük bir katliama giriştiler. Suikastçinin Müslüman değil bir Bulgar olduğunun resmen ilan edildiği kısa sürede, Selanik'de 20'ye yakın Türk ve bir o kadar da Yahudi öldürüldü.

Haberi Tepedelen'de öğrenen Veliaht Konstantin, hemen o gün Atina'ya döndü ve ertesi gün millet meclisinde törenle yemin ederek kral oldu.

Evet, Yanya başta olmak üzere Epir de kurtarılmıştı ve Yunan orduları şimdi serbestti ve Osmanlılarla hesaplaşma bitmiş sayılırdı. Ama savaştan önce olsun, şimdi savaş sırasında olsun, bir Bulgar tehlikesi Yunan milletini tedirgin edip durmaktaydı.

Selanik, bu çekişmenin odak noktasıydı. Kent ve çevresi üzerinde, henüz resmen açıklanmayan bir kavga, düşüncelerde ve duygularda da olsa, içten içe ve her gün daha da artarak sürmekteydi. Batı ve Doğu Trakya da öyle... Gerçi şimdi her ikisine de Bulgarlar el atmıştı ama, Yunanlılara göre bu topraklar Rumların öz vatanı idi. Yalnız o kadar da değil, hatta İstanbul bile onların özyurdu idi... Bu sebeple de —Selanik bir yana— asıl büyük zarar, Bulgarların Doğu ve Batı Trakya'yı alarak İstanbul yolunu kesmiş olmalarıydı. Kısacası Bulgarlar hem İstanbul'u kapmaya hazırlanıyorlardı, hem de Ege'yi Yunanlılarla paylaşmak iddiasındaydılar. Her ne kadar şimdi her iki devlet müttefik idiler ve Osmanlılarla savaşıyorlardı ama, savaştan sonraki günlerin ne getireceği hiç belli olmazdı. Yeni Kral Konstantin'in ve babasından kendisine devreden Başbakan Venizelos'un bu konudaki düşünceleri tamamiyle aynıydı. O halde, ne olur ne olmaz, Epir'deki kuvvetler vakit geçirmeksizin Selanik bölgesine, Bulgar hududuna yığılmalıydı.

Onlar da öyle yaptılar. Güney Arnavutluk'a sığınmış bir avuç kılıç artığı Türk Batı Ordusu, nasıl olsa bir tehlike olmaktan çıkmıştı. Çünkü 20.000 kadar görünen ve sağa sola dağılmış bulunan asker, bir savaş gücü olmaktan uzaktı. Bu askerler ancak kendi başlarının çaresine bakmakla meşguldüler ve etrafı görecek halleri yoktu.

Savaşa 188.000 kişiyle başlayan Batı Ordusu, İşkodra'da savaşanlar hariç, Manastır Savaşı'ndan sonra 43.500 kişiye düşmüştü. Toplarının çoğunu, cephanesini, aracını, gerecini, özetle bir orduyu ordu yapan herşeyini yitirmiş, yorgun ve yaralı 43.500 kişi... Gerçi şimdi Yanya kuşatmasından kurtulabilen 5.000 kişi de bu kuvvete katılmıştı ama, bu neyi değiştirirdiki? Onlar da tüm ağır silahlarını, umutlarını ve zafere olan inançlarını geride bırakmışlardı.

Üstelik bu sayı da her geçen gün azalmakta ve her geçen gün biraz daha eriyip gitmekteydi. Kış ve ilkbaharın o soğuk ve serin aylarında, Arnavut dağlarında çoğu zaman sığınacak bir dam altı bile bulamayan, açlık çeken asker ya kaçmakta, ya da hastalanmakta ve ölmekteydi. İyi beslenememek ve barınamamaktan doğan hastalıklar ve özellikle dizanteri, saflarda boşluklar yaratmaktaydı.

Kaçmayan Arnavut ve Boşnak askerlerden kalanı terhis edilmişti. Sonra sıra Rumeli'li Türklere geldi. Onlar da fırsat buldukça kaçıyorlar, köylerinin ve kentlerinin yolunu tutuyorlardı. Geriye, hemen hemen yalnız Anadolu Türk'ü kalmıştı. Bütün tarih boyunca koca İmparatorluğun tüm cefasını çeken, sadık, vefakâr Türk, yani «Mehmet»...

Batı Ordusu askerlerinin topraklarına sığındığı Arnavutlar, artık eski müttefik, Müslüman, meclisteki milletvekiliyle, yöneticisiyle, paşasıyla, beyiyle, Osmanlı Hükümetindeki bakanı ve başbakanı ile Türklerle içiçe olan o eski dostlar değildir. Batı Ordusu askerleri şimdi, İkinci Meşrutiyetten ve özellikle Abdülhamit'in iktidardan uzaklaştırılmasından sonra tarihte ilk defa Osmanlıya karşı ayaklanan, şimdi de bağımsızlığını ilan eden, topraklarının sahibi ve efendisi Arnavutlarla karşı karşıyadır... Gerçi, şimdi Osmanlıya karşı silah çekmeye çekinir ve biraz da böyle bir şeyden utanır ama, ona karşı dostça da davranmaz.

Bir yazar o günleri şöyle anlatır :

«Manastır Savaşı'ndan sonra Osmanlı Batı Ordusu, düşman Arnavut şehirlerinde çile doldurdu. Hem Sırplar, hem Arnavutlar tarafından kovalandı, göçebe bir hayat sürmek zorunda kaldı. Hemen herşeyden, yiyecek, giyecek ve ilaçtan bile yoksundu. Sanki bir hayaletler kafilesiydi. Bahtsız ordu ve komutanları, Arnavutluk'da acılarını dindirecek kimsecikler bulamayacaklardı. Batı Ordusu'nun kalıntıları, terkedilmiş, küçümsenmiş durumda kovalanarak, kesin barışa kadar, yaşayan ölüler gibi sürüklediler varlıklarını. Komutanlar destek bulmak için girmişlerdi Arnavutluk'a. Oysa o zamana kadar İsmail Bey Osmanlı bayrağını indirmiş, yerine kartallı Arnavutluk bayrağını çekmiş, Arnavutluk'u bağımsız ilan etmişti. Ali Rıza Paşa ordusunun kalıntıları, Arnavutluk'u bir müttefik değil, düşman buldular.

Cavit Paşa'nın ordusundaki bir subay şöyle yazıyordu :

Cavit Paşa'nın ordusunda çok hasta asker var, çünkü çok açlık çektiler. Asker genel olarak mısır koçanına katılan bir unla besleniyordu. Bu suretle hazırlanan ekmek iyi pişmediğinden mide bozukluğu, dizanteri ve daha başka hastalıklara sebep oluyordu. Hasta sayısı belli değil. Bildiğim şu ki, karargâhta bulunan bütün hastaneler ve Avlonya hastaneleri ağzına kadar doludur. Hastaların çoğu ölmektedir. Günde 100 kişi. Çünkü sağlık şartları çok kötü. Askerin yüzde doksanı Anadolu'dan, kalan kısmı Rumelili. Anadoluluların herşeye katlanmaları harika birşey..» (*)

Evet, Türk Batı Ordusu, Güney Arnavutluk'daki bu dağınık ve perişan haliyle bir askeri güç olmaktan çıkmıştı ama, taarruza uğradığında yine de kendini savunuyordu. Nitekim Yanya'dan sonra Yunanlılara karşı da direnmiş, Tepedelen'i kaybetmesine rağmen silahını bırakmamıştı. Her ne kadar bu direniş, düzenli bir birlik savaşı değil de canını kurtarmak için yapılan bir kavga da olsa, yine de düşmanı oyalamaktaydı.

Yunan ordusu Arnavutluk hududunda durduğunda, Batı Ordusu'nun son askerleri Güneyde rahat bir nefes aldılar ama, bu sefer Kuzeyden bir Sırp tümeninin saldırısına uğradılar. Draç limanını ve Debre içinde olmak üzere Kuzey Arnavutluk'u işgal edip duran Sırplar, Londra Barış Görüşmeleri olumsuz sonuçlanıp 3 Şubat 1913'de yeniden savaş başlayınca ilkin harekete geçmemişlerdi. Çünkü hem alacaklarını almışlar, hem de karşılarında savaşacakları kimse kalmamıştı. Ger-

---

(*) Aram Andonyan: Balkan Harbi Tarihi.

çi Türk Batı Ordusu'ndan bir avuç geriye kalan döküntü şimdi Güney Arnavutluk'da idi ama, buraya doğru bir hareket Sırpların başına iş açardı. İki ay kadar önce Kuzey Arnavutluk'u işgali ve Adriyatik'e inmesi az daha Avusturya ile bir savaşa neden olacaktı.

Ondan sonra da Londra'da anlaşan Avrupalılar, Sırp ordusunun Kuzey Arnavutluk'u boşaltmasını istemeyteydiler. İşte durum bu iken, şimdi de Güney Arnavutluk'a saldırmak olacak iş değildi. Buna rağmen yine de müttefiki Yunan ordularının Yanya ve Kuzeyindeki savaşlarına yardım etmek için, bir tümenlik küçük bir kuvvetle de olsa, harekete geçmişti. Türk Batı Ordusu, Yunanlılardan sonra şimdi de Sırpların taarruzunu durdurmaya çalışıyordu. Bereket ki, Sırplar da Türk direnişi karşısında fazla ilerleyemediler ve Makedonya Savaşı, İşkodra kuşatması dışında, 1913 yılı nisan ayı başlarında sona erdi. İşkodra, Türklerin Avrupa'daki son şeref kalesi olarak, Karadağ ve Sırp ordularına karşı savunmasına devam ediyordu.

Fakat gün geçtikçe Batı Ordusu'nun askerleri arasında disiplinsizlik ve dağılma artmakta, direnç tükenmekteydi. Sürekli çekilmeler, açlık ve kötü yaşam koşulları kimsede moral bırakmamıştı. Anavatandan binlerce kilometre uzakta Mehmet, sonunun ne olacağını bile tahmin edemediği acı günler geçirmekte, çile doldurmaktaydı. Yerli Arnavut halkı, askerleri köylerine sokmuyorlar ve çoğu kez silahla karşı koyuyorlardı.

5. Kolordu'dan Vardar Ordusu Komutanlığına gönderilen bir raporda şunlar vardı :

«Elde toplu bir bölük bile yoktur. Erler subaylarına açıkça itaatsizlik ediyorlar ve şiddet gösteren subaylara karşı koyuyorlar, suikastta bulunuyorlar. Tümenlerin raporlarından anlaşıldığı üzere bütün birlik komutanları birliklerini toplamak, düzene sokmak, sevk ve idare etmekteki acizliklerini açıkça itiraf etmektedirler. Bütün erler,

278

hayvanlar ve hatta subaylar açtırlar. Açlık ve sığınacak bir dam altı bulamamaktan ileri gelen bu halin önünü almak mümkün değildir.»

5. Kolordu Komutanı Sait Paşa, kendisine bağlı 15. Tümenin bir raporunu da kendi yazısına ek olarak yollamıştı. 15. Tümen'in raporu şöyleydi :

«... Şu anda 15. Tümen yoktur. Erler bütünüyle dağılmış bulunmakta, idare, iaşe ve iskânları sağlanamadığından herkes kendi başının çaresine bakmakta, yemek ve barınmak için köylerde her türlü zulüm ve tahribat yapmaktadır. Bu durumu önlemenin imkânı yoktur. Disiplin ve itaat kalmamıştır. Eski ordu şu sırada, tehlikeli bir sürü halini almıştır.» (*)

Evet, Batı Ordusu'ndan arta kalanlar bir yaşam savaşı vermekteydiler ve biran önce savaşın sona ermesini beklemekteydiler. Neresinden bakılırsa bakılsın durum umutsuzdu. Ama resmen savaş devam ediyor ve Yunan donanması Arnavutluk sahilindeki ablukayı sürdürüyordu. Yani, ordunun memlekete dönecek tüm yolları kapalıydı.

Gerçi son günlerde Hamidiye kruvazörünün Arnavutluk kıyılarına kadar geldiği söylentisi çıkmıştı ama, arkası gelmemişti. Haniya, neredeydi bizim donanma? Bu diyarı gurbette sıkışıp kalmış askeri kurtarsa kurtarsa ancak donanma kurtarırdı. Hamidiye'nin deniz derya aşıp buralara kadar geldiği haberi, çaresizlik içindeki askerin gönlünde ne tatlı umutlar yaratmıştı?..

BALKAN SAVAŞINDA TÜRK DONANMASI

İşkodra ve İşkodra'ya yakın Güney Arnavutluk yörelerinde kurtarılmayı bekleyen Türk Batı Ordusu'nun bugüne kadar hayatta kalabilen asker-

(*) Genelkurmay Harp Tarihi Başkanlığı: Balkan Harbi 3. cilt, 1. kısım.

leri, ümitle barışın tekrar gelmesini veya kendilerine ulaşabilecek donanmayı bekliyorlardı. Hamidiye savaş gemisinin bu günlerde Adriyatik Denizi'ne girdiği, para ve ilaç getirdiği ve hasta ile yaralılaları alıp gideceği, belki de kalanları bir iki gemiye doldurup hepsini yedeğinde Anadolu'ya taşıyacağı söylentileri askerlerin yüreklerini ağızlarına getirmişti. Hatta diğer savaş gemilerinin, yani şanlı Osmanlı donanmasının yolda olduğu sözleri de dolaşmaktaydı. Donanma savaşarak yolunu açmış, Arnavutluk kıyılarına gelmekteydi... İnanılır gibi değil ama, kimbilir?..

Gerçekten de, Makedonya'da Trakya'da kızılca kıyamet koparken Osmanlı donanması, meşhur deyimiyle «Donanmayı Hümayun» ne yapıyordu, nerelerdeydi?..

Donanmayı Hümayun Marmara'da ve Karadeniz'deydi.

Ya, Ege ve Akdeniz?..

Hayır, oralara gidememiş, yani Çanakkale'den dışarı pek çıkamamıştı...

Peki, Hamidiye?..

Hamidiye, bir istisnaydı...

Ama daha dün İtalyanlara kaptırdığı «Oniki Ada» dışında tüm Ege adaları onunken, Selanik Güneyine kadar Ege kıyıları, öbür tarafta tüm Arnavutluk sahilleri ve Preveze'ye kadar Adriyatik kıyıları kendi toprakları iken; kısacası koskoca Batı Ordusu bir ayağı Adriyatik'de, diğer ayağı Egede döğüşürken neden donanması ile ona ulaşamamış, neden Batı Ordusu'nu kaderi ile başbaşa bırakmıştı? Donanmayı Hümayun bu derece güçsüz müydü?

Halbuki Sultan Abdülaziz, 37 yıl önce 1875'de, ordu ve donanmanın işbirliğindeki bir ihtilalle devrildiğinde, geride dünyada hatırı sayılır güçlü bir donanma bırakmış değil miydi?

Doğru öyleydi ama, sonrası acıklı bir öyküydü...

Sultan Murat'ın deli olması nedeniyle kısa bir

aradan sonra tahta çıkan Sultan Abdülhamit, kendisine karşı da olası bir ihtilâlden çekindiği için o güzelim donanmayı Haliç'e hapsetmiş ,onu ihmalden de öte, çürümeye terketmişti. Gemiler Marmara'ya bile çıkamıyor, ne eğitim ne manevra yapabiliyordu. Gemiler birbirlerine zincirli Haliç' in sığ sularında yatıyorlardı.

1897 yılında Yunanlıların Girit'e asker çıkarmaları üzerine Osmanlı donanmasının da Çanakkale'ye gitmesi ve bir gövde gösterisi yapmasına karar verildiğinde 20 yılın yıkımı kendini tüm fecaati ile bir bir göstermişti :

«Mesudiye, Hamidiye, Osmaniye ve Aziziye firkateynleri ile Necmişevket korveti ve Hizber silahlı dubası, 19 Mart 1897 günü Haliç'den hareket etti.

İlk olarak Mesudiye'nin 8 kazanından 3'ü infilâk etti. İstanbul halkı donanmanın Çanakkale'ye gideceğini gazetelerden okuduğu için, sabahın erken saatlerinden itibaren donanmalarını seyretmek için iki köprünün çevresine doluşmuştu.

İki köprü arasında Mesudiye'nin kazanları patlayınca, donanma komutanı gemiyi geri çekmeyi düşündüyse de, dost, düşman, şehirdeki Müslim, gayrı Müslim bütün halk balkonlara, damlara çıkmış donanmayı seyrettiğinden Mesudiye'yi durduramadı. Belli etmeden Sarayburnu geçildi ve Marmara'ya doğru açıldı.

Hasan Rahmi Paşa (Donanma Komutanı) gemilerin köprülerden teker teker çıkmalarını ve çıkan gemilerin Yeşilköy Feneri açıklarında toplanmalarını emretti. O sırada bir de fırtına çıktı ve yağmur başladı. Gemiler dağıldı, birbirlerini kaybettiler. Asker de hem yeni, hem acemiydi, sırtlarında üniformaları bile yoktu, sivil elbise ile gemilere binmişlerdi.

Bu arada Hizber Dubası yolunu şaşırmış, gitmiş denizde kaybolmuştu. İki gün sonra İmralı Adası'nda karaya oturmuş olarak bulmuşlar.

Hamidiye'nin makina dairesi su dolmuş, Çanakkale'ye gideceği yerde Lapseki'ye gitmiş.

Bu arada amiraller birbirine giriyorlar, birbirlerine iftiralar, şikâyetler alıp gidiyor. Subaylar arasında geçimsizlik ve hizipçilik... Donanmanın değil savaşa hazır olmak, hareket edecek halde bile olmadığı açıkça görülüyor.

Atış talimleri yapılması gerek. Atış talimlerinde toplar kızaklarından fırlıyor, gemiler ençok 7-8 mil sürat yapabiliyor ve donanmanın savaşamayacağı açıkça ortaya çıkıyor..» (*)

Bu acı olay milleti gayrete getirdi, Abdülhamit de isteğe uydu ve İngiltere ile Amerika'ya ısmarlanan Hamidiye ile Mecidiye kruvazörleri altı yıl sonra 1903'de donanmaya katıldılar.

1908'de İkinci Meşrutiyetten sonra donanmaya yeniden el atıldı. İngiliz Amirali Gamble bu iş için donanmanın başına getirildi, eğitime ve yeni gemi alınması işine hız verildi.

Küçücük Yunanistan ne zamandır, çok kuvvetli bir deniz gücü kurmak yolunda idi. Milyoner Giorgios, Averof adlı Rumun büyük para yardımiyle Yunanlılar, İtalyanlara 10.000 tonluk modern bir zırhlı ısmarlamışlardı. Bunun üzerine İstanbul'da da tüm servetini bu işe bağışlayan Yağcızade Şefik Bey'in önayak olduğu bir «Donanma Cemiyeti» kuruldu. Halktan bağış toplanmaya başlandı. Halk severek yardıma koştu. Asıl maksat, Averof'la boy ölçüşebilecek bir gemi alabilmekti. Ama böyle bir gemi bulunamadığı gibi, sipariş de edilemedi. Bunun üzerine 1910 yılında Almanya'dan «Barbaros Hayrettin» ve «Turgut Reis» adlı iki eski zırhlı alındı. Gemiler 10.000 tonluktu ama 17 yaşındaydılar. Yine Almanya'dan sipariş edilen 616 tonluk 4 yeni muhrip 1912'de donanmaya katıldı.

Bu sıralarda İtalyanlarla başlayan Trablusgarp

(*) Nejat Gülen: Dünden bugüne bayriyemiz.

Savaşı, donanmayı işte bu halde buldu. Yeni emeklemeye başlayan bu deniz kuvvetiyle Akdeniz'e çıkarak, bize göre çok güçlü İtalyan donanmasıyla çarpışmak olası değildi. Onun için donanma böyle bir girişimde bulunmadı. İnadına İtalyan donanması, Osmanlı Hükümetine baskı yapmak için 18 Nisan 1912'de Çanakkale önlerine geldi, sonra dönüp 17 Mayısta Rodos'dan başlayarak Oniki Ada'yı zaptetti. Osmanlı donanması Çanakkale'den dışarı çıkamadı.

Az sonra, 18 Ekim 1912'de başlayan Balkan Savaşı'nda «**Donanmayı Hümayun**» hiç de iyi durumda sayılmazdı. Abdülhamit döneminde uğranılan 20 yıllık ihmalin yaraları henüz sarılamamış, son 3-4 yıllık gayret meyvelerini henüz tam olarak verememişti.

Balkanlılardan yalnız Bulgar ve Yunanlıların donanması bahis konusuydu. O tarihte kıyısı bulunmayan Sırbistan'ın ve küçük Karadağ'ın deniz kuvveti yoktu.

Bulgar donanması 6 torpidobot ve bir gambot gibi çok zayıf bir kuvvetteydi. Ama, Yunan donanmasına gelince iş değişiyordu.

Yunan donanması :

Yeni Averof kruvaüzörü, 3 eski zırhlı (Herbiri 5.000 tonluk, hızları 17 mil), 12 yeni muhrip, 2 denizaltı. Toplam 30.000 ton.

Osmanlı donanması :

4 eski zırhlı (Mesudiye, Asarı Tevfik, Barbaros, Turgut Reis), 2 yeni kruvazör (Hamidiye ve Mecidiye), 2 torpido kruvazörü, 8 muhrip, 12 torpidobot. Toplam 43.000 ton.

İlk bakışta Osmanlı donanması sayı ve tonaj olarak Yunan donanmasına üstünmüş gibi görünürse de, gerçek bunun tam tersiydi. Zira Yunan savaş gemileri bizimkilerden hem daha yeni, hem daha hızlı, hem daha üstün ateş gücüne sahiptiler. Örneğin bizim eski zırhlılar Barbaros ve Turgut savaş başladığında 19 yaşında, Mesudiye 46,

Asarı Tevfik 56 yaşındaydı. Hızları da 12-16 mildi. Halbuki 3 eski Yunan zırhlısı da 17 mil hız yapmaktaydı ve bizimkilere göre daha gençtiler.

Averof kruvazörü ise, başlıbaşına bir donanma demekti. 1911 yılı Nisanında Yunan donanmasına katılan İtalyan yapısı gemi, zamanının en modern ve en güçlü gemisi sayılmaktaydı. 23 mil hız yapabiliyordu, 10.000 tonluk ve müthiş bir ateş gücüne sahipti. Bizim zırhlılarımızın topları 3 dakikada 1 mermi atarken, Averof topları 1 dakikada 3 mermi atıyordu. Üstelik bizim toplar ayrı kumandalı, Averof'un topları ise bir merkezden kumandalıydı.

Balkan Savaşı'nda Osmanlı donanması aynı zamanda hem Kara Deniz'de, hem de Ege'de harekât yapacak kadar kuvvetli olmadığından, donanmaya Çanakkale Boğazı'nı korumak, Kara Deniz'de ise hem Bulgarların Kara Deniz ulaştırmasını kesmek, hem de Romanya-Türkiye deniz ulaştırmasının güvenle yapılmasını sağlamak görevi verildi. Yani Türk deniz kuvvetleri, Yunanlılar karşısında savunmada kalacaklar, Bulgarlara taarruz edeceklerdi.

Balkan Savaşı'nın başlamasıyla birlikte, Türk donanması bir kısım kuvvetiyle Kara Deniz'e açılarak Bulgar limanlarını topa tuttu, onların deniz ulaştırmasını engelledi. Bu arada bir de talihsizlik oldu: Savaşın birinci ayı sonunda, 20 Kasım 1912 gecesi, donanmanın en güçlü gemilerinden Hamidiye, Kara Deniz'de Bulgar topridobotlarının saldırısında ağır bir torpil yarası aldı; Haliç'de onarıma çekildi.

Trakya'daki savaşın hiç beklenmeyen bir şekilde ve kısa sürede Türk ordusunun bozgunu ile sonuçlanması üzerine, donanma kara harekâtını desteklemeye koyuldu. Çatalca'ya çekilen Doğu Ordusu'nun hem Kara Deniz hem de Marmara'daki kanatlarında mevzi alarak Bulgar ordusunu ateşleriyle engelledi.

Fakat bu arada Yunanlılar, donanmalarının desteğinde, savaşın daha 4. günü 22 Ekimde Limni'yi, bundan sonra 7 Kasıma kadar geçen iki hafta gibi kısa bir sürede de diğer belli başlı Ege adalarını ele geçirdiler. Limni'deki bir tabur Türk askeri, adanın dağlık kısımlarına çekilerek cephanesi ve yiyeceği tükenene kadar bir ay daha direndiyse de, bu Yunanlıların Limni'de bir deniz üssü kurmalarına engel olamadı.

Yunanlılar adaların işgali için 18.000 kişilik bir kara ordusu ayırmışlar ve 5 ay önce İtalyanların işgal ettiği Oniki Ada dışında diğer Ege adalarını hızla işgal etmişlerdi. Çanakkale Boğazı'nın tam ağzındaki İmroz (Gökçeada) ve Bozcaada da Yunanlılar tarafından eşgal edildiğinden Osmanlı donanması Marmara'ya hapsedilmiş gibiydi.

3 Aralıkta Bulgar, Sırp ve Karadağlılarla ateşkes anlaşması imzalandığında, Yunanlılar buna yanaşmadıklarından Osmanlı-Yunan savaşı, eskisi gibi sürmeye devam etti. Donanma şimdi, sadece Yunan donanması ile karşı karşıyaydı ve artık onunla kozunu paylaşabilirdi.

Ateşkesten iki hafta sonra 12 Aralık 1912'de, Londra'da Balkanlılarla barış görüşmelerinin başladığı gün, Osmanlı donanması Çanakkale Boğazı'ndan çıkarak Boğaz açıklarında kendisini bekleyen Yunan donanması ile savaşa girdi. Hamidiye, Haliç'de onarımdaydı. Savaş, İmroz Adası yanında yapıldığı için «İmroz Savaşı» adını alan bu deniz savaşı, sabahleyin başladı ve 1.5 saat sonra sona erdi. Savaşta meşhur Averof ağır yara almış, Türk sancak gemisi Barbaros da yaralanmıştı. İki taraf da birbirini takip etmemiş, geldikleri gibi yine üslerine dönmüşlerdi.

Averof'un yaralanması gibi büyük bir fırsatı yakalamış olmasına rağmen Türk donanmasının neden savaşa devam etmeyip çekildiği, hâlâ bilinmezliğini korumaktadır. Donanma Komutan Vekili Albay Ramiz Bey, Mesudiye ve Asarı Tevfik'in ancak 8 mil hızları olduğundan, takip harekâtını Muhrip Filotillası'na bıraktığını, fakat bu konuda işaretle verdiği emri Filotilla komutanının uygulamadığını söylemektedir. Muhrip Filotilla Komutanı Yüzbaşı Rauf (Orbay) ise, böyle bir işareti görmediğini ileri sürmektedir.

Ve savaşın galibi kimdir, bu belli olmamıştır.

İyi ama, böyle de oturup kalınamazki; Kara Deniz sayılmazsa, bütün denizlerle ilgisini kesmiş, Makedonya'daki Batı Ordusu'nu unutmuş, Çanakkale'den dışarı burnunu uzatamaz bir halde beklemek, bir hayli onur kırıcı bir durum. Başkomutan Vekili Nazım Paşa, ısrarla bir an evvel harekete geçip Yunan donanmasının ezilmesini, İmroz ve Bozcaada'dan başka ilk hamlede Limni ve Midilli'nin alınmasını istiyordu. Üstelik tam da zamanıydı: Averof onarımdaydı, Hamidiye ise tamirini bitirmiş donanmaya katılmıştı.

Fakat denizciler, başta iki eski zırhlı, bizim gemilerin çok az hız yapabildikleri, telsiz ve ışıldaklardan başka araç ve gereklere de güvenilemeyeceği, eğitimin yetersizliği, gece nişangâhlarının bozukluğu ve adaların Yunanlıların elinde oluşu yüzünden gemilerimizin yakında sığınabileceği bir liman bulunmayışı gibi sebeplerle buna olanak göremiyorlardı.

Bir aylık süre, böylece boşuna harcandı.

Sonunda, Hamidiye'nin Boğaz'dan çıkıp Ege'ye açılarak bir kısım Yunan savaş gemilerini üzerine çekmesi, kalanların üzerine de bizim donanmanın taarruz etmesi kararlaştırıldı. Daha doğrusu, Hamidiye komutanlığına atanan Yüzbaşı Rauf Bey'in kendi gemisiyle açık denizlere çıkıp akın (Korsan) harekâtı yapması önerisi kabul edilmiş, bu da donanmanın Boğaz'dan çıkması için bir fırsat yaratmıştı.

Böylece Hamidiye 14 Ocak 1913'de Çanakkale Boğazı'ndan çıkarak Ege Denizi'ne açıldı. Hamidiye'nin Yunan donanması arasından sıyrılması başarılmıştı ama, Averof başta olmak üzere Yunan gemilerinin bir kısmını üzerine çekmesi gerçekleşememiş, Yunan Amirali Kondriotis bu oyuna gelmemişti. Kondriotis, Hamidiye'nin peşine sadece 3 muhribini göndermişti. Hamidiye'nin kaptanı ise, daha büyük kuvvetin kendisini takip ettiğini sanıyordu. Donanma komutanlığına çektiği telsizde bunu bildirmişti.

Hamidiye'den 4 gün sonra 18 Ocak 1913'de Osmanlı donanması 3 zırhlı, 1 kruvazör, 1 torpido kruvazörü, 6 muhriple Boğaz'dan çıktı ve düşman donanması üzerine yürüdü. Yunan donanmasına kayıplar verdirilecek, Limni'nin Mondros deniz üssü tahrip edilecekti. Ama tamirini bitiren Averof Hamidiye'nin peşine takılmamış, karşılarına çıkmıştı ve Yunan donanması 3 muhrip dışında tam tekmil savaş için yerini almıştı.

«Mondros Savaşı» adını alan bu deniz çarpışması 11.30'da başladı ve 12.30'da donanma, özellikle Averof'un 24 santimlik ağır toplarının tahripleri karşısında geriye dönmek zorunda kaldı. Donanma Komutanı Vekili Albay Ramiz Bey'in bulunduğu Barbaros ve onun yerini alan Turgut zırhlıları ağır yaralar almışlardı. Donanmanın bu savaştaki kaybı 41 şehit, 98 yaralı olarak toplam 139'u bulmaktaydı. Kaybedilen bu savaştan sonra, yaralı gemilerin de onarıma alınmış olması nedeniyle Osmanlı donanması artık bir daha Boğaz'dan dışarı çıkamadı.

Hamidiye'ye gelince :

Balkan Savaşı'nın karada ve denizde peşpeşe gelen bunca yenilgilerine, bunca bozgunlarına karşı yüzümüzü ancak o güldürmüş, ruhları boğan bunca karanlıklar içinde ancak o millete bir umut ve teselli ışığı olmuştu. Gerçi yalnız başına bir gemi, ne savaşın gidişini değiştirebilir, ne de kayıpları geri getirebilirdi ama olsun, Ege ve Akdeniz'de bayrak gezdirmesi bile başlıbaşına bir zaferdi. Bu bile, o bir parça zafer haberine susamış milletin gönlünde başköşeye kurulması için yetip de artmıştı bile. **«Kahraman Hamidiye»**, **«Kahraman Rauf»** un, o gün olduğu gibi bugün de dillerde dolaşmasının sebebi de buydu...

Hamidiye, peşindeki 3 Yunan muhribini atlattıktan sonra Akdeniz'e doğru inerken, Ege adalarının orta yerinde bir Yunan üssü olan Şira limanını topa tuttu, limandaki Makedonya adlı Yunan kruvazörünü yaraladı, adadaki barut depolarını ateşe verdi. Sonra Beyrut üzerinden Port Sait'e gelip kömür aldı. Kızıl Deniz'e girdi, oradan da tekrar Akdeniz'e döndü. Büyük bir fırtına ile boğuştuktan sonra, kömür bütünlemesi için zorunlu olarak Malta Adası'na geldi. Sonra tekrar Akdeniz ve Suriye kıyıları. Sonra İskenderun'a uğrayarak, Makedonya'daki Batı Ordusu'na verilmek üzere 50 ton cephane ve 10.000 altın aldı ve Adriyatik yolunu tuttu. Hamidiye 9 Martta, yani denize açıldıktan hemen hemen iki ay sonra Korfo açıklarından Adriyatik Denizi'ne girerken, Hamidiye'yi aramakta olan Yunan İpsara zırhlısı ve 3 muhrip, ondan habersiz Korfo limanında idiler.

Arnavutluk'da Batı Ordusu ilgilileri ile bağlantı sağlanamadı ve o kadar gerekli olduğu halde cephane ile altınlar verilemedi. Halbuki bugünlerde Batı Ordusu, 4 gün önce Yanya'yı kaybetmiş, Güneyden Yunanlıların, Kuzeyden Sırplıların taarruzları altında Güney Arnavutluk'a doğru çekilmekteydi ve Hamidiye'nin getireceklerine ne kadar da muhtaçtı.

Hamidiye bu arada Leros adlı bir Yunan yük gemisini mahmuzlayarak suya gömmüş, Şinkin limanında asker ve malzeme yüklü 6 Yunan gemisini topa tutarak büyük kayıplar verdirmişti. Bu Yunan gemileri, İşkodra kuşatmasına katılmak üzere Selanik'den gelmiş olan Sırp askerleriyle doluydu ve askerlerden ölenler ve yaralananlar bir hayli fazlaydı. İşte Hamidiye'nin Adriyatik'e geldiği, Türk Batı Ordusu'nda bu sırada duyulmuş ve askerler arasında bir kurtuluş umudu uyanmasına neden olmuştu. Fakat Hamidiye'nin kömürü bitmek üzereydi ve Adriyatik tehlikeliydi. Yüzbaşı Rauf Bey, İtalya çizmesi ile Arnavutluk arasındaki Otranto Boğazı'ndan sıyrılarak Akdeniz'e açıldı, İskenderiye'ye ulaşıp tekrar kömür aldı.

Şingin bombardımanı bütün dünyada duyulmuştu. Hamidiye şimdi dış dünyada da şöhretti ve âdeta efsaneleşmişti. Yunan savaş gemileri kaç aydır onu kovaladıkları halde bir türlü yakalayamıyorlardı. Bir Suriye açıklarında, bir Malta'da görünüyor, Kızıldeniz'e indi denirken aniden sesi Adriyatik'den geliyordu. Yunan deniz ulaştırması allak bullak olmuştu. Her yerde Hamidiye'nin karşılarına çıkması tehlikesi Yunan denizcilerini tedirgin ediyordu.

Ama Hamidiye 10.000 mil yol yapmış ve artık yorulmuştu, gemi onarıma muhtaçtı. Anadolu, Suriye açıklarında ve Kızıldeniz'de dolaştı. Balkanlar hâlâ durulmamıştı. Savaşın biri bitiyor, diğeri başlıyordu. Yunan savaş gemileri de Doğu Akdeniz'de, Kızıldeniz'den gelecek Hamidiye'yi bekliyorlardı.

Rauf Bey, gemi onarımını başka limanlarda yaptıramayınca, bütün tehlikeyi göze alıp İstanbul'a gitmek üzere Akdeniz'e çıktı ve maceralı bir yolculuktan sonra kazasız belasız 5 Eylül 1913'de Çanakkale'ye ulaştı.

«İstanbul halkı Hamidiye'yi heyecanla bekliyordu. 7 Eylül günü Yeşilköy açıklarında göründü. Muhrip filotillası alay sancaklarını çekmiş, bütün tayfalar güvertelere dizilmiş çimavira (tören) yapıyorlardı. Bayraklarla donanmış vapurlar, istimbotlar, sandallar, kayıklar, mavunalar sahillerde rıhtımlarda damlarda dağ taş insan doluydu. Sevgi, coşku içinde, alkışlarla, haykırışlarla Hamidi-

ye'yi karşılıyorlardı. **Kahraman Hamidiye'yi ve Hamidiye Kahramanı Rauf'u.»** (*)

Hamidiye'nin, soğuk bir kış günü Çanakkale' den ayrılışı üzerinden tam 7 ay 24 gün geçmişti...

(*) Nejat Gülen : Dünden bugüne bahriyemiz.

Yüzbaşı Rauf (Orbay) sonra hızla terfi etmiş ve 4 yıl sonra Birinci Dünya Savaşı'nın bitiminde, albay rütbesiyle Bahriye Nazırı olmuştu. 1918'de Mondros Ateşkesi'ni imzalayan Osmanlı heyetine başkanlık etmiş, sonra Mustafa Kemal Paşa'nın Samsun'a gidip Kurtuluş Savaşı'nı başlattığı sıralarda o da emekliliğini isteyerek Anadolu' ya geçmiş ve Mustafa Kemal Paşa'nın yanında yer almıştı.

ONUNCU BÖLÜM

BARIŞ VE İKİNCİ BALKAN SAVAŞI

LONDRA BARIŞ ANTLAŞMASI

Denizlerde bunlar olurken, karada savaş hemen hemen bitmiş gibiydi. Çünkü Arnavutluk, Makedonya, Trakya, —Bir kelime ile Rumeli— için çıkan kavga, buraları Balkanlılar tarafından hızla istila edilmiş ve paylaşılmış olduğundan kendiliğinden sona ermişti. Gerçi resmen savaş hali devam ediyordu ama Balkanlı dört devlet alacaklarını almış, yenik Osmanlıların da kaybettiklerini geri alacak takatı kalmamıştı. Makedonya taraflarında, birbiri peşi sıra kaybettiği savaşlardan sonra Türk Batı Ordusu elde kalan kuvvetleriyle Güney Arnavutluk'a çekilmiş ve silahlar susmuştu. Çünkü Arnavutluk, savaştan 1.5 ay sonra 29 Kasım 1912'de bağımsızlığını ilan etmiş ve bunu büyük Avrupalı devletler de tanımışlardı. Her ne kadar bu durum, yazılı bir anlaşmaya dönüştürülmemiş ve Arnavutluk hudutları ayrıntılarıyla saptanmamışsa da yine de Sırplar, Yunanlılar ve Karadağlılar Arnavutluk'a girmekten çekiniyorlardı. Bu yüzden Güney Arnavutluk'daki Türk Batı Ordusu askerleri bir nevi resmi olmayan, yani yazılı anlaşmaya bağlanmayan bir güvenlik içindeydiler. Son olarak Yanya'nın kaybından sonra tümüyle Arnavutluk topraklarına çekilmiş, silahlarını çatmış ve döğüşe son vermişlerdi. Şimdi silah sesleri yalnız İşkodra kalesinden, yani Makedonya ve Arnavutluk yörelerinin ufacık bir köşesinden geliyordu, o da arasıra... Orada Karadağ ve Sırp kuvvetlerine karşı bir avuç Türk, savaşın ilk günlerinden beri yiğitçe döğüşüyor, Batı Ordusu her yerde savaşı terkettiği halde bunlar savaşı bırakmıyorlardı.

Trakya'da ise Türk ve Bulgar orduları Çatalca ve Gelibolu yarımadalarının daracık cephelerine sıkışmışlar, toprak siperlere gömülmüşler, karşılıklı bekleşip durmaktalar. Türk kuvvetlerinin başarısız Şarköy harekâtından sonra iki taraf da şimdiki duruma razı olmuş. Yani savaş kilitlenmiş, iki tarafın da beklemekten başka yapacak bir şeyi kalmamıştı. İşte bu sıralarda Edirne savunması da çökünce, artık Meriç boylarındaki silah sesleri de son bulmuştu...

Aslı aranırsa, İttihat Terakki'nin Mahmut Şevket Paşa Hükümeti, Şubat 1913'den beri bir barışı arar olmuştu. Şarköy çıkarmasının, Bulgarların yenilemeyeceği ve Edirne'nin kurtarılmasının olanaksızlığını kanıtlamasından sonra, bu arzu daha da artmıştı.

Memleketin iç durumu da hiç iyi değildi. Ekonomi büsbütün kötüleşmiş, yokluk ve pahalılık dayanılmaz bir hal almıştı. Savaşın yol açtığı açlık ve sefalet, kolera ve diğer korkunç hastalıkları yeniden ortaya çıkarmıştı.

Ya o göçmenler...

O ata yadigarı, dededen babadan kalma evini, köyünü, yurdunu terkedip kendini İstanbul'a atan Türk'ler... Varsa bir iki altınından, bir iki çulundan başka herşeyini bırakıp, tek çoluk çocuğunun hayatını kurtarmak için sersefil yollara düşenler?..

O günleri olayların içinde yaşayan bir yabancı yazar, o sefalet manzaralarını şöyle anlatır:

«İstanbul, Rumeli'nden kopup gelen muhacirlerle dolu idi. Dünyanın az yerinde, hicretin böylesine faciaları beraberinde taşıyabildiğini söylemekte asla abartma yoktur: Gelenler arasında aile fertleri tam olanlar denebilirki yoktu. Ya, kudurmuş bir intikamın süngülerine hedef olmuşlar, yahut salgın hastalıklardan, bilhassa yedi saatlik ıstıraplı bir iniltiden sonra öldüren koleraya kurban gitmişler, veya yanan evlerinin içinde kemik yığını haline gelmişler, en mesut ithimal olarak da, başka bir muhacir kafilesi içinde kaybolmuşlardı. İstanbul'un camileri, mescitleri, medreseleri ve bunlara sığamayanlar da, şehrin her tarafında sık sık rastlanan yangın harabelerine sığınmışlardı. Kızılay'ın yetersiz yardımlarına, şehrin bilhassa orta sınıfı, yani bizim tabirimizle burjuvazi diyebileceğimiz kesimin eklenen yardımlarıyla, şanslı olanlar biraz ekmek edinebiliyorlardı. Hükümet için bunların yerleştirilmesi, başarılamayan büyük bir görev halinde idi. Türk yetkililere, başta Amerika olarak dünya milletlerine başvuruyu önerdim. Yetkililer öyle bir şaşkınlık içinde idiler ki, ertesi gün ne olabileceğini tahmin edemeyecek bir güvensizliğe kapılmışlardı.

Fakat aynı İstanbul'un bu facialarla ilgilenmeyen bir başka toplumu daha vardı ki, bunlar, başkenti dolduran yabancılar önünde kendi zenginliklerini göstermek merakındaydılar. Bunlar arasında hanedana mensup bazı şehzadeler ve sultanlar da vardı. Saraylarda, gösterişli hayat devam ediyordu. Mevsim yazdı. Gazetem 'Maten' için fotoğraf çeken arkadaşım, Boğaziçi'nde sandal safalarına çıkmış olan yüzleri açık ve feraceli hanımların kayıtsızlık içinde ve hiç bir şey yokmuşçasına gezintilerini tesbit etti...» (*)

İmparatorluk Viyana'lara kadar gidip durak-

(*) Cemal Kutay: Türkiye İstiklâl ve Hürriyet mücadeleleri tarihi 16. cilt.

ladığından ve ondan sonra da gerilemeye başladığından beri, anayurda doğru Türklerin göçü başlamıştı. Yani fetih devrinde Balkanlara doğru yürüyen Türk göçü, ondan sonra tersine dönmüştü. Bu kaçış, bu toprakları terkediş her seferinde daha hızlanmaktaydı. 1829'larda Balkanlarda yeni devletlerin bağımsızlıklarını kazandıkları sıralarda yeni bir göç dalgası daha ortalığı kaplamıştı. Hele 1877-1878 Osmanlı-Rus Savaşı, bu göçü doruk noktasına çıkarmıştı.

Ve işte en sonunda Balkan Savaşı, işin üzerine tuz biber ekmiş ve geriliye geriliye Balkanlara sıkışıp kalan son Türklerden bir kısmını da yerinden yurdundan etmişti. İşin acı tarafı, gelen göçmenlerin yerleştirilmelerinin hiçbir zaman bir düzene bağlanamaması idi. Bu yüzden de göçler büsbütün zor ve sancılı oluyordu.

Bu kaçanların sayısı hiçbir zaman saptanamadığından ortada belirli bir rakam da yoktur. Ama 1829'larda Kırım'dan göçe zorlananlarla birlikte Balkan göçmenlerinin sayısının ortalama 300.000'i bulduğu sanılmaktadır.

Profesör Toynbee, Osmanlı resmi kaynaklarına dayanarak, sadece 1912-1913 Balkan Savaşı nedeniyle yurtlarını terkeden ve Türkiye'ye kaçan göçmenlerin 177.000 kişiyi bulduğunu yazar. Yine Toynbee'nin bulgularına göre, Balkan Savaşı'ndan sonraki 5 yıl içinde, yani 1913-1918 yılları arasında 237.000 kişi daha göçmen olarak yurda sığınacaktır. (*)

Türk Kurtuluş Savaşı da, yine ve yeni bir göç dalgasına neden olacaktır.

Kuşkusuz bu göçler yalnız Türkler için de ba his konusu değildi. Osmanlı topraklarında yaşayan azınlıklar da zaman zaman kendi yurtlarına gitmek için göç halindeydiler. Yani her savaş, kimi bu tarafa kimi o tarafa doğru koşuşturan bir insan kaçışmasına neden olmaktaydı. Perişan, sefil,

(*) Doğan Avcıoğlu: Milli Kurtuluş Tarihi 3. cilt.

acılı insanlar.. Ve savaşın nedeni sanki onlarmış gibi, yönetimden uzak bu kimsesiz insanlar acı içinde sürünüp durmaktaydılar.

Balkan Savaşı'ndan 10 yıl sonra Türk Kurtuluş Savaşı son bulduğunda, yani Türk ordularının İzmir'i kurtarmasının ertesinde Eylül 1922'de, savaş alanını dolaşmakta olan Falih Rıfkı Atay aynı konuda şunları yazacaktı :

«Eski saltanat serhatleriyle Meriç ve Çatalca arasında yanan Türk köylerinin hesabını kim biliyor, satırdan geçen Türk kurbanlarının adedi kimin hatırındadır?

Bizimle harp eden Hıristiyan kavimler kaybettiğimiz topraklarda yalnız Türk hakimiyetine değil, Türk milletine nihayet vermek istemişlerdir. Tuna Türklüğünden ne kaldı? Teselya buna şahit değil midir? Hâlâ Sırbistan içlerinden İstanbul rıhtımına muhacir akıyor, niçin?. .

Avrupa'daki ülkelerimizi istila eden küçük, büyük bütün devletler aynı usulü tuttular. Sulh, ordular arasında harbe nihayet verdi, fakat cinayet, Türk köyünden ve köylüsünden eser kalmayıncaya kadar devam etti. Bir asırdan fazladır Tuna'dan Marmara'ya doğru fasılasız bir göç seli akıyor. Şimdi ben, İzmir'in arasıra ölü kokuları esen bir köşesinde şu satırları yazdığım esnada Makedonya ve Balkan Türkleri yine cinayetle boğuşuyor. Dünyada hangi facia, Avrupa Türklerinin macerası kadar uzun ve acıklı olmuştur? Bütün bir asır, o büyük Türk vatanının yangın alevleriyle aydınlık ve kökleri toprağın yedi kat dibinden sökülen Türk unsurunun lanet ve imdat sesleriyle doludur..» (*)

İşte Balkan Savaşı'nın Osmanlı Hükümeti bu büyük göçmen işinin ağırlığı altında ezilip durmakta, onları Anadolu'da yerleştirmek için terlemekteydi.

Ama dert bir tane değildi ki.

_____

(*) Falih Rıfkı Atay: İzmir'den Bursa'ya.

Beri yandan memlekette Babıâli Baskını ile uyanan ümitler yavaş yavaş sönmeye ve siner gibi olan Hürriyet ve İtilaf muhalefeti yeniden sesini yükseltmeye başlamıştı. Edirne'yi alacağız gibi yüksekten atarak Kâmil Paşa Hükümetini bir darbe ile deviren ve Başkomutan Vekili Nazım Paşa'yı öldüren İttihatçılar ne Edirne'yi kurtarabilmişler, ne de işleri düzeltebilmişlerdi, diyorlardı. Memleket her geçen gün bu beceriksizlerin elinde daha da kötüye gidiyor, diye propaganda yapıyorlardı.

Şubatta Londra Büyükelçisi Tevfik Paşa, İngiliz Dışişleri Bakanından barışa aracı olmasını istemiş, diğer devletlerin nabzını yoklamaya başlamıştı. Bu girişimler sürerken, Mart ayı başlarında korkulan şey çıkageldi: 6 Martta Yanya Yunanlıların eline geçmişti. Ateş kesilmesi için bir anlaşmaya çalışılırken 20 gün sonra bu sefer de Edirne Bulgarlara teslim oldu. Son güvenceler de böylece tek tek elden çıkarken, memleket yeni tehlikelerle karşı karşıya kalmıştı: Artık tamamen serbest kalan Yunan ordusunun ve Edirne'de savaşı bitiren İkinci Bulgar Ordusu'nun yeni bir cephe açma ihtimalleri... Öyleyse bir an önce barış yapmakta fayda vardı. Mahmut Şevket Paşa, eski başbakanlardan Hakkı Paşa'yı da bu maksatla Londra'ya gönderdi.

Halbuki o sıralarda Bulgarların olsun, Yunanlıların olsun dikkatleri Osmanlılar üzerinde değil, birbirlerinin üzerindeydi. Oldum olası var olan anlaşmazlıklar yeniden alevlenmiş, Balkanlı müttefikler bir defa daha, Osmanlı mirasından kendilerine az yer düştüğü için birbirlerini suçlamaya başlamışlardı. Özellikle Bulgarlar, Trakya'da Türk ordusu karşısında asıl yükü omuzladığı sıralarda, Yunanlıların ve Sırpların Makedonya'yı dilediklerince paylaştıkları görüşündeydi. Serez bölgesinde Bulgar ve Yunan askerleri arasında ufak tefek çarpışmalar, tansiyonu büsbütün arttırıyordu. Bu ortamda, Osmanlılarla savaşı sona erdirmek Bulgarlar için de uygun bir çözümdü.

İşte bu nedenle 15 Nisan 1913'de Türk ve Bulgar orduları arasında ikinci defa ateşkes anlaşmasına varıldı. 3 Şubat 1913'de başlayan ikinci savaş, iki buçuk ay sürmüştü. Yunanlılar ve Sırplar da bu ateşkese katıldılar. Henüz İşkodra'yı ele geçirememiş olan Karadağ, savaşa devam edeceğini bildirdi.

Şimdi, ilk ateşkesten sonra Londra'da başlayıp bir sonuca varılamayan barış görüşmelerine kaldığı yerden, yani dört ay geçtikten sonra yeniden devam edilmekteydi. Bu arada, Karadağlıların istediği de oldu : 23 Nisan 1913 günü, ayakta kalan son kale İşkodra düşmana boyun eğdi. Ama hem dört Balkanlı ile Osmanlılar arasında, hem Balkanlıların birbirleri arasında, hem de Avrupa'lı altı büyük devletle Balkanlılar ve Osmanlılar arasında sorunlar vardı ve bunlar bir türlü çözülemiyordu. Sonunda, Barış Konseyi Başkanlığı'nı yapan İngiliz Dışişleri Bakanı Edwart Grey, delegelere **«Barış antlaşmasını imzaya hazır olmayan varsa Londra'yı terkedebilir»** uyarısında bulundu.

Uzun görüşmelerden sonra büyük devletlerin önerileri kabul edilerek 30 Mayıs 1913'de **«Londra Barış Antlaşması»** imzalandı. 18 Ekim 1912'de başlayan ve aradaki bir ateşkes anlaşmasıyla iki kısım halinde devam eden Balkan Savaşı, yedi buçuk ay sürmüş ve bitmişti.. Daha doğrusu Osmanlı tarihinde uğursuz bir felaket olarak anılacak bu savaş için **«Yorgan gitmiş, kavga bitmiş»**ti de denilebilirdi.. Savaşın bir buçuk aylık ilk bölümünde Avrupa'daki tüm topraklar kaybedilmiş, koca **«Âli Osman»** 1354'lerde Süleyman Paşa'nın Avrupa'ya ayak basmasından önceki günlere dönmüştü : Sadece bir Asyalı...

Londra Barış Antlaşmasına göre —Balkanlılar Tekirdağ Doğusu— Malatra hattını istemelerine karşı büyük devletler — Osmanlılar'a, Midye-Enet hattına kadar bir Avrupa toprağı bağışlıyorlardı.

Girit Yunanistan'a verilecek, Ege Adaları'nın geleceğinin saptanması büyük devletlere bırakılacaktı. (*)

Arnavutluk bağımsız oluyordu. Hudutları büyük devletler tarafından kararlaştırılacaktı.

Balkanlıların isteğine rağmen Osmanlı Devleti Balkanlılara bir savaş tazminatı vermeyecek, fakat Balkan devletleri Osmanlı Düyunu Umumiyesi (Genel borçlar örgütü)ne katılacaklardı.

Evet, Arnavutluk, Makedonya ve Batı Trakyası ile artık ne koskoca bir Rumeli, ne Girit ve Ege Adaları, hatta ne de bir Edirne vardı... O güzelim topraklar tarih olup gitmişti...

İŞKODRA'NIN DÜŞÜŞÜ VE BATI ORDUSU'NUN SONU

İşkodra'nın Düşüşü :

Rumeli'de son silah seslerinin duyulduğu İşkodra'da da, 30 Mayıs 1913'de Londra Barış Antlaşmasının imzalanmasından bir hafta önce sesler kesilmiş, kale Karadağlıların eline geçmişti. Yani, kuşatma altında kalan ve kaderine terkedilen üç kaleden sonuncusu da teslim olmuştu, orda da silahlar susmuştu.

İşkodra Kalesi, Yanya'dan daha iyi tahkim edilmişti ve üstelik etrafı göl, nehir ve bataklık olduğundan savunulması daha da kolaydı. İşkodra, diğer Balkanlılardan önce Karadağlılarla 8 Ekim'de başlayan savaşın hemen hemen 12. gününde kuşatma altına düşmüştü. 20 Ekimde Sırplıların da savaşa girmesinden sonra İşkodra 40.000 Karadağ-

(*) 10 ay sonra Şubat 1914'de büyük devletlerin vardıkları karara göre İmroz (Gökçeada) ve Bozcaada dışındaki adalar Yunanistan'a, Meis dışındaki Oniki Ada da İtalyanlara verilecekti.

lı, 15.000 Sırplının karşısında kendi başına kalmıştı. Çünkü bu sıralarda Batı Ordusu, Sırplarla yaptığı Kumanova Savaşı'nı kaybetmiş Üsküp'e doğru çekilmekteydi. Ve İşkodra Komutanı Hasan Rıza Paşa, 20.000 kişilik kuvveti ve 72 topu ile, kendisinin 3 misli düşman önünde kaderine terkedilmişti.

İşkodra savunucuları 3 Aralık ateşkesine kadar 1.5 ay süren Balkan Savaşı'nın ilk safhasında başarılı şekilde mevzilerini savundular. Türk Doğu Ordusu Bulgarlar önünde bütün Trakya'yı kaybederken, Rumeli'de de Türk Batı Ordusu —yani kendisinin emrinde bulunduğu ordu— Kumanova, Pirlepe, Manastır'da peşpeşe yenilgilerle kendisinden uzaklaşırken, daha uzaklarda Selanik düşman eline geçerken, İşkodra askerleri hiç etkilenmeden düşmana karşı direndiler ve bir adım gerilemediler...

Ve işin tuhafı, Kale, 3 Aralık Ateşkesinden de yararlanamadı. Çünkü ateşkesi bildirmeye gelen Türk subayı Karadağlılar tarafından İşkodra'ya sokulmamış, Karadağlıların bir temsilcisi ile bildirdikleri ateşkes haberini de Hasan Rıza Paşa **«Yabancı bir hükümet tarafından yapılan böyle bir duyuruyu resmi nitelikten yoksun saydığı»** için kabul etmemişti. İşkodra Kalesinin dışarı ile bir telsiz bağlantısı da yoktu.

3 Aralık ateşkesinden bir hafta önce Sırplar bir tümenlerini de, ağır toplarla birlikte, İşkodra önlerine getirmişlerdi. Karadağlıları, Melisor (Hıristiyan Arnavutlar) gönüllüleri de desteklemekteydi. Yani komutan Hasan Rıza Paşa'nın 30.000 kişiyi bulan şehir halkı ile 20.000 kişilik ordusu hergün biraz daha yiyecek sıkıntısı çekerken, silahlarının mermisi azalırken, bol bütünleme imkânlarına sahip düşman ordusu yeni gelenlerle kuvvetini arttırmaktaydı.

Herşeye rağmen savunma başarı ile sürerken 30/31 Ocak 1913 gecesi Hasan Rıza Paşa bir suikast sonucu öldürüldü. Katillerin 3 kişi olduğu söylenmiş, bunlardan ikisi yakalanmıştı ama olay yine de karanlıkta kalmıştı. Paşa'nın Arnavut gönüllülerinin başında döğüşen Arnavut asıllı Esat Paşa tarafından öldürtüldüğü de söylenmekteydi. Çünkü kıdemli olarak ondan sonra komutayı kendisi alacak ve savunma başarısını kendisine mal edecek, yeni bağımsızlık kazanan Arnavut lideri olabilmek için burayı bir basamak olarak kullanabilecekti. (*)

Hasan Rıza Paşa'nın öldüğü haberi düşman tarafında da duyulmuş ve 8 Şubat günü Karadağ ve Sırp kuvvetleri büyük bir taarruza girişmişlerdi. Üç gün arka arkaya süren bu saldırı, komutayı eline alan Arnavut Esat Paşa tarafından başarı ile geçiştirilmiş ve elden çıkan bazı mevziler süngü hücumlarıyla geri alınmıştı. Bu savaşta Karadağ ve Sırpların ölü ve yaralı olarak kaybı 4.200'ü, Türklerin ise 4.000'i bulmuştu. Nüfusu 5.000'i geçmeyen Karadağ başkenti Çetine'deki hastanelerde 2.000'nin üzerinde yaralı yığılmıştı.

İşkodra dayanıyor, bu arada Avusturya'nın Karadağ Kralı Nikola üzerindeki baskıları artıyordu. İşkodra, Avrupalı büyükler tarafından Londra'da kararlaştırılan Bağımsız Arnavutluk'un toprakları içindeydi. O halde Karadağ, Sırplılarla birlikte derhal İşkodra kuşatmasını kaldırmalı ve yine Sırplar da Kuzey Anavutluk'da işgal ettikleri yerleri boşaltmalıydılar.

Karadağ Kralı Nikola ise çok güç durumdaydı. Silah gücü ile aldığı yerleri boşaltmak ve ele geçirmek için bunca yitik verdiği İşkodra kuşatmasından vazgeçmek olacak iş miydi, bunu milletine nasıl anlatabilirdi?.. Öyleyse bir an önce İş-

---

(*) Arnavutlar arasında önemli bir yere sahip olan Esat Paşa, bir Osmanlı jandarma subayıdır. İkinci Meşrutiyet Meclisinde Draç milletvekili olarak bulunmuş, paşalığa terfi etmişti. 31 Mart olayından sonra Abdülhamit'in tahttan indirilişinde, meclisin kararını padişaha bildiren 4 kişilik parlamento heyetinde o da vardı.

kodra ele geçirilmeli ve bir olup bitti yaratılmalıydı. Sırp Kralı Petar da aynı kanıdaydı ve bir tümen askeri daha İşkodra'ya göndermek için Selanik'den Yunan gemilerine bindirip Arnavutluk'a doğru yola çıkardı. İşte Hamidiye'nin 11 Martta Şingin limanında bombardıman ettiği 6 gemi bu kafiledendi. Simdi İşkodra karşısındaki Sırp kuvvetleri de 30.000'i bulmuştu.

İşkodra'ya karşı bu üstün kuvvetlerle girişilen 31 Mart 1913 taarruzu da başarı sağlayamadı. Türk tabyalarının çoğu korkunç topçu bombardımanları altında harap olmuş, fakat asker yine de dayanmıştı. Halk ve asker arasında çoktan açlık başlamış, öldürücü hastalıklar önlenemez bir hal almıştı ama, savunucuların direnci yine de sağlamdı.

Avusturya, Karadağ sınırına asker yığmaktaydı, donanması da harekete geçmişti. Bir Avrupa savaşından çekinen büyük devletler de hem Karadağ, hem de Sırplar üzerindeki baskıyı arttırdılar ve büyük devletlerin savaş gemilerinden oluşan ortak bir donanma Arnavutluk kıyılarına gelerek Karadağ ve Sırplara karşı abluka uygulamaya başladı. Sırpların İşkodra'dan alacakları birşey yoktu. Artan baskılar karşısında Sırplar, Nisan ayı başında İşkodra kuşatmasındaki 30.000 kişiyi bulan kuvvetlerini ve sonra da Kuzey Arnavutluk'daki ordusunu çekmeye başladı. Karadağ Kralı ise kuşatmayı sürdürmekte inat ediyordu. Buna rağmen İşkodra savunucularının omuzlarından büyük bir yük kalkmıştı.

Ve işte tam bu günlerde İşkodra Komutanı Arnavut Esat Paşa'nın Karadağ Kralı ile anlaştığı ve kaleyi teslim ettiği haberi yayıldı. İlkin hiç kimse buna inanmamıştı ama, duyulan gerçekti ve duyanların hayretle açılan gözleri önünde İşkodra, 23 Nisan 1913 günü Karadağ ordusuna teslim edildi. Esat Paşa üç gün önce Karadağlılarla gizli teslim görüşmelerine başlamış ve anlaşmaya varmıştı. Askerler ve halktan isteyenler, silahları ve eşyalarıyla birlikte kenti serbestçe terkedeceklerdi. Kentte kalan halkın kişisel haklarına dokunulmayacak, din özgürlüğü korunacaktı.

23 Nisanda Karadağ ordusu şehre girdi ve arkasından Osmanlı ordusu bütün silahları yanında olduğu halde kentten ayrıldı. 20.000 kişi ile başlayan savunmadan geriye 15.000 kişi kalmıştı. Bunlardan 7.000 kişiyi bulan Arnavutlar ve yerli Türk askeri terhis edildi. Kalan 8.000 Anadolu eri, başlarında 348'i bulan subayları ve yanlarında 26 topla birlikte Güney Arnavutluk'daki ordularına, yani Batı Ordusu'ndan geriye kalmış bir avuç arkadaşlarına katılmak üzere yola çıktılar. Ve, zahmetli bir yolculuktan sonra, Sırpların az önce boşalttıkları Şingin ve Draç limanlarında toplandılar.

Esat Paşa'nın, Karadağ Kralı ile kendisinin Arnavutluk yönetiminin başına geçebilmesi için gizli bir anlaşmaya vardığı, hatta para aldığı söylenmekteydi. Söylentilere göre, Esat Paşa emrindeki askerlerle doğduğu yer olan Tiran'a yürüyecek ve henüz karışıklık içinde bulunan Arnavutluk'da lider İsmail Kemal Bey'e rağmen, Karadağ Kralı Nikola'nın yardımiyle krallığını ilan edecekti.

Öyle veya böyle, 23 Nisan 1913 günü sabahı İşkodra Vilayet Konağı'nda Türk bayrağı yerine Karadağ bayrağı dalgalanmaya başladığında Avrupa'daki son Türk silahları da susmuş, 6.5 aydır uzak ellerde Türk direncini simgeleyen son kale de teslim olmuştu...

Söylentiler ne derece doğrudur bilinmez ama, bilinen, ne Esat Paşa Arnavut Kralı olabilmiştir, ne de İşkodra, Kral Nikola'ya kalmıştır. Çünkü büyük devletler İşkodra'nın Arnavutluk'a bırakılması için baskıyı arttıracaklar ve ortak donanmadan karaya asker çıkaracaklardı. Sonunda Kral Nikola, coşkulu törenlerle girdiği İşkodra'yı, daha doyunca sevinmeye vakit bile bulamadan üç hafta sonra boşaltmak zorunda kalacak ve uğruna kaybettiği 5.000 askerin bir kısım mezarlarını da geride bırakarak 14 Mayısta şehri, Arnavutlara verilmek üzere Avrupalı ortak barış kuvvetine terkedecekti...

Esat Paşa ise, o hayhuy içinde birşey elde edemeyecekti...

Evet, koca Osmanlı'nın göz açıp kapayana kadar kaybettiği koca Rumeli'den elinde kalan son kalesindeki son silahı da susmuştu.

Bütün tarih yazarları, İşkodra savunucularının kahramanca çarpıştıkları üzerinde ısrarla dururlar :

«Savaşçı Karadağlılar, kendilerine lâyık bir hasım buldular. Bütün tanıklar tasdik ederler ki, Karadağ cephesinde çarpışan Osmanlı kuvvetleri, görevlerini lâyıkıyla yaptılar ve talihsizlik anlarında bile İmparatorluk ordusuna şan ve şeref kazandırdılar. İşkodra'nın 6.5 ay süren savunması, Osmanlı ordusu için bir şeref tacıdır tek başına. Cesaret ve kahramanlığa âşık Kral Nikola bile, kızı İtalya Kraliçesine yazdığı bir mektupta bunu itiraf etmiştir...» (*)

Batı Ordusu'nun Sonu

İşkodra'nın düşmesinden bir hafta önce Osmanlılarla Bulgar, Yunan ve Sırp orduları arasında zaten ateş kesilmişti. Şimdi Karadağ ordusu ile de savaş bitmiş oluyordu. (Savaşalım deseler de, ortada savaşacak ordu yoktu.) Londra'da barış pazarlıkları sürüp durmaktaydı. Ama Türk Batı Ordusu'nun Güney Arnavutluk'daki son askerleri, hatta ateşkes ve barış görüşmelerinden, yani olan bitenden habersiz çileli sürgün hayatı geçirmekteydiler. Sanki, şu uzak diyarlarda untulmuşlar ve yazgılarına terkedilmişlerdi...

Batı Ordusu Komutanı Ali Rıza Paşa, bir ay kadar önce ilkin Yunanlıların, sonra Sırpların teslim olma önerilerini reddetmişti. Şimdi de bağım-

---

(*) Aram Andonyan: Balkan Harbi Tarihi.

sız Arnavut lideri İsmail Kemal Bey'in buna benzer bir önerisini yine geri çevirdi. Arnavut lideri, silahlarınızı bırakın, Balkan devletlerine Türk ordusunun silahlarını bırakarak bize teslim olduğunu söyleyeyim, askerleri köylere dağıtarak daha rahat beslenmelerini sağlayayım ve ilk fırsatta sizi memleketinize göndereyim, diyordu.

İşkodra'da savaşın sona ermesi, Sırplarla Karadağlıların Arnavutluk'u ve İşkodra'yı boşaltmaları ve Londra'da barış görüşmelerinin olumlu bir şekilde sürmesi, bölgede hissedilir bir rahatlama sağlamıştı. Sonunda Avrupalı devletlerin de aracılığı ile, Batı Ordusu'nun ilk kafilesi 16 Mayıs 1913 tarihinde, yani Balkan Savaşı'nın başlamasından 7 ay sonra vapurla İstanbul'a hareket etti. Böylece Anadolu'dan uzaklarda 7 aylık fırtınalı, ısdıraplı bir yaşam son bulmaktaydı. İki hafta sonra 30 Mayısta Londra Barış Antlaşmasının imzalanmasından sonra bu memlekete dönüş, daha da hızlanarak bir ay sürecek ve son Türk askeri de 19 Haziran 1913'de vapurla Arnavutluk'u terkedecekti.

Bu ayrılış sırasında Arnavutlar daha da serkeş bir durum takınmışlardı. Birliklerde son zamanlarda silah ve hayvan hırsızlığı, halkla olur olmaz çatışmalar olmaktaydı. Bu nedenle, bindirme iskelelerinin çevresinde savunma önlemleri alınmış, askerler bir tehlikeye karşı uyarılmışlardı.

Bu hüzün verici ayrılışta Batı Ordusu saflarında döğüşen «Hürriyet Kahramanı» Kolağası (Kıdemli Yüzbaşı) Resne'li Niyazi Bey'e, İstanbul'a dönmek nasip olmayacaktı. Tedavi için Niyazi Bey'in Türkiye'ye gönderilmesi konusunda Arnavut Hükümetinden izin alınmış olmasına rağmen, vapurda koruyucu olarak görevlendirilen Arnavutlar tarafından 16 Nisanda öldürülmüş ve haber, Türkiye'de büyük bir üzüntüye neden olmuştu.

İlk asker kafilesinin hareketinden bir hafta sonra, 21 Mayıs 1913 tarihinde İtalyan Secolo gazetesinin muhabiri, Arnavutluk'daki Fiyer'den gazetesine şunları yazmaktaydı:

«Birkaç günden beri, Balkan Harbi'nin trajik sonuna şahit oluyorum. Harbin sonunu, on beş Paşa temsil ediyor. Üç ordunun kalıntılarından ibaret 25.000 kişilik acınacak bir kalabalıkla Adriyatik yakınlarında, Fiyeri ve Berat arasında karargâh kurmuşlar. Bu askerler Kumanova'da ezildikten sonra, sürekli olarak tuzaklara düşerek, kırıma uğrayarak, görülmemiş ıstıraplar çekerek, tüm Makedonya'yı ve Arnavutluk'u yürüdüler. Yanya ve çevresinde savaştılar. Yunanlılar şehri zaptedince Adriyatik'e doğru geri çekildiler, Fiyeri ve Berat arasındaki tepelerde kamp kurdular. 2.000 yıl önce Pompeus'a karşı yürüyen Sezar'ın 20.000 kişilik ordusu bu tepelerde aç ve susuz kalmış, perişan olmuştu. 2.000 yıl sonra, Türk ordusu aynı durumda. Birkaç çadırı var ancak. Bunların altına yüksek rütbeli subaylar sığınmışlar. Askerlerle, göçebe çingeneler gibi, çamur ve ağaç dallarından yapılmış kulübelerde, yer altında köstebek gibi kazdıkları sığınaklarda barınıyorlar. On beş paşa, dağınık kuvvetlerini sıkı bağlantı halinde tutmak için, civardaki köylerden birinde az çok rahat bir evde oturacaklarına, askerlerinin yanında, paramparça çadırlar altında yaşıyor, askerliğin mahrumiyetlerini paylaşıyor, varlıklarıyla onlara cesaret veriyor, disiplini koruyorlar. Her tarafta, kırlarda dolaşan, paçavralar giymiş askerlere raslıyoruz. Açlık ve soğuğa rağmen, Türk askerleri örnek bir davranış göstermişler, ne hırsızlık yapmışlar, ne ırza geçmişler. Valona ve Fiyeri'de Arnavut ve Rum ileri gelenlerine sordum; hepsi de övgü ile bahsettiler onlardan. Hiç kimse şikâyet etmedi. Cavit Paşa (6. Kolordu Komutanı) hastaydı. Sıtması vardı. Bedenen değil, ruhen çöktüğünü söyledi. Avrupa'dan şikâyet etti. Avrupa, bize karşı çok haksız davrandı, dedi. Avrupa'dan hiçbir Kızılhaç, Osmanlı yaralı ve hastalarına yardıma gelmedi. Halbuki bunlar, merhamete lâyık insanlardı, ve bu bitkin durumda hem gıdadan, hem ilâçtan yoksun kaldılar Adriyatik kıyılarında.

Ali Rıza Paşa, ufak bir çadırda oturuyor. İçinde portatif bir karyola, ufak bir masa, üç sandalya var sadece. Dedi ki: Görevimizi sonuna kadar yaptık, vicdanımız rahattır. Fakat herşey bize karşı çıktı. Askeri teşkilatımızı tamamlamaya çalışırken harp ani olarak patladı. Hıristiyan ve Müslüman unsurlar arasında manevi bir kaynaşma gerçekleşmiş değildi henüz. Çalışmalar iki yıl daha devam etmiş olsaydı, harbin sonucu değişik olurdu sanırım. Müttefik dört düşman bize saldırdığında, durum bu merkezdeydi. Dört düşmana bir beşincisi daha eklendi: Arnavut unsuru. Arnavutlar Kumanova'da kitle halinde orduyu terkederek yenilgimizin başlangıç sebebini teşkil ettiler.

Ali Rıza Paşa, yenilginin diğer nedenlerini uzun uzun anlattı, Osmanlı ordusunun özellikle Yunan donanmasının faaliyeti yüzünden Küçük Asya'dan askerlerini serbestçe nakledemediğini söyledi. Bulaşıcı hastalıkların Osmanlı ordusunda sebep olduğu kayıpları açıkladı ve büyük miktarda ilaç yollayan İtalyan Hükümetine teşekkür etti.» (*)

Yedi ay önce Balkan Savaşı'na 188.000 kişiyle başlayan koca Batı Ordusu'ndan memlekete dönebilenler, 1.600'ü subay, 28.154'ü er toplam 29.754 kişiydi. Bunun 8.000'ni İşkodra'dan gelenler oluşturuyordu. Bu hesapça Batı Ordusu'nun kaybı, esir, yaralı ,şehit olarak yüzde 85'i bulmaktaydı. Terhis edilen yerli askerlerin ortalama yüzde 10'u oluşturduğu dikkate alındığında gerçek kayıp yüzde 75 kabul edilebilir. (**)

Evet, Makedonya, Arnavutluk ve Trakya'sı ile koca Rumeli topraklarından ve koca bir Batı Or-

---

(*) Aram Andonyan: Balkan Harbi Tarihi.
(**) Genelkurmay Harp Tarihi Başkanlığı: Balkan Harbi 3. cilt, 1. kısım.

dusu'ndan geriye işte bu 29.000 yorgun savaşçı kalmıştı.

Genelkurmay Harp Tarihi Dairesi'nin resmi kayıtlarına göre, Türk Batı Ordusu ile savaşan Balkanlıların kayıp yüzdeleri ise şöyleydi:

Karadağ, yüzde 45 (Büyük kısmı İşkodra kuşatmasında).

Bulgar, yüzde 35

Yunan, yüzde 25 (Büyük kısmı Yanya Savaşı'nda)

Sırp, yüzde 20 (Büyük kısmı Manastır Savaşı'nda).

Kurmay Yarbay Fevzi (Çakmak) de, 19 Haziran 1913'de Gülcemal vapuru ile Arnavutluk'daki Seman iskelesinden hareket eden kafilededir. Anılarında şöyle yazar:

«Batı Rumeli'de 500 yıllık Türk egemenliğine veda ettik. Güneş batarken Arnavutluk sahilleri de yavaş yavaş gözümüzün önünden siliniyordu. Atalarımızın yüzlerce sene kanları ile suladığı ve eski yeni birçok şehitlerimizin gömüldüğü vatan parçasının bırakılması gönüllerimizde giderilmesi imkânsız acılar ve hasretler yaratıyordu. Cehalet ve politika kurbanı olan Batı Rumeli hâlâ pek elim buhranlar içinde çırpınıp duruyor.» (*)

Yarbay Fevzi Bey'in anıları şöyle devam eder:

«22 Haziran 1913'de Gülcemal vapuru Selimiye önlerinde demirledi ve karargâhlar ile perakende subayları bıraktıktan sonra birlikleri Derince'ye götürdü. 15-18 Haziran 1913'de bütün birlik ve hayvanları bir defada alıp getirmek üzere Seman iskelelerine gönderilen vapurlarla Haziran sonlarına doğru bütün Batı Ordusu kalıntıları İstanbul ve dolaylarına nakledilmiş oldu.

(*) Genelkurmay Harp Tarihi Başkanlığı: Balkan Harbi 3. cilt, 1. kısım.

Fevzi (Mareşal Çakmak): Garbi Rumeli'nin sureti ziyaı ve Balkan Harbinde Garp Cephesi, adlı yapıtı.

Batı Ordusu'nun birlikleri İstanbul'a naklonulduktan sonra yeniden teşkilatlanmak üzere Konya'ya alındılar. Kısa bir süre sonra Haziran sonunda patlayan ve İkinci Balkan Harbi adını alacak bu yeni savaşta, 1912 sonlarından beri türlü türlü mahrumiyetlere göğüs gererek birçok meşakkat ve çile çekmiş olan Batı Ordusu'nun bu fedakâr yiğit komutan, subay ve erleri, vatan ve memleket ödevini yapmış olmanın verdiği huzur ve heyecanı içinde tekrar savaş meydanında görünecek ve Temmuz ayı ortalarında Bulgarlara karşı yapılan Edirne'nin istirdadı (geri alınması) harekâtına katılacaklardır.» (*)

Gerçekten de öyledir. O zamanki kuşak bir savaşı bitirmiş başka savaşa girmiştir, daha bir nefes almaya vakit bulamadan bir kavgadan sonra diğer kavgaya karışmıştır. Trablusgarp Savaşı'nı hesaba katmasak bile, 1912-1913 Balkan Savaşı, 1914-1918 Birinci Dünya Savaşı, 1919-1922 Kurtuluş Savaşı, yani birbiri peşine takılarak 1912'den 1922'ye kadar süren 10 yıllık döğüş işte bu cefakâr ve özverili kuşak sayesinde sürdürülebilmiş ve en sonunda parlak bir zaferle sonuçlandırılabilmiştir. Ve Viyana'dan başlayan 230 yıllık bir çözülüş, Anadolu hudutlarında zar zor ancak durdurabilmiş ve yepyeni bir devlet yaratarak talih tersine çevrilebilmiştir.

EDİRNE'NİN KURTULUŞU

30 Mayıs 1913'de Londra'da barış antlaşması imzalanmış, 8 aya yaklaşan ve Türk tarihinde unutulmaz yaralar açan korkunç bir savaş artık sona ermişti. Ve az zaman öncesine kadar üç anakaraya egemen olan koca imparatorluk, Trablusgarp'ı

(*) Genelkurmay Harp Tarihi Başkanlığı: Balkan Harbi 3. cilt, 1. kısım.

da yitirdiğinden Afrika ve Avrupa'yı artık terketmiş, yeniden Asya'ya dönmüştü.

İktidardaki Mahmut Şevket Paşa'nın İttihat Terakki Hükümeti ise, daha da zor durumdadır. Çünkü cndan önceki Kâmil Paşa Hükümetini bir darbe ile devirerek işbaşına gelmiştir ama, hiç de ondan daha başarılı olamamıştır. Ne savaşı biraz da olsa lehimize çevirebilmiş, ne de Londra Barış görüşmelerinde bir varlık gösterebilmiştir. Gerçi hem başbakan hem de Harbiye nazırı olan Mahmut Şevket Paşa ilk olarak orduya el atmış ve bazı düzenlemelere girişmiştir ama, halk bunu anlamazki... Vatandaş haklı olarak savaşta bir askeri zafer beklemektedir.

Mahmut Şevket Paşa işe başlayınca hemen bir Harp Divanı kurmuş, yüksek düzeydeki komutanlardan başlayarak orduda geniş çapta bir tasfiye hareketine girişmişti. Alaylı subayların kalanı da emekli ediliyor, olabildiğince komuta kademeleri gençleştiriliyordu.

Bu arada daha geniş yetkilerle daha kalabalık bir Alman askeri heyetinin gönderilmesi için Almanya'ya başvuruldu. Alman Hükümeti de buna hazırdı. Bir üst rütbede görev yapmak koşuluyla Alman Generali Liman von Sanders başkanlığında bir subaylar topluluğu İstanbul'a geldi.

Mahmut Şevket Paşa, gerek muhalefet ileri gelenleri, gerekse sivil yöneticiler arasında büyük bir cezalandırma işine girişmedi. İttihat Terakki'nin aşırılarından gelen baskılara karşı çıkarak sert hareketlerden kaçındı. Ona göre olanlar olmuştu, şimdi yeni sorunlar yaratmak değil yaraları sarmak lâzımdı. Buna rağmen, Babıâli Baskını şokunu atlatan muhalefet yavaş yavaş toparlanmaya başlamıştı. Gerçi millet meclisi kapalı bulunduğundan muhalifler mecliste gürültü edip hükümeti tenkit edemiyorlardı ama, basın yoluyla gittikçe seslerini yükseltmekteydiler : Abdülhamit iktidardan uzaklaştırılmıştı, nihayet Kâmil Paşa Hükümeti de devrilmişti de ne olmuştu?..

Bırakın Edirne'yi kurtarmayı, bu iktidar Londra' da bütün Rumeli'yi, tüm Adaları kaybetmemiş miydi?.. Bu şaşkın yöneticiler başta kalırlarsa millet daha çok çekerdi!..

Öyleyse?..

Öyleyse ilk başta İttihat ve Terakki'nin önde gelenleri Mahmut Şevket Paşa, Yarbay Enver, İstanbul Muhafız Komutanı Yarbay Cemal (Sonra Bahriye Nazırı, paşa). İçişleri Bakanı Talat Paşa öldürülmeli ve bu iktidar yıkılmalıdır.

İşte bu düşünce ile 12 Haziran 1913 günü, yani Londra Barış Antlaşmasının üzerinden daha iki hafta geçmeden, düzenlenen suikastta Mahmut Şevket Paşa öldürülür. Suikastçiler kısa zamanda yakalanmış, olay bastırılmıştır ama memlekette yeni bir huzursuzluk da başlamış, gerilim artmıştır. (*)

Başkomutan Vekili, Harbiye Nazırı Nazım Paşa' nın vurulduğu bir Babıâli Baskını, 4.5 ay sonra Başbakan ve Harbiye Nazırı Mahmut Şevket Paşa'nın öldürüldüğü bir başka baskın, İttihat ve Terakki ile Hürriyet ve İtilaf arasını onulmaz bir şekilde açmıştı. İşte iki parti arasındaki şifa bul-

_____

(*) Paşanın otomobili önüne Beyazıt'da bir sahte cenaze çıkarılır, caddenin bir tarafında da sözde tamir edilmekte olan bir otomobil vardır. Cenaze nedeniyle Paşa' nın arabası yavaşlayınca, sözde arızalı otomobildeki suikastçiler tabancalarını ateşlerler, sonra da aynı otomobille kaçarlar. Öndeki Yaver İbrahim Bey, hemen, Paşa az sonra ölür. Fakat o arada polis, otomobile yetişip binemeyen Topal Tevfik adındaki suikastçiyi yakalar. İstanbul Muhafızı Yarbay Cemal, diğerlerini de kısa zamanda yakalatır. Sorgulamada işin içinde Prens Sabahattin ve bazı İtilaf Ve Hürriyet Partisi ileri gelenlerinin bulunduğu, Padişah Damadı Salih Paşa'nın da olayda başrolü oynadığı meydana çıkar. Yargılama sonunda 12 suçlu idam edilir, yakalanamayan 11 kişi de gıyaplarında idama mahkûm edilir, birçok kimse de çeşitli hapis cezalarına çarptırılır. Sinop ve Bodrum Kaleleri, yine bir yığın sürgünle dolmuştur.

maz bu düşmanlık, ondan sonraki Birinci Dünya Savaşı ve daha sonraki Kurtuluş Savaşı boyunca da devam etmiş ve memleketin zararına olmuştu. Gerçi Birinci Dünya Savaşı sonunda İttihat Ve Terakki, parti olarak resmen kapanmıştı ama, Hürriyet Ve İtilafçılara göre Kurtuluş Savaşı'nı yönetenler —başta Mustafa Kemal Paşa olmak üzere— İttihatçıydı ve onlar alaşağı edilmeliydi.

Suikasttan sonra Mahmut Şevket Paşa'nın yerine Başbakanlığa Mısırlı Prens Sait Halim Paşa getirilmiş, İttihat Ve Terakki daha geniş şekilde yönetime sarılmış, muhalefet yeniden sinmişti.

İşte memleket bu kanlı olaylara dalmışken, yani bir taraftan tutuklamalar ve yargılamalar, idamlar sürerken; politikacılar sanki başka sorun yokmuş gibi dünyayı unutmuş iç kavgalara dalmışken, aniden Balkanlar'dan top sesleri duyuldu. Daha dün müttefik olarak Osmanlı Devleti'ne karşı birlikte savaş açan Balkanlılar, şimdi miras kavgasına tutuşmuş, birbirlerinin üzerine atılmışlardı. Tarih 29 Haziran 1913'dü. Balkan Savaşı biteli 2.5 ay olmuştu. Londra'daki Barış Antlaşması'nın üzerinden ancak 30 gün, Mahmut Şevket Paşa'nın öldürülmesi üzerinden 18 gün geçmişti.

Aslında, durumu yakından takip edenler için bu top sesleri, hiç de sürpriz değildi. Çünkü Balkan Savaşı'ndan da önce küçük Balkan ülkelerinin mücadelesi, bir yandan Osmanlılara karşı, fakat diğer yandan kendi aralarında birbirlerine karşıydı. Gürültünün aslı da Makedonya üzerineydi. Öyle ya, Osmanlıların elinden alınacak topraklar, bu birbirinden açgözlü devletler arasında nasıl bölüşülecekti?..

Balkan Savaşı'na öncülük eden Bulgarlar, savaştan önce Sırplılarla toprak bölüşülmesi konusunda temelde anlaşmışlar ,anlaşamadıkları yerler için daha baştan Rus Çarı'nın hakemliğini kabullenmişlerdi. Ama Bulgarlarla Yunanlılar arasında savaştan önce, bölüşülecek yerler saptanmamış ve herhangi bir anlaşmaya varılmamıştı. İş, savaştan sonraya bırakılmıştı. Karadağ'ın ise bu konuda büyük bir sorunu yoktu.

Bulgaristan Kralı Ferdinand, Balkan Savaşı' nın asıl yükünü kendi ordularının çektiğini söylüyor, buna karşılık kendisi Trakya'da meşgulken Makedonya'da Bulgarlara ait olan bazı yerlerin Sırplar ve Yunanlılar tarafından paylaşıldığını ileri sürüyordu. Belki Selanik'den vaz geçebilirdi ama, Doğu Makedonya'daki bazı topraklar kendisine bırakılmalıydı.

Yunan Kralı Konstantin ise aksi görüşteydi. Onun kanısına göre, Bulgarlar İstanbul yakınlarına kadar Doğu Trakya'yı ve Selanik Doğusundan itibaren Ege kıyılarını ve Batı Trakya'yı alarak çok geniş topraklara sahip olmuşlardı. Sonra, açıktan söylemiyordu ama asıl kendisini rahatsız eden konu, Bulgarların bir kama gibi Osmanlılarla kendisi arasına girmesi ve İstanbul yolunu Yunanlılara kapamasıydı. Öyleya **«Megalo İdea»** (Büyük Ülkü), yani Bizans İmparatorluğu'nun yeniden kuruluşu, Ayasofya'sı ile Konstantinopl (İstanbul) bir hayal mi oluyordu?..

Sırp Kralı Petar da Yunan Kralı gibi düşünüyordu. Belki Bulgarlarla kararlaştırdıkları bölüşmenin biraz dışına çıkılmıştı ama, Bulgarlar da Batı ve Doğu Trakya gibi büyük bir parça koparmışlardı. Sonra, kendisi de Edirne kuşatmasında iki tümenle Bulgarlara yardım etmiş değil miydi? Bunun bir karşılığı olması lâzım değil miydi? Üstelik, bağımsız bir Arnavutluk da ortaya çıkmış ve bu yüzden —Avrupalı büyüklerin baskısıyla— Sırplar, kendi paylarına düşeceğini umdukları bir kısım topraklardan vaz geçmek zorunda kalmışlardı.

İşte bu birbirine karşıt düşünceler içten içe ne zamandır kafalarda olgunlaşıp duruyor, hatta zaman zaman da uygulamaya dönüşüp hudut bölgelerindeki askerler arasında küçük itişip kakışmalar oluyordu. Yine aynı sebepledir ki, Yunanistan ve Sırbistan, Makedonya'da boş kalan orduların:

Bulgaristan hududuna kaydırıyor, Çatalca'da savaş bittiğinde Batı'ya dönecek Bulgar ordularına karşı şimdiden önlem alıyorlardı. Nitekim Londra Barış Antlaşması'ndan hemen bir gün sonra 31 Mayıs 1913'de Yunanlılarla Sırplılar Selanik'de bir anlaşmaya vardılar. Buna göre, Bulgarların silah zoruyla sınırlarda bir değişikliğe kalkışması halinde iki devlet ortaklaşa hareket edeceklerdi.

Bir de Romanya vardı. Romenler Bulgarların büyümesini kendisi için tehlikeli buluyor, ne zamandır Tuna Güneyinde Bulgarlar elindeki Güney Dobruca ve Silistre yöresinin kendisine verilmesi gerektiğini ileri sürüp duruyordu. Bu nedenle de, Sırp ve Yunanlıların Bulgaristan'a karşı birlikte hareket konusundaki önerilerini uygun karşılamıştı.

Bu görünen perdenin arkasında ise, evvelden beri olduğu gibi, bir Germen-Islav yani bir Rusya-Avusturya mücadelesi vardı. Avrupalı büyüklerin, Balkanlar'da çıkacak bir ikinci savaşın genel bir Avrupa savaşına yol açması korkusuyla tarafları yatıştırma gayretleri de bir işe yaramıyordu. Londra'da barış imzalanır imzalanmaz Çatalca ve Gelibolu'daki Bulgar orduları, Yunan ve Sırp hudutlarına doğru yola çıkmışlardı bile. Ondan sonra da gerilim gittikçe artmış, barıştan bir av sonra içten içe kaynayan kazan nihayet patlamış ve dünkü dostlar birer düşman olarak birbirinin üzerine atılmışlardı.

Bulgar Başkomutan Vekili General Savof'un Vardar Nehri'ni Batıya geçerek 29 Haziranda baskın şeklinde başlattığı harekât 6 gün sürmüş, Sırp ve Yunanlılar önünde yenilerek tekrar geriye çekilmişti. Öbür taraftan 150.000 kişilik bir Romen ordusu da Plevne üzerinden Sofya'ya doğru hızla ilerlemekteydi. Romenlerden 10 gün sonra 20 Temmuzda bu sefer Trakya'da Türk ordusu harekete geçmiş, Edirne ve Meriç Nehri'ne doğru yürümeye başlamıştı. Yani Bulgarlar dört bir yandan ilerleyen kendisine düşman ordular arasında sıkışıp kalmışlardı.

Bulgarların bu durumda teslim olmaktan başka yapabilecekleri bir şey yoktu. Onlar da öyle yaptılar ve bir ay süren bu **«İkinci Balkan Savaşı»**, Avrupalı büyüklerin de araya girmesiyle, 31 Temmuz 1913'de ateş kesilmesiyle son buldu. Hemen Bükreş'de başlayan barış görüşmeleri, 10 gün sonra 10 Ağustos 1913'de Balkanlılar arasında bir barış antlaşması imzalanmasıyla sonuçlandı.

Bu antlaşmaya göre Vardar Vadisi'nin orta kısmı Sırbistan'a, Selanik Doğusundaki Kavala, Serez, Drama Yunanistan'a, Güney Dobruca ve Silistre Romanya'ya verilmekteydi. Bulgarlar 35 yıl önce 1878'de Ayastafanos Antlaşması ile kazandığını 4.5 ay sonra Berlin Antlaşması ile nasıl kaybetmişse, şimdi de Birinci Balkan Savaşı ile aldığı yerleri birkaç ay sonra İkinci Balkan Savaşı ile yine elinden kaçırmaktaydı.

O günlerde Bulgaristan'da matem, Osmanlılar dahil Balkan ülkelerinde sevinç vardı. İngiltere, Fransa, Rusya grubu ile karşısındaki Almanya, Avusturya, İtalya grubu devletlerinde ise bir rahatlama gözlenmekteydi. Başladı başlayacak bir Avrupa savaşı kıl payı önlenmiş, Balkanlarda 1912 yılının Ekiminde alevlenip, 1913'ün Ağustosuna kadar on aydır süren karmakarışık bir kavga nihayet durulmuştu.

Evet, **«İkinci Balkan Savaşı»** denen bu karışıklıkta Edirne de kurtulmuştu.

Bu nasıl olmuştu :

29 Haziranda Makedonya'da Bulgarlarla, Sırplar ve Yunanlılar arasında savaş haberleri İstanbul'a ulaştığında, içeriye çevrili dikkatler birden dışarıya dönmüştü. Gerçekten de, dünkü dostlar arasında Osmanlı mirasını bölüşme kavgası başlamıştı. Acaba bu durumda Babıâli'nin yapacağı birşey yokmuydu? Daha bir ay önce Londra'da barış antlaşmasına imzalar atılmış, silahlar çoktan sus-

muştu ama, şu karışıklıkta acaba Edirne olsun kurtarılamaz mıydı?..

Edirne, o günlerde yalnız hükümetin değil, bütün milletin hafızasında, gönlünde, hatta rüyalarında idi. «Ah bir Edirne'vi geri alsak» arzusu, aşağı yukarı bütün milletin tek ülküsü haline gelmişti. Edirne, sanki yalnız başına tüm Rumeli'yi temsil ediyordu.

İki haftalık yeni Sait Halim Paşa Hükümeti, olayların gelişmesini dikkatle izliyor, İttihat Ve Terakki ileri gelenleri hükümeti bir şeyler yapması için zorluyordu. Enver Bey başta olmak üzere genç subaylar, hani Trablusgarp'a, oradan Balkan Savaşı'na koşan Mustafa Kemal'ler, Ali Fethi'ler, Cemal'ler ve diğerleri ise ilk günden beri ayaktadırlar. Komutanları, Harbiye Nazırı Ahmet İzzet Paşa'yı, başbakanı sıkıştırıp dururlar : **«Hiç vakit geçirmeden yürüyüp Edirne'yi alalım.»**

Bu genç subayların arkasında **«Teşkilatı Mahsusa»** (Özel Örgüt)nın gözünü budaktan sakınmaz fedaileri vardır. Hepsi de subay olan Atıf, Yakup Cemil, Süleyman Askeri, Mümtaz, Abdülkadir, Kuşçubaşı Eşref, Mustafa Necip ve başkaları... İçişleri Bakanı Talat Paşa da ateşli bir hareket taraftarıdır. (*)

Avrupa devletleri başkentlerinde yapılan nabız yoklamaları hiç de uygun değildir ama, Çatalca ve Gelibolu mevzilerindeki ordu, yeni Bal-

---

(*) «Teşkilatı Mahsusa»cılar, sonradan aşırılığa kaçan bir iki kişinin dışında, kendini vatanına adamış namuslu, dürüst, örgütçü fedailerdir. Yaşadıkları sürede bütün cephelerde savaşmış, hayatlarını bu yolda harcamışlardır. İttihat Terakki'nin kuruluşunda, Makedonya'daki çetecilerin takibinde, 1908 hürriyetinin ilanında, 31 Mart ayaklanmasının bastırılmasında, Trablusgarp Savaşı'nda, Balkanlar'da, Babıâli Baskını'nda ve İkinci Balkan Savaşı'nda hep en öndedirler. Birinci Dünya Savaşı'nda en tehlikeli görevlerde yine onlar olacaktır. Kurtuluş Savaşı'nda da aynı subayların unutulmaz hizmetleri geçmiştir.

EDİRNE'NİN KURTARILMASINDAN SONRA
YENİ HUDUTLAR (2 Ağustos 1913)

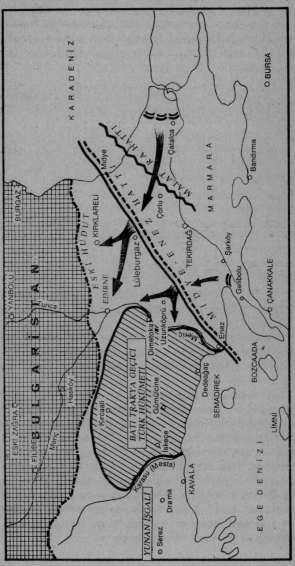

kan Savaşının 16. günü, 15 Temmuzda yine de ileri harekete geçer. Ordunun karşısında zayıf Bulgar artçılarından başka kuvvet yoktur, onlar da hızla çekilirler. Bu sıralarda yabancılara söylenen «**Londra Barış Antlaşmasında bize bırakılan, yani bizim olan Midye-Enez hattına yürümekte olduğumuz**»dur.

Fakat Avrupalı büyükler, Babıâli'nin niyeti hakkında bazı şeyler sezinlemişler ve telaşa kapılmışlardır. Öyleya, eğer Türklerin niyeti kötü ise, Balkanlardaki bu yangın büsbütün büyüyecektir.

Bu konuda en heyecanlı olan da —ne hikmetse— İngiltere'dir. Bir taraftan İstanbul'daki İngiliz elçisi, hiçbir şekilde Midye-Enez hattının aşılmaması için Sait Halim Paşa Hükümetine sert bir nota verirken, diğer yandan İngiliz Dışişleri Bakanı Sir Edvard Grey de parlamentoda yaptığı konuşmada «**Türkler, Bulgarların uğradığı felaketten faydalanarak, Londra Antlaşmasını yok saymaya ve Edirne'yi almaya kalkışırlarsa, sonradan uğrayacakları ceza pek şiddetli olacaktır. Değil yalnız Avrupa'daki topraklarından mahrum olmak, belki İstanbul'u bile kaybedeceklerdir.**» diyordu (*)

Rusların ise bu konuda fazla ısrarlı olmadıkları belliydi. Çünkü Ruslar, ezelden beri İstanbul'u kendi malları olarak kabul ediyorlardı. Bulgarlar ne kadar İstanbul'un uzağına atılırlarsa, Ruslar da o oranda rahatlıyorlardı.

Bununla beraber, gönüllü kuvvetler ve ordu ile ulaşılan Midye-Enez hattında 4 gün beklenir. Ama durulacak zaman değildir... Avrupalı büyüklerin tehdit ve protestolarına aldırmayarak ordu yeniden ileri harekete geçer, 21 Temmuzda Kırklareli, bir gün sonra 22 Temmuz 1913'de de bütün milletin ortak ümidi haline gelen Edirne kurtarılır. En önde, milis kıyafetine girmiş gönüllülerin

---

(*) Cemal Kutay: Türkiye İstikal ve Hürriyet Mücadeleleri tarihi 17. cilt.

başında Teşkilatı Mahsusacı'lar vardır. Ordu saflarında ise Gelibolu kolordusundan Ali Fethi, Mustafa Kemal, Çatalca ordusundan ise Enver Bey ve diğerleri, birileri soldan birileri sağdan Edirne'ye doğru koştururlar. Bulgarlar çoktan çekilmişlerdir, kente savaşsız el atılır. Yarbay Enver Bey, Edirne'ye girenlerin önündedir.

Yarbay Enver Bey, 1908 hürriyetini getiren, Babıâli Baskını'nı gerçekleştiren, hükümetlere hükmeden parlak bir subay olarak halkın gözünde çok büyüktür. Şimdi bu hizmetleri üzerine, fedaileri arkasında olarak, bir de Edirne'yi kurtarmak gibi bir unutulmaz başarı daha katmıştır. Halk arasında bugüne kadar **«Hürriyet Kahramanı»** olarak anılan Enver Bey'in şimdi adı **«Edirne Fatihi»** olarak da anılmaya başlamıştır. Memleket bir uçtan bir uca ayakta gibidir. O karabasan, o baştanbaşa felaket dolu Balkan Savaşı'ndan sonra bu, değer biçilmez bir teselli gibi gelmiş, gönüllere su serpmiştir...

Yalnız Kırklareli ve Edirne de değil, Meriç Nehri'ne kadar olan bütün Doğu Trakya kurtarılmıştır. Bununla da kalınmaz, Meriç'in Batı yakasına atlanmak istenir. Ama Avrupalı büyüklerin bu sefer tepkisi dahada sert olur. Osmanlı devletinin ise, o günlerde yeni bir karışıklığa ve hele yeni bir savaşa takati yoktur. Ordu durur ama, Teşkilatı Mahsusa subaylarının komutasındaki gönüllü milisler nehri atlayarak Batı Trakya'ya dalarlar. Bu milisler ordu tarafından silahlandırılmış ve milis kıyafetindeki subay ve erlerle de takviye edilmişlerdir. Babıâli, bunların hükümetle ilgisi bulunmayan bölge halkı milisleri olduğunu söyleyerek, kendini temize çıkarmaktadır.

Bu gönüllü milislerle Bulgar ordusunun önceden boşalttığı köyler ve kentlere hızla el atılır. Daha düne kadar yönetimimizde olan ve halkının da çoğu Türklerden oluşan Dimetoka, Gümilcine ve Kırcaali'ye kadar bütün yerler kurtarılır. Şimdi bölge halkı da ayaklanmıştır, orada da kalınmaz, Serez'e de el atılarak Yunan hududuna dayanılır. Böylece Bulgaristan'ın Ege ile olan bağlantısı kesilmiş, Yunanlılarla yeniden komşu olunmuştur. Meriç Batısındaki Batı Trakya'da **«Batı Trakya Geçici Türk Hükümeti»** adı ile bağımsız bir yönetim kurulur.

İkinci Balkan Savaşı Bulgarların yenilgisi ile sona erip 10 Ağustos Bükreş Barış Antlaşması yapıldıktan sonra, bu sefer Bulgarlarla Osmanlılar arasında ikili barış görüşmeleri başlar. Yeni bir savaş için gücü kalmayan her iki tarafın, kavgasız görüşüp anlaşmaktan başka çareleri de yoktur. Bulgarlar Edirne'yi geri alamayacaklarının bilincindedirler.

Nihayet, Edirne'nin kurtarılışından bir ay kadar sonra 29 Eylül 1913'de, Osmanlı ve Bulgar Hükümetleri arasında **«İstanbul Antlaşması»** ile barış sağlanır. Bu antlaşmaya göre artık Midye-Enez hududu geçersiz sayılmakta, Edirne bizde olmak üzere aşağı yukarı şimdiki hudut hattı kabul edilmekteydi. Bu hattın şimdiki huduttan farkı, Meriç ötesinde Karaağaç ve Dimetoka'yı da içine alan 25-30 kilometre genişliğindeki bir toprak parçasının Osmanlılara bırakılmış olmasıydı. (*)

Doğu Trakya'nın Edirne'yi de kapsayacak şekilde Osmanlılara bırakılmasına karşılık, Batı Trakya da Bulgarlar'a geri verilmekteydi. Fakat böyle bir anlaşmaya bu sefer **«Batı Trakya Geçici Türk Hükümeti»** karşı çıkarak böyle bir anlaşmayı tanımadığını ileri sürdü.

Aradan geçen süre içinde Geçici Hükümet bütün bölgede örgütünü kurmuş, 30.000 kişilik bir de savunma gücü oluşturmuştu. Ekim ayı başlarında Bulgarlar bölgeye asker yığmaya başlamış, durum gerginleşmişti. Bunun üzerine Sait Halim Pa-

---

(*) Dimetoka ve çevresi, Birinci Dünya Savaşı'nda Bulgarların bizim yanımızda savaşa katılması için müttefikimiz Almanların baskısı ile tekrar Bulgarlara verilecektir.

şa Hükümeti Geçici Hükümete baskı yaparak bölgenin boşaltılmasını sağladı. Böylece Ağustos 1913' ün ilk günlerinde, Batı Trakya'da ümitlerle başlayan bir kurtuluş mücadelesi üç ay sonra Ekim sonlarında acı bir düş kırıklığı ile sona erdi. Bölgede büyük bir yoğunluk oluşturan Türkler ve yüzyıllardır egemenliğimiz altında topraklar yeniden hudutlar ötesinde kalmış, başka egemenliklere terkedilmişti. (*)

Batı Trakya kurtuluşuna öncülük eden Yarbay Enver Bey, o günlerde olayların uzağında, bir ameliyat için İstanbul'da hastanededir. Gerçi bu atak, bu kabından taşan asker Batı Trakya hareketinin sonunu getirememiştir ama, Doğu Trakya ve en başta da Edirne kurtulmuştur.

Şevket Süreyya Aydemir şöyle yazar :

«Yarbay Enver'in Edirne'ye girdiği zaman verdiği beyanatı kısa ve kesindir :

— Burdayız ve burada kalacağız!..

Bu kısa sözler de o zaman büyük manalarla yorumlanır. Çünkü enaz 19. yüzyıldan beri Avrupa'da

— Salibin (Haç'ın) girdiği yere hilal giremez,

sözü yaygındı. Halbuki şimdi ve büyük Rumeli elden gitmiş olsa da, Edirne ve çevresinin geri alınması ve bu olup bittiyi Avrupa devletlerinin de kabul edişi, bu kaideyi bozuyor ve demek ki Salib'in girdiği yere Hilal, tekrar girebiliyordu.»(**)

Evet, Enver o günlerde şöhretinin doruğundadır. Öyledir ama memleketin yönetiminde söz sahibi olmakla beraber bir mevki sahibi değildir. O ise, bu duruma daha uzun süre dayanamayacak kadar sabırsızdır.

Enver, gözünü çok yukarılara, ta Harbiye Na-

_____

(*) Yunanlılar, bu toprakları, Birinci Dünya Savaşı'nda yeniden Bulgarların elinden alarak kendi topraklarına katacaklardı.

(**) Şevket Süreyya Aydemir : Makedonya'dan Orta Asya'ya Enver Paşa 2. cilt.

zır'lığına dikmiştir. Öyleyse, mademki İttihat Terakki Partisi iktidardadır ve mademki kendisi bu partinin hem kuruluşunda, hem de Babıâli Baskını ile iktidara gelmesinde en önemli rolü oynamıştır, öyleyse neden olmasın?.. Buna, rütbesinin küçük olması mı engeldir : Rütbe hemencecik alınıverir... Genç olması mı engeldir : O da yanlış; genç olması bir sakınca değil, inadına, büyük atılımlar için bir gerekliliktir.

Diğer yandan, o Teşkilatı Mahsusa fedaileri de tamamen kendisinin arkasındadır, daha doğrusu onlar bu işi bir an evvel yapıp bitirmek için onu kışkırtıp dururlar. Partiye tamamen hakim olan İçişleri Bakanı Talat Paşa'yı sıkıştırırlar. Yarbay Enver Bey apandist ameliyatını atlatıp ayağa kalktıktan sonra girişimi eline alır ve bizzat ziyaretine giderek Başbakan Sait Halim Paşa'ya isteğini iletir :

«Enver Bey sadrazamın odasına sert adımlarla girdi. Sadrazama resmi ve askerce selam verdikten sonra bir koltuğa oturdu. Ve hiçbir önsöze gerek görmeden sert ve kesin bir dille şöyle konuştu :

— Müsaade buyurunuz Paşa Hazretleri, ben artık fiilen orduyu idare etmek, kabinenize girerek Harbiye Nazırı olmak istiyorum. Balkan Harbi orduyu mahvetti. Ordunun yeniden düzenlenmesi, canlanması lâzım. Şimdiye kadar henüz bir şey yapılmadı. Bu gidişle de bir şey yapılacağı yok.

Sait Halim Paşa şaşkındır. Ne diyeceğini de pek bilemez :

— Fakat siz daha pek gençsiniz. Harbiye Nazırlığı için bir müddet sabretseniz fena olmaz.

— Hayır, rica ederim, maksadımı arz edemedim galiba. Bir İttihat Terakki Hükümeti olan kabinenizde Harbiye Nazırlığını üstüme almama karar verilmiştir.» (*)

(*) Şevket Süreyya Aydemir: Makedonya'dan Orta Asya'ya Enver Paşa 2. cilt.

Sait Halim Paşa'nın, Enver'in şimdilik Genelkurmay Başkanı olması için yaptığı rica boşlukta kalır, Enver mutlaka bakanlığı istemektedir.

Ve, Yarbay Enver Bey 18 Aralık 1913'de Albaylığa yükseltilir... 5 Ocak 1914'de de mirliva (Tuğgeneral)lığa terfi ettirilir ve harbiye nazırlığına getirilir. Onun yarbaylıktan albaylığa terfii için 1.5 yıl, albaylıktan generalliğe terfii içinse sadece 23 gün yetmiştir.

Türkiye'deki Alman Askeri Heyeti Başkanı Mareşal Liman Von Sanders **«Türkiye'de beş sene»** adlı anılarında şöyle yazar :

«1914 Ocak ayında bir gün, Ahmet İzzet Paşa Harbiye Nezaretine gelmedi. Ben ertesi sabah konağına ziyaretine gittiğim zaman, istifa etmeye mecbur kaldığını kendisinden işittim.

Ertesi akşam Enver, Harbiye Nezaretindeki daireme geldi. Ben o zamana kadar kendisini, yalnız bir defa, Almanya'daki bir manevrada görmüştüm. O, paşa elbisesi giymiş bulunuyordu ve bana Harbiye Nazırlığına tayin olunduğunu bildirdi.

Padişah da yeni Harbiye Nazırının tayinini, benden daha evvel haber almış değildi. Padişah o sabah kendi odalarında gazete okuyorlarmış. Birdenbire gazeteyi ellerinden düşürmüşler. Ve yanlarında hazır bulunan bir yavere :

— Burada Enver'in Harbiye Nazırlığı yazılı, olur şey değil, o henüz çok genç sayılır, buyurmuşlar.

Bu bilgilerin kaynağı, o gün orada hazır bulunan nöbetçi yaveridir. Olayın tek şahidi de odur.

O sahneden birkaç saat sonra Enver, Padişahın huzuruna çıkarak, kendisinin paşalığa ve Harbiye Nazırlığına tayin olunduğunu Padişaha arz etmiş..» (*)

(*) Şevket Süreyya Aydemir: Makedonya'dan Orta Asya'ya Enver Paşa 2. cilt.

İş bu kadarla da kalmaz. Beş gün sonra 10 Ocakta genelkurmay başkanlığına da atanır. Artık rüyalarındaki tüm arzularına kavuşmuştur. Rütbesi sadece yarbay olan Enver Bey, 23 gün gibi inanılmayacak kısa bir sürede, onca rütbe ve makamları, onca yaşlı paşaları atlayarak Osmanlı imparatorluk ordularının genelkurmay başkanı ve aynı zamanda harbiye bakanı oluvermiştir.

O günlerde Enver Paşa'nın yaşı, ancak 34'tür.

Ama bu arada İttihat Terakki'nin diğer önde gelen kişisi, İstanbul Muhafızı (Garnizon Komutanı) Kurmay Yarbay Cemal Bey'e haksızlık edilmiştir. O da albaylığa ve arkasından paşalığa yükseltilerek Bahriye Nazırlığına atanır. Şimdi memleketin yönetimi gerçekte üç kişinin elindedir: Talat Paşa, Enver Paşa, Cemal Paşa... Başbakan Sait Halim Paşa, bu hükümetin başındadır ama, asıl kudret diğerlerindedir. (*)

Bu tarihten sonra, hürriyeti getiren, Abdülhamit'in saltanatını yıkan, zorla hükümeti ele geçiren, Edirne'yi kurtaran İttihat Terakki'nin bu genç ve idealist —lakin hiç kuşkusuz tecrübeleri de az olan— yöneticileri, milleti sarsıp uyandırmaya, bazı düzenlemelerle memleketi ileriye götürmeye çalıştılar. Diğer alanlarda ne derece başarılı oldukları pek bilinmez ama, orduda yeni bir ruh ve yeni bir güç yarattıklarına kuşku yoktur. Yeni Alman Askeri Kurulu'nun da yardımiyle Enver, az zamanda orduda büyük atılımlar gerçekleştirmiş, Balkan Savaşı'ndan arta kalan o asker döküntüsünden yepyeni bir güç, yepyeni bir kudret yaratmıştır. Hem de çok kısa bir sürede. Çünkü En-

---

(*) Başbakan Mısırlı Prens Sait Halim Paşa, bu üç kişi ile birlikte imparatorluğu Birinci Dünya Savaşı'na soktuktan sonra 1917'de hükümeti Talat Paşa'ya bırakarak çekilecektir. 1918'de Birinci Dünya Savaşı'nın yenilgi ile sonuçlanması üzerine memleketi terkederek Roma'ya gidecek, fakat orada 1921'de bir Ermeni komiteci tarafından suikaste uğrayarak öldürülecektir.

ver Bey'in harbiye nazırı olduğu 5 Ocak 1914 ile Osmanlı İmparatorluğunun Birinci Dünya Savaşı' na katıldığı 31 Ekim 1914 tarihi arasında sadece 10 aylık kısa bir zaman aralığı vardı. Yani bir yıl bile değil...

Enver Paşa'yı yakından tanıyan İsmet Paşa (İnönü) nın görüşü de bu yoldadır :

«Enver Paşa harbiye nazırı olunca, evvela yeni orduyu kurdu. Gerçek bir tasfiye ve temizlik yaptı. Balkan Harbi öncesinde orduya giren siyaseti, ordudan çıkardı. Orduda siyasetten ayrılmamak isteyenleri, ordudan ayırdı. Orduyu tam ve cezri manada (köklü şekilde) kudretli hale getirdi. Orduyu gençleştirdi. Geniş birliklere, mesela tümenlere, kaymakamlar (Yarbaylar) kumanda eder oldular.

Böylece Türk ordusu, yeni bir hüviyetle kuruldu. Orduda Almanlarla, hoca ve talebe ilişkileri meydana geldi. Birinci Dünya Harbi'nde müşterek imtihan verildi. Bu harpte Türk subayı, başlıbaşına kanaati, görüşü ve icra gücü olan bir varlık haline geldi..» (*)

Balkan Savaşı'nda küçük Balkan ülkelerinin daha dün kurulmuş orduları karşısında 40-45 gün gibi kısa bir sürede bozgundan bozguna uğrayan, Rumeli denen koca bir memleket kaybeden aynı ordunun, bir yıl sonra başlayan savaşta hem de Rusya, İngiltere ve diğer büyük ülkelerin ordularına karşı tam 4 yıl ve dokuz cephede döğüşmesi insanı şaşırtır.

O kadar da değil. Birinci Dünya Savaşı'nın hemen arkasından gelen ve tam 3.5 yıl süren Kurtuluş Savaşı'nda yine aynı Mehmet'in o yokluklar içinde bir cepheden bir cepheye koşarak âdeta dişleriyle memleketini düşmanlarının elinden çekip kurtarması insanı hayretlere sürükler... Hayretlere sürükler, şaşırtır ama, şu gerçeği de gözler önü-

(*) Şevket Süreyya Aydemir: Makedonya'dan Orta Asya'ya Enver Paşa 2. cilt.

ne serer: Türk askeri, tarihteki meşhur adıyle «Mehmet», iyi komutanlar elinde ve eğer biraz da karnı tok ve sırtı pekse daima iyi döğüşmüştür, hem de soyundan gelen bir özveriyle, bir itaatle...

Sonuç

Balkan Savaşı, Türk tarihinde, benzeri olmayan büyük bir yenilgidir. Hatta bir yenilginin ötesinde bir faciadır, bir bozgun, bir tersyüz oluştur. Bunun içindir ki bir çok tarihçi Balkan Savaşı için «Felaket» deyimini kullanır. Bu doğrudur da. Ama doğru olmayan, bu çöküşün ana sebepleri arasında cephedeki Mehmet'i görmek ve onu göstermektir.

Balkan Savaşı'na baştan sona kadar katılan Yarbay Fevzi (Çakmak), savaşla ilgili eserinde parmağını aynı nokta üzerine basar :

«Bilinen bir gerçektir ki, askere subay ve komutanları muharebe ettirir. Başsız asker muharebe etmez ve edemez. Hasan Rıza Paşa (İşkodra Komutanı) gibi komutanlar elinde Türk askeri, hatta Arnavut redifleri bile iyi muharebe etmişlerdir. Fena komutanlar paniğe sebep olmuşlardır. Çoklukla panik, cepheden ziyade geride başlar ve yenilgi önce komutanın moralinde meydana gelir, sonra askere sirayet eder. Komutan tehlikeli anlarda etrafını kendisine tabi kılmalıdır. Balkan Harbi'nde bütün bozgun, subay ve üst subayların gevşekliklerinden ileri gelmiştir.» (*)

Evet, 8 Ekim 1912'de başlayan ve bir sürü değişiklikler gösteren bir savaş, en sonunda Bulgarlarla 29 Eylül 1913'de imzalanan İstanbul Antlaşması ile bitmişti. Ondan sonra Yunanistanla da 14 Kasım 1913'de Atina'da ayrı bir barış antlaşması

_____

(*) Genelkurmay Harp Tarihi Başkanlığı: Balkan Harbi 3. cilt, 1. kısım.

İKİ BALKAN SAVAŞINDAN SONRA HUDUTLAR
(Ağustos 1913)

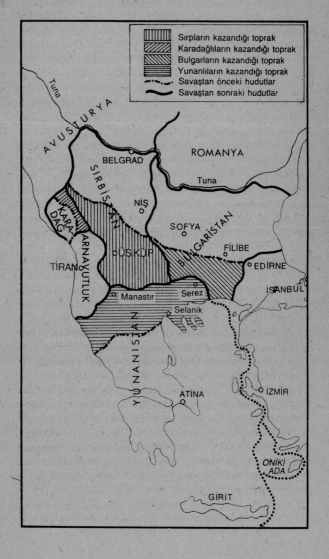

Sırpların kazandığı toprak	
Karadağlıların kazandığı toprak	
Bulgarların kazandığı toprak	
Yunanlıların kazandığı toprak	
Savaştan önceki hudutlar	
Savaştan sonraki hudutlar	

imzalandı. Bu antlaşma ile Yunan bölgesinde kalan Türklerin hakları saptanmış, sonradan Adalar konusunda Londra'daki büyük elçilerin kararları da dikkate alınarak Gökçeada, Bozcaada dışındaki adaların Yunanistan'a, Meis dışındaki Onikiada'nın İtalya'ya bırakılması kabul edilmişti. Karadağ'la da 14 Mart 1914'de bir anlaşmaya varılarak, Balkan Savaşı'nın hukuksal yanı tamamlandı.

Türkler için artık ne bir Makedonya, ne bir Arnavutluk, ne de bir Üsküp veya Vardar Ovası vardı. Tuna'lar, Plevne'ler, Silistre'ler ise unutulalı epeyi olmuştu. Sanki aniden bir fırtına kopmuş, korkunç bir sel gelmiş ve bütün bu güzelim yurt beldelerini süpürüp götürmüştü. Balkanların değişik milletleri ilkin yavaş yavaş başlarını kaldırmış, arkadan küçük devletçiklerini kurmuş ve de şimdi Balkanlardaki son Osmanlı topraklarını kapışarak büyüyüp güçlenmişlerdi. Bir zamanlar sadece Osmanlı bayrağının dalgalandığı yerlerde şimdi —Avusturya ve Macaristan'ı saymazsak— Romanya, Bulgaristan, Sırbistan, Karadağ, Arnavutluk, Yunanistan olmak üzere altı ülkenin bayrakları vardı. Balkan coğrafyası değişmiş, dünya siyasetinde yeni devletler ağırlıklarını hissettirir olmuşlardı.

Bir yabancı yazarın aşağıdaki sözlerinde düşündürücü gerçekler vardı :

«Yunanistan, Sırbistan, Romanya, Bulgaristan, Karadağ birer milli devlet olarak kurulmuş, milli sınırları içinde ezici çoğunluk aynı unsura ait olmuştu. Türkiye de oralarda kök salmamış, hatta idari yönetimini bile adamakıllı empoze edememişti ve nihayet sayı üstünlüğüne de sahip değildi o ülkelerde. Osmanlı Devletinin bu ülkeler üzerinde ancak bir fetih hakkı vardı. Onları, hakimiyet altında kılıcı tutuyordu. Ve işte kılıçla alınan kılıçla gitmişti...» (*)

Şevket Süreyya Aydemir, olayların kaçınıl-

(*) Aram Andonyan: Balkan Harbi Tarihi.

mazlığı ve yenilginin önlenemeyeceği üzerinde durur :

«Evet, Rumeli'de, Rumeli'yi elde tutmak isteyen Osmanlı idaresi ve subayları ile, onların karşısında ve onlarla savaşan halklar arasında, yani Bulgarlar, Sırplar, Rumlar, Arnavutlarla Osmanlı savaşçıları arasında önemli bir silah farkı vardı. Ve bu silah farkı şuydu: Rumeli'de bize karşı savaşan halklar ve önderler, bir milli ülkü uğrunda çarpışıyorlardı. Yani onlar milliyetçi idiler. Bizim ordu subayları arasına ise, milli duygu, yani milliyetçilik girmemişti. Onlar sadece Osmanlıydılar. Ama ne var ki, çağın güçlü akımı olan milliyetçilik karşısında, Osmanlılık formülü, yani imparatorluk kavramı, artık güçsüzdü.

Çağın bu kanunu, yalnız Osmanlı İmparatorluğu için değil, artık asrın bütün imparatorlukları için de geçerliydi. Bütün imparatorlukların yıkılması mukadderdi. Nitekim gene yirminci yüzyıl içinde, yalnız Osmanlı İmparatorluğu değil, devrin bütün bu cins hükümdarlıkları da ardarda ve kısa zaman içinde dağılacaklardı. Mesela Avusturya-Macaristan, Rusya, Fransa, İngiltere ve diğer imparatorluklar gibi. Ama ne var ki yirminci yüzvılın başında, yani Enver Bey'in ve arkadaşlarının Makedonya'da Makedonya'yı korumak için çırpındıkları sırada Osmanlı İmparatorluğu, bütün imparatorlukların en zayıfı idi. Ve fazla olarak bu devlet, kendi halklarına daha iyi bir hayat vadedebilmek için, hiçbir görüşe, hiçbir imkâna da malik değildi. Sarayın bütün hüneri, idare-i maslahat oyunlarından, yani, günü gün etmekten ibaretti. O halde, asrın kanunu, hükmünü icra edecekti. Yani nice kanlar dökülecekti ama, imparatorluk ergeç parçalanacaktı.» (*)

Baştan sona Balkan Savaşı'nın içinde bulunan ve anılarını «Hastanın Baş Ucunda» adlı bir kitap-

_____

(*) Şevket Süreyya Aydemir: Makedonya'dan Orta Asya'ya Enver Paşa 1. cilt.

ta toplayan Fransız yazar Stephan Lausanne, işin can alıcı noktasına parmağını basar :

«Türk yenilgisi, bütün dünyada olduğu gibi Fransa'da da, derin hayret ve Haçlılar Seferlerinden kalan duygu ile zalim bir haz uyandırmışa benziyordu. Halbuki biz, tarihi gerçeklerle düşünmüş olsaydık, Birinci Fransuva'nın, Türk Hükümdarı Kanuni Sultan Süleyman tarafından, bir el işaretiyle Şarlken'in esaretinden nasıl kurtulduğunu hatırlar ve borçlu olduğumuz minneti, bu büyük milletin en felaketli gününde nasıl ödememiz icap ettiğini düşünürdük. Yazık!.. Fransız hariciyesi, Balkan Harbi'nin içinde bu şükran vazifesini hatırlamamıştır.

Paris'e döndüğüm zaman, beni davet edip olup bitenleri öğrenmek arzusunda bulunanlar içinde Harbiye Nazırı da vardı. General Bulanje'yi, önünde muhtelif kaynaklardan gelmiş raporların doldurduğu masası başında buldum. Bana onlardan kısaca bahsettikten sonra, kanaatını ekledi :

— Evet, artık Türkler için tarihlerinin bir devresi kapanmışa benziyor. Bu millet, kendi nefsine itimat duygusunu kaybetmiştir. Tarih, böylesine yerleşmiş ve kökleşmiş bir devletin yıkıldığını bir daha kaydedecek.

Bu hüküm, ancak bir bakımdan, Türk Devleti bakımından benim düşüncelerime uygundu. Fakat Türk milleti bakımından?.. Hayır!.. Bizim Harbiye Nazırı yanlış düşünüyordu: Türkler, elbet bir, bir kaç, gerekirse daha çok mucize yaratacaklar, fakat bağımsız bir devlet kurmanın yeni inşacıları olacaklardı. Dinlediğim raporlarda birçok gerçekler vardı ama hiçbirisi, Türkleri tanımadan öğrenilmesi mümkün olmayan noktayı ortaya koyamamıştı. O nokta da, yıkılanın Türk milleti olmadığı idi. Yıkılan, yıkılmamak için hiç bir ciddi önlem almamamış olan Türk Devleti idi.

Türkler, devletlerinin kötü idaresinin bedelini, bozgunlar silsilesi halinde öderlerken bile ümitsiz ve bitkin değildiler. Ben, erkek, kadın, ihtiyar, çocuk, genç yüzbinlerce, evet, yüzbinlerce masum insanın, haydutlaşmış insan kasapları tarafından boğazlandığına bile şahit olmuştum; bozguna uğramış askerler arasında günler geçirmiştim, hiç birisinde merhamet isteyen ve karşısındakine sığınan eziklik yoktu. Kaderin kendilerine reva gördüğü bu haksız sonu, şikâyet etmeden kabullenerek ölüyorlardı. O bozguna uğramış askerde, korku değil hayret vardı...

Dosyamı dolduran yüzlerce fotoğraftan sadece birisini, Harbiye Nazırına uzattım :

— Bakınız aziz generalim.. Burada, bir Bulgar keşif kolunu görüyorsunuz. Bunlar, önlerinde Türk askeri olmadan ilerleyen muzaffer bir ordunun mensuplarıdır. Ben, onların belki elli kilometre ilerisinde idim. Hiç bir Türk kuvvetine rastlamamıştım. Hatta şehirler bile boşaltılmıştı. Fakat onlarda, nasıl bir korku ve elde ettikleri zaferlerin kendilerine ait olmadığını anlatan bir görünüş ve mana var. Bütün Balkanlı müttefiklerin gerek askerlerinde, gerek devlet adamlarında aynı garip hal göze çarpmaktadır.

Ben, Bulgar Başkomutanı General Savof ile konuşurken de aynı duygu ile karşılaştım. Zaferi elden kaçıracakmış gibi, zaferden bahsetmek bile istemiyordu. Tıpkı karşısındakinin dalgınlık ve ihmalinden düşürdüğü bir hazineyi ele geçiren bir hırsızın korkusu gibi... Hayır aziz generalim... Türkler, yakın bir gelecekte kendilerini toparlayacaklardır. Tarihleri ve görenekleri böyle emrediyor. Binlerce yıllık yeteneklerin, birkaç bozgunla kaybolmasına doğa kanunları muhalefet eder ve sanıyorum ki, bizler de bu sonucu göreceğiz. Hükümetlerin hatalarının devam edip gitmesine, evvela kendi milletleri tahammül edemezler. Türkleri bu hale sokan, uzun zaman süren benzeri olmayan bir dikta yönetimi, siyaseti ordularına ve askerlerinin arasına sokup milletlerini ikiye bölen ihtiraslar, memleketlerindeki kendilerinden başka ırkların ihaneti, hükümetlerinin gafletleri ve politika ihtirasları olmuştur. Fakat bütün bunlar, Türkler için korkulu bir rüya devridir. Atlatacaklar ve var olduklarını cihana yine isbat edeceklerdir...» (*)

Düşünmeli ki, Stephan Lausanne bu satırları Balkan Savaşı'ndan hemen sonra, 1913'de yazmış ve kitabını o yıl yayınlamıştır.

Tarih onu doğrulayacak, ondan sonraki olaylar onun bu görüşünde yanılmadığını kanıtlayacaktı. Ama işte olanlar, koca Rumeli'ye olmuştu.

Yağmada en kârlı çıkan Yunanistan'dı.

Osmanlı İmparatorluğu'nun Balkanlardaki 5 ili, Selanik, Manastır, Kosova, Yanya, İşkodra'nın bölüşülmesinde

Yunanistan 50 bin kilometre kare toprakla, 1.600.000 nüfus,

Sırbistan 30 bin kilometre kare toprakla, 1.200.000 nüfus,

Bulgaristan 18 bin kilometre kare toprakla, 100.000 nüfus,

Karadağ 5 bin kilometre kare toprakla, 150.000 nüfus

kazanmışlardı. (**)

Bu arada da Arnavutluk bağımsızlığını kazanmış, İşkodra içinde olmak üzere kendi topraklarına sahip çıkmıştı.

1912 Ekiminde başlayan, sonradan Romanya'nın da katılmasıyla bütün Balkanları (Arnavutları da sayarsak 7 milleti) kapsayan büyük bir kavga, 1913 Ağustosunda, yani 10 ay gibi kısa bir sürede bitmişti ama, Avrupa'da huzursuzluk bitmemişti. Temelini, sömürge paylaşmasındaki anlaşmazlığın oluşturduğu bir sorun yüzünden iki gruba ayrılmış Avrupalı büyükler, büyük bir hızla

---

(*) Cemal Kutay: Türkiye İstiklal ve Hürriyet mücadeleleri tarihi 16. cilt.

(**) Tahsin Ünal : Siyasi tarih.

silahlanıp duruyorlardı. Avrupa ufukları kara bulutlarla doluydu. Balkan Savaşı'nın bir Avrupa savaşına dönüşmesi önlenmişti ama; nasıl, nerede ve ne zaman başlayacağı belli olmayan o korkunç genel savaş tehlikesi henüz ağırlığını korumaktaydı.

Arnavut topraklarının ve İşkodra'nın boşaltılması için Avusturya'nın, Karadağ ve Sırbistan'a yaptığı baskı, henüz tazeliğini koruyordu. Osmanlılardan sonra Bulgarlarla olan savaşı da bitiren Sırbistan, şimdi bakışlarını baş ucundaki Avusturya'ya çevirmişti. Büyük koruyucusu Rusya'nın desteğini arkasında hisseden Sırp Başbakanı Nikola Paşiç **«İlk raunt kazanılmıştır. Şimdi biz ikincisini Avusturya'ya karşı kazanmaya hazır olmalıyız.»** diyordu. (*)

Sırplara göre Arnavutluk topraklarında Adriyatik Denizi'ne çıkmasının, Avrupalı büyükler tarafından önlenmesinde asıl rolü Avusturyalılar oynamıştı. Ayrıca Avusturyalılar 35 yıl önce Bosna-Hersek'i Osmanlıların elinden alıp topraklarına kattıkları için de Sırplara en büyük darbeyi vurmuşlardı; çünkü bura halkının yüzde 90'ı Sırptı.

Kaderin garip bir cilvesi olarak, Avrupa —ve sonraları dünya— Savaşı yine buralarda, yani Balkanlarda başladı. 28 Haziran 1914'de Avusturya Veliahdi Ferdinand, Saray Bosna (Sarajevo) da Pirincip adında bir Sırplı tarafından öldürülecek, bu da Birinci Dünya Savaşı'nın başlaması için yeterli olacaktı. Evet, korkulan şey, yani Balkanların bir Avrupa savaşına neden olması, biraz geç kalmış olarak, yine başa gelmiş ve yalnız Avrupa'yı da değil tüm dünyayı bir kanlı felakete sürüklemişti.

Auvusturya ve Sırbistan arasında savaşın ilk silahları patladığında, Balkan Savaşı'nın sona ermesinin üzerinden ancak bir yıl geçmiş bulunuyordu. Balkan Savaşı'nın yaralarını sarmakla, yönetime ve orduya çekidüzen vermekle meşgul Osman-

---

(*) Fahri Belen: Balkan Harbi 1912-1913.

lı İmparatorluğu, yani Avrupa'nın «Hasta Adamı» sanki bundan önceki bunca savaş yetmezmiş gibi, bu kavgaya da karışacak ve usanmadan 4 vıl daha döğüşecekti.

Yenik düşen ve artık ömrünü tamamlayan Osmanlı İmparatorluğunun «Birinci Dünya Savaşı» adını alan bu son savaşı ,insanda yer yer hüzün, yer yer gurur duyguları uyandıran merakla izlenecek bir başka konudur...

SON

KAYNAKÇA

RESMÎ YAYINLAR

Genelkurmay Harp Tarihi Başkanlığı
Balkan Harbi :
    1. cilt :
    Balkan Harbi (Harbin sebepleri, askeri hazırlıklar ve Osmanlı Devletinin harbe girişi)
    2. cilt 1. kitap :
    Birinci Çatalca Muhaberesi
    2. cilt 3. kısım :
    Edirne Kalesi Etrafındaki Muharebeler
    3. cilt 1. kısım :
    Garp Ordusu Vardar Ordusu ve Ustruma Kolordusu
    3. cilt 2. kısım :
    Garp Ordusu Yunan Cephesi Harekâtı
Yanya Savunması ve Esat Paşa
Balkan Harbi (1912-1913)

DİĞER YAYINLAR

ANDONYAN Aram : Balkan Harbi Tarihi
AVCIOĞLU Doğan : Milli Kurtuluş Tarihi 3. cilt
AYDEMİR Ş. Süreyya : Makedonya'dan Orta Asya'ya Enver Paşa 1., 2. cilt
BELEN Fahri : 1912-1913 Balkan Harbi
FEROZ Ahmad : İttihatçılıktan Kemalizme
GÜLEN Nejat : Dünden Bugüne Bahriyemiz

G.v. Hochwaechter : Türklerle Cephede (Askeri
   Tarih Bülteni Eki)
HAFIZ Hakkı : Bozgun
KOCABAŞ Süleyman : Avrupa Türkiye'sinin Kay-
   bı Ve Balkanlarda Panislavizm
KUTAY Cemal : Türkiye İstiklal ve Hürriyet Mü-
   cadeleleri Tarihi 16., 17. cilt
MAHMUT Muhtar : Balkan Harbi (3. Kolordunun
   ve 2. Doğu Ordusunun Muharebeleri)
OKYAR Fethi : Üç Devirde Bir Adam
SARAL O. Yavuz : Kaybettiğimiz Rumeli
SELEK Sabahattin : İsmet İnönü Hatıralar 1. Ki-
   tap
ÜNAL Tahsin : Siyasi Tarih
WİLLİAM M. Sloane : Bir Tarih Laboratuvarı
   Balkanlar

Genelkurmay Başkanlığınca incelenerek yararlı görüldüğünden tüm Silahlı Kuvvetlerimize de tavsiye edilen aşağıda A ve B bölümlerinde isimleri yazılı 30 çeşit (35 cilt) Belgesel Savaş Dizisi eserlerimiz ve 1 - 6 bölümlerinde isimleri yazılı diğer yayınlarımız.

BELGESEL SAVAŞ DİZİSİ

A. TÜRK SAVAŞLARI BELGESELİ :

Dünümüzün önemini belirten, günümüz değerlerinin bilinmesine neden olan, ulusal hafızaları canlı tutan belgeler ve anılardan oluşan, altın kuşak atalarımızın yaptığı savaşların öyküleri

1. Balkan Savaşı/**İbrahim Artuç**
2. Sarıkamış Dramı/**Alptekin Müderrisoğlu** (2 cilt)
3. Çanakkale Savaşları/**Fikret Günesen**
4. Anadolu İhtilali/**Sabahattin Selek** (2 cilt)
5. Ana Hatlarıyla Türk İstiklal Harbi/ **İsmet Görgülü**
6. Kurtuluş Savaşı Sırasında Türk Milliyetçiliği/ **Berthe Georges**
7. Kurtuluş Savaşı Mali Kaynakları/ **Alptekin Müderrisoğlu** (2 cilt)
8. Kurtuluş Savaşı Başlarken/**İbrahim Artuç**
9. Kurtuluş Savaşının Zorlu Yılları/ **İbrahim Artuç**
10. Büyük Dönemeç (Sakarya Meydan Muharebesi)/**İbrahim Artuç**
11. Büyük Taarruz (Başkomutan Meydan Muharebesi/ **İbrahim Artuç**
12. Dünden Bugüne Bahriyemiz/**Nejat Gülen**
13. Destanlaşan Gemiler (Hamidiye, Yavuz, Nusrat, Alemdar)/**Erol Mütercimler**
14. Çukurova Faciaları (Urfa'nın Kurtuluşu)/ **Ali Saip Ursavaş**
15. Kıbrıs 20 Temmuz Barış Harekâtı (Nedenleri, Gelişimi, Sonuçları)/**Sabahattin İsmail**

B. İKİNCİ DÜNYA HARBİ BELGESELİ :

İkinci Dünya Harbi'nin en önemli cephelerindeki ölüm kalım savaşlarında gerçek yaşantıları, her yönüyle anlatan, savaşların ve sivil halkın yazgısını, savaşın taktik, teknik ve sosyal yönlerini dile getiren, çoğunun filmi yapılan eserler.

1. Avrupa Seferi/**General Eisonhower**
2. En Uzun Gün/**Cornelius Riyan**
3. Çöl Tilkisi Rommel/**Paul Carell**
4. 941 Temmuz Rusyası/**Grigory Baklanov**
5. Hitler'in Moskova Seferi/**Thedor Plivier**
6. Hitler'in Harika Komandoları/**Charles Foley**
7. Hitler Ve İkinci Dünya Harbinin Kaderi/ **İbrahim Artuç**
8. Stalingrad Siperlerinde/**Viktor Nekresov**
9. Stalingrad'ın Sonrası /**Paul Carell**
10. Pearl Harbor/**Walter Lord**
11. Pasifik Dramı/**Fikret Yurdakol**
12. Amiralin Kurtları/**Jean Noli**
13. Uçmak için Doğan As Pilotlar/**Georges Blond**
14. Moskova Önlerinde (Volokolamsk Savaşları)/ **Aleksandr A. Bek** (2 cilt)
15. 1973 Arap İsrail Savaşı (Yom Kippur)/ **The Sunday Times** savaş muhabirleri (2 cilt)

DİĞER YAYINLAR

1. TÜRK YAZARLARI DİZİSİ :

Herbiri yazar ve eser sahibi öğretmenlerimizin doktora tezi gibi hazırladığı, büyük yazarlarımızın hayatı, sanatı, eserleri.

- Ömer Seyfettin/Şerif Oktürk
- Namık Kemal/Osman Nuri Ekiz
- Tevfik Fikret/Recep Usta
- Dede Korkut/Osman Nuri Ekiz
- Yunus Emre/Halil Aktüccar
- Fuzuli/Müslim Ergül
- Şinasi/Osman Nuri Ekiz
- Refik Halit Karay/Osman Nuri Ekiz
- Karacaoğlan/Halil Aktüccar
- Ahmet Haşim/ Turan Alptekin
- Nabi/Halil Aktüccar

2. ULUSLARARASI ÜNLÜ KİŞİLER :
Herbirinin yaşam öyküleri, hayatı, sanatı, eserleri, icatları ve savaşları

- Fatih Sultan Mehmet/
  İ. Hammer, Konstantiyus Albert Gabriel
- Jean Jacques Rousseau/Vahdet Gültekin
- Frederic François Chopin/Vahdet Gültekin
- Büyük İskender/Vahdet Gültekin
- Voltaire/André Maurois
- Thomas Alva Edison/Vahdet Gültekin
- Viktor Hugo/Vahdet Gültekin
- Ludwig Von Beethoven/Vahdet Gültekin

3. ANTOLOJİLER :

- Konuşma sanatı ve güzel sözler/Şerif Oktürk
  904 sayfa 12.107 alfabetik vecize (2 cilt)
- Türk Maniler Antolojisi/Şerif Oktürk
  520 sayfa, 6.318 alfabetik mani
- Dünya Mizahından 3.000 Fıkra/Erendiz Kasnak
  528 sayfa, 33 ulusun mizah yönü ve anonim fıkralar

4. ÜNLÜ ROMANLAR :

- Süslü Hayatlar/**Honore de Balzac** (3 cilt)
- Renkli Peşe/**Somerset Maugham**
- Aile Çevresi/**André Maurois**
- Brahms'ı Sever misiniz?/**F. sagan**
- Venedik Aşıkları/**Michel Zevaco**
- Ecel Köprüsü/**Michel Zevaco**
- Kanaiok Kutuplarda aşk ve yaşam/ **Marianne Monestier**
- Acı Oyun/**Sındım Şahinkaya**

5. DÜNYA ÇOCUK KLASİKLERİ :
(Tam metin çeviri)

- Polyanna/**Eiconor Poster**
- Gulliverin Gezileri/**Jonathan Swift**

6. DİĞER YAYINLAR :

- Sahne Bilgisi/**Prof. Özdemir Nutku**
- Dil ve Düşünce/**Prof. Ayhan Songar**
- Eşref Saati/**Şevket Rado** (6. baskı)
- Ümit Dünyası/**Şevket Rado** (7. baskı)
- Saadet Yolu/**Şevket Rado**
- Türk İsimler Sözlüğü/**M. Kemal Çalık**
- Kalp Hastalıkları el kitabı/ **Dr. Behzat K. Yeğen**
- Gökçe Hikâyeli boyama. Renkli karton kapak 1. hamur kâğıda renkli ofset baskı (4 çeşit, 1 poşet, 4 kitap)

GENEL DAĞITIM
KASTAŞ A.Ş. YAYINLARI
Başmusahip Sokak Talas Han 16-101
Cağaloğlu-İstanbul
Tel. : 520 59 70